Mireille Calmel

Mireille Calmel est née en 1964 dans le Sud de la France. À l'âge de huit ans, elle tombe gravement malade. Passant son enfance d'hôpital en hôpital, elle trouve la force de vivre grâce à la lecture et à l'écriture. Puis elle guérit, lentement. Elle écrit des chansons, des pièces de théâtre et chante dans les bals. En 1995, elle commence la rédaction de son roman *Le lit d'Aliénor*, en vivant grâce au RMI. Cinq ans plus tard, elle envoie son manuscrit aux éditions XO : Bernard Fixot est conquis. Le livre est vendu à plus d'un million d'exemplaires et traduit dans sept pays européens.
Elle vit aujourd'hui en Aquitaine avec son mari et ses deux enfants.

LE LIT D'ALIÉNOR

*

MIREILLE CALMEL

LE LIT D'ALIÉNOR

*

XO Éditions

© XO Éditions, 2002
ISBN : 2-266-12687-3

À ceux qui m'ont aimée,
À ceux qui m'aiment encore,
À ceux qui m'aimeront un jour,
Ils sont les blancs d'entre ces lignes, d'entre ces mots,
Ils sont mes silences et mes rires,
Ils sont mon regard d'aujourd'hui et ma lumière
de demain.

Première partie

1

Je ne m'aimais pas. Et, cette nuit, moins encore que d'ordinaire. En ce 16 mai de l'an de grâce 1133, personne n'avait besoin de moi.

J'avais beau apprécier l'attente, je guettais chaque pas affairé dans le corridor, chaque craquement des planchers disjoints, chaque son de voix qui franchissait ma porte fermée ou montait par le conduit de la cheminée et gazouillait dans l'âtre éteint.

Je guettais, avec ce sentiment de plus en plus oppressant de solitude, « l'instant ». L'instant où s'ébranleraient les cloches de la cathédrale d'Angers, si proche du château qu'elles feraient trembler les murailles de pierre.

Dame Mathilde, duchesse de Normandie, comtesse d'Anjou, du Maine et de Touraine, petite-fille de Guillaume le Conquérant et prétendante légitime à la couronne d'Angleterre, enfantait dans l'hospice, au bas de l'escalier de bois, et j'étais là, inutile, rejetée, quand je frémissais de savoir l'enfant si proche ; reléguée comme la moins efficace des servantes par mère qui, elle, était tout dans cette maisonnée : ventrière, conseillère, astrologue, apothicaire, régisseur… sorcière. Et moi, je n'étais rien ! Rien qu'une fillette malingre de douze ans, perchée sur des jambes qui ressemblaient à des piquets de barrière et que je n'aimais pas davantage que le reste. Ni mes cheveux entre le blond et le roux, ni mes yeux désespérément grands dans ma figure longue tapissée de taches de rousseur. J'étais laide. Laide de ne servir à rien quand mère était tout.

Elle m'avait envoyée tantôt dans les bois alentour ramasser des simples dont elle avait prétendu la nécessité. Ils étaient là, posés sur une table dans ma chambre. Lorsque je m'étais avancée, fière de mon importance, aux portes de l'hospice où dame Mathilde hurlait, mère m'avait frotté le crâne, emmêlant mes boucles rebelles malgré mes longues nattes.

— Plus tard, Canillette. La comtesse est faible, l'enfant naîtra avec la pleine lune. Il sera gros et vigoureux. Sa venue est difficile. Chacun a sa part de besogne, et ta petite frimousse curieuse ne pourrait que gêner. Va.

— Mais ceci, mère ? avais-je insisté en tendant mon panier.

— Plus tard, plus tard.

Et la porte s'était refermée, me livrant seulement le spectacle de dame Mathilde, les cheveux collés sur son front blême et dégoulinant, le visage crispé par l'effort, les mains agrippées à une table qui lui faisait face, debout, jambes écartées, le bas de sa chemise blanche maculé de sang, entourée de trois ventrières qui s'activaient.

J'étais montée me réfugier dans ma chambre en tremblant d'effroi devant pareil spectacle. Car, de la grande Mathilde, imposante et fière, il ne restait rien en cette heure. Celle qui était ma marraine me paraissait un monstre hideux possédé par quelque diable tourmenteur.

Peut-être fallait-il prier. Prier de toute mon âme pour qu'il la laisse tranquille. Sottise ! Ineptie ! Dieu avait bien mieux à faire ! Et puis quoi ? Que savait-il de cette douleur d'enfantement ? Non, il valait mieux que j'en appelle à notre mère à tous.

Je levai les yeux vers la croisée tendue de papier huilé que j'avais ouverte sur le couchant lourd, chargé de nuages d'orage. La lune s'y découpait par intermittence, ronde et pleine comme le ventre de Mathilde, ronde comme cette table qui trônait depuis l'avènement du roi Arthur sur l'Angleterre, ronde comme les yeux de Merlin l'Enchanteur dont j'étais la descendante... Ronde comme ce panier.

Alors, brusquement, mon angoisse disparut.

— Merci, mère ! murmurai-je à cette lune dont le visage souriant éclairait sans cesse ma vie.

Car l'Église aurait beau faire, j'appartenais à la lignée des grandes prêtresses d'Avalon, des druides et des fées, et ce n'était pas ce Dieu triste et hypocrite qui parviendrait jamais à tuer les anciens rites, mes croyances comme celles de ma race. J'aimais bien trop la vie, j'avais bien trop acquis déjà de ce savoir que les prêtres nous contraignaient à oublier.

Je fouillai dans un buffet en aulne et extirpai fébrilement un petit mortier en bois de cerisier. Puis, cueillant en coupe dans mes mains les simples abandonnés trop tôt, je les laissai tomber dans le récipient.

— Si mère n'en veut pas, moi, Loanna de Grimwald, par le pouvoir des trois cercles de vie, je leur donne l'eau, le feu et la terre pour que l'énergie universelle apaise et guérisse.

Je m'emparai du pilon et, gagnée par la magie de mon incantation, je broyai le tout jusqu'à obtenir une pâte noisette à l'odeur de sous-bois.

Mais il restait l'essentiel : levant le mortier au-dessus de ma tête, je le portai à pas lents jusqu'à la fenêtre.

Au loin, par-dessus les remparts du château, la campagne angevine s'endormait, tandis que les chandelles, dans les logis rassemblés autour de l'enceinte, mettaient petit à petit des taches lumineuses sur les vapeurs de la soirée. Des mugissements venaient se mêler aux piaffements des chevaux et aux grognements des cochons dans la basse-cour. Dans le colombier, des battements d'ailes et des roucoulements craintifs répondaient aux cris stridents des faucons.

— Ce n'est pas une nuit comme les autres, remarquai-je. Même les animaux le sentent. Bientôt, bientôt ! Lors, je porterai l'onguent à la comtesse et caresserai l'enfant. Dès que la lune ronde viendra m'éclairer d'un rayon !

Je m'accoudai à la fenêtre en souriant de plaisir, le visage posé dans mes paumes ouvertes, au-dessus du petit mortier de bois.

Un cri de délivrance déchira l'hospice. Guenièvre coupa le cordon ombilical avec de fins ciseaux. Elle saisit le nouveau-né par les pieds et, le suspendant tête en bas, le fessa vigoureusement jusqu'à ce que retentissent dans la pièce des pleurs aigus.

— C'est un fils ! Que l'on prévienne Geoffroi le Bel !

Quelques instants plus tard, je vis la porte cloutée tourner sur ses gonds, avec ce grincement familier que j'espérais depuis des heures.

— Viens, me dit Guenièvre.

Je pris avec précaution le mortier entre mes mains et, sans mot dire, devançai avec dignité ma mère dans l'embrasure de la lourde porte de chêne.

Une fumée blanche et opaque avait envahi la pièce exiguë, mais je n'en avais cure. C'était une sorte de réduit, à l'arrière de ma chambre, où j'aimais essayer mes expériences magiques. À l'inverse de certains seigneurs de ces temps, Geoffroi dit le Bel, comte d'Anjou et du Maine, répugnait à l'utilisation de courtines pour séparer les pièces les unes des autres. De sorte que le donjon se trouvait partagé par des murs intérieurs faits d'éclats de pierre amalgamés avec de la chaux et du sable. Outre la vaste salle du rez-de-chaussée où l'on servait ripaille, à l'étage tous avaient leur chambre, petite et étroite certes, mais suffisante pour que chacun se trouvât à son aise. C'était une de ces exigences de confort que dame Mathilde, après son veuvage d'avec l'empereur d'Allemagne, avait appréciées en deuxièmes noces. La vie au castel d'Angers en était devenue plus intime, ce qui n'était pas pour me déplaire.

La fumée me piquait. Je me raclai la gorge, toussotai plusieurs fois, mais, déterminée à pousser mon entreprise jusqu'à son terme, je rajoutai dans la cheminée la mousse putride et nauséabonde que j'avais pétrie de mes doigts. La flamme s'étouffa encore, élevant un nuage acide dans l'air. Je sentais mon corps s'alanguir et en même temps se balancer d'une sensation à une autre. Un étau m'enserra les tempes tandis que montait du fond de mon ventre une étrange douleur. Je tombai à genoux, sans détourner mon regard de l'âtre.

Soudain, les volutes s'y concentrèrent, puis des formes indistinctes apparurent, se mélangèrent, se précisèrent jusqu'à devenir images. Tout dansait autour de moi dans un ballet d'ombres et de lumières, que je regardais sans voir, pénétrée par des visions d'un autre temps. Les murs vacillaient, semblaient pris de convulsions. Mais peut-être était-ce moi ? Les yeux dilatés par l'étrange pouvoir de mon âme, j'absorbais le parfum d'une connaissance mystérieuse, et cela me grisait.

Je ne sais combien de temps je restai ainsi en transe, auréolée de fumée et de songes grimaçants. Et puis soudain, la fumée se dispersa, happée par un courant d'air venu de la chambre. La porte s'était ouverte et une voix lointaine résonna en s'amplifiant au creux de mes tympans.

— Loanna ! Par les pouvoirs des trois cercles ! Combien de fois devrai-je te répéter que tu es trop jeune pour de telles expériences ?

Je saisis la main que me tendait mère. Elle avait l'air fâché. Je voulus la rassurer d'un sourire, mais n'avais plus la force de rien, tant les révélations m'avaient épuisée. Elle m'aida à me lever ; lors, étirant mes membres endoloris, je parvins à lui faire face. Je ne voulais pas lui causer de tourment. Je redressai fièrement le menton et soutins le regard couleur de mousse empreint d'une colère sourde.

Mère était une petite femme ronde et joufflue, à la chevelure épaisse qui la faisait ressembler à un écheveau de laine rousse. Dressée dans tout mon orgueil d'enfant, j'étais presque aussi grande qu'elle.

— Tu es têtue comme je l'étais à ton âge, Canillette !

L'espace d'un instant, face à ma détermination, ses yeux s'étaient crayonnés d'indulgence, mais cela ne dura pas.

— Cela peut être dangereux pour qui n'est pas préparé, Loanna, tu te dois de préserver la santé de ton esprit. Si les forces que tu manipules en apprentie venaient à t'échapper, tu pourrais y perdre ta lucidité. Tu ne dois jamais oublier cela, Canillette, c'est ton bien le plus précieux.

— Oui, mère. Mais ne vous fâchez pas, il me fallait savoir ! Henri est si joli, si petit.

Ses bras ronds m'enlacèrent avec tendresse. Elle me berça contre sa poitrine généreuse en soupirant, résignée :

— Henri n'a que quelques jours et tu voudrais déjà tout connaître de demain. Allons, est-ce bien raisonnable ? Ton teint est cireux et tes yeux gonflés, ce n'est pas avec ce masque que tu pourras lui être utile.

Elle m'entraîna vers la fenêtre, m'incitant à inspirer largement l'air vif. Peu à peu, la couleur regagna mes joues, et je me sentis moins faible. Lorsque je repris le contrôle de mes sens, une profonde tristesse m'envahit, incontrôlable, que je ne pus m'empêcher de confier à Guenièvre :

— Me sont apparues des choses bien curieuses. Des lieux dont je ne connais rien. D'un endroit, je n'ai retenu qu'un long bras de mer écartant les terres ; d'un autre, un regard languissant d'une pureté extrême, et d'une douceur infinie. Quel sentiment étrange, mère ! Je crois bien que de ma vie, je n'oublierai ces yeux-là. C'est comme s'ils m'avaient pénétré le ventre et le cœur à tout jamais. Croyez-vous que l'on puisse emprisonner l'âme de ceux que l'on regarde quand l'Église l'interdit ?

Elle éclata d'un rire sonore et gai :

— Bien sûr que non, Canillette ! Ni l'Église ni son Dieu n'ont de pouvoir sur ces choses. Tu as vu des images lointaines dans le futur, auxquelles tu ne dois point accorder d'importance pour l'instant. Nous ne pouvons changer le cours des événements que par la stratégie et les forces de la terre, pas en visionnant un fragment de l'histoire. Allons, ma toute petite, sois patiente. Tout cela viendra bien assez tôt, je te le promets. Lors, comme je le fais aujourd'hui, tu pourras servir l'Angleterre... Va ! Bernaude attend ton aide au fauconnier. Pour l'heure, ta science et ton amour des rapaces sont plus utiles au château.

— Sont-ils arrivés ?

— Les jeunes éperviers ont été amenés hier aux vêpres par un des vassaux du comte, mais l'un d'entre eux refuse toute nourriture, tu sauras le reprendre, j'en suis sûre.

— J'y cours, mère.

Je l'embrassai avec bonheur. Je l'aimais, mais n'osais le lui dire. Je coulai dans ses yeux chaleureux un regard plein de tendresse, puis m'élançai à toutes jambes dans l'escalier de pierre.

L'orage était monté d'un coup, violent, en plein cœur de la nuit, ne laissant à l'aurore que ces nuages de traîne qui semblent se prolonger jusqu'à terre.

J'avais couvert ma chemise de soie d'un mantel de laine épaisse et m'étais glissée dans les jardins sous ma fenêtre, nu-pieds dans l'herbe tendre. Avant que les premiers ne se lèvent, il régnait en ce lieu une étrange atmosphère, faite encore des bruits nocturnes et de ceux imperceptibles de la vie qui s'éveille. C'était un moment privilégié, propice à la rêverie. Ici, tout s'animait au chant du coq : les cuisiniers s'activaient, et les parfums champêtres se couvraient d'odeurs de poulardes rôties, de pain blond et de sucre caramélisé. Dans la basse-cour, les poules caquetaient pour réclamer leurs graines d'orge et de blé. Et, depuis la semaine dernière, des bruits de pots de lait tintant contre les écuelles des apprentis venaient s'ajouter au remue-ménage habituel. La voix tonitruante de Bernier, le maréchal-ferrant, encourageait la joyeuse bande de menuisiers et de couvreurs rénovant son atelier. La tempête de vent et de grêle qui avait balayé le château la nuit précédant la naissance du jeune Henri avait emporté les toits de chaume. L'ouvrage pressait : rien ne devait égratigner l'œil et risquer de déplaire au seigneur et à ses invités. La demeure de Geoffroi le Bel était en fête.

Je m'assis en tailleur à même la terre et attendis le lever du jour. De là, je pouvais voir en contrebas du donjon la petite ville s'éveiller lentement et, au loin par-dessus les lices, s'éclairer d'une palette de carmin et d'orange les champs d'orge, de blé, mais aussi ceux laissés en jachère sur lesquels ondulaient des brassées de coquelicots. Mais ce qui me plaisait avant tout était de ne pouvoir être vue de personne, dissimulée par le petit muret clôturant le jardin potager.

Les gens m'aimaient bien ; pourtant, je recherchais peu la compagnie de ceux de mon âge. Je

18

n'étais pas comme eux, et appréciais cette différence. La seule dont j'acceptais parfois l'approche était Bernaude, la fille du luthier. Elle était de mon âge, d'un faciès insipide sans être vraiment laid, mais certains la repoussaient à cause de l'effrayante cicatrice qu'elle portait au bras gauche, déchiqueté par les serres d'un faucon mal dressé. Malgré cette blessure, elle continuait à s'occuper des rapaces, et s'entendait avec eux, presque autant que moi. Notre amitié, cependant, s'arrêtait là.

Il y avait aussi le frère Briscaut, mon précepteur. C'était un moine naïf au possible, qui se réjouissait par de grands gestes exubérants des connaissances que je paraissais assimiler avec une facilité qui le déconcertait. L'avantage certain que j'en retirais était qu'il me laissait libre de mes humeurs, préférant grandement somnoler que veiller une si fameuse élève, comme il se plaisait à le dire à mère et à dame Mathilde, ma marraine. Il m'amusait beaucoup, en fait. Il était rondouillard, à l'image d'une citrouille, dont il avait le teint par un curieux caprice de la nature. Mais il avait le cœur généreux et noble, même s'il affectionnait ce Dieu qui me laissait perplexe. J'étais croyante bien sûr, et avais été baptisée, mais je ne parvenais point à me trouver une ferveur catholique.

Je me souviens qu'à l'aube de mes six ans, tourmentée de ne pas me sentir sous la menace d'une punition divine, je m'étais confiée à Guenièvre d'une voix pleine de remords. Mère avait éclaté d'un de ses rires joyeux qui ressemblaient à une brise printanière.

— En voilà un grand souci, ma Canillette ! Tu ne dois pas t'inquiéter de si peu de chose ! Oublierais-tu que ta lignée connaît plus de magie que ce bon Jésus-Christ ? Lorsque le moment sera venu, je t'enseignerai la puissance d'une foi bien plus grande que celle des catholiques, alors tu sauras mettre en harmonie ton cœur et ton âme. Pour l'heure, crois ce que tu estimes vrai, mais ne le dévoile pas. Tu devras toute ta vie cohabiter avec le Dieu tout-puissant de l'Église et nourrir à son égard le plus grand respect. Écoute ton cœur, il sait ce qui est juste et te guidera…

Au fil des ans, en découvrant la force de mes origines, en étudiant les astres, les secrets des plantes et des éléments avec mère, j'avais fini par ne plus me soucier de cette conscience intuitive et accepté de ne pas railler frère Briscaut lorsqu'il me racontait la Genèse.

Je laissai mes pensées vagabonder sur les événements de la nuit encore proche, engourdie par un sommeil qui, m'ayant fuie longtemps, me rattrapait à présent.

Depuis une semaine, les festivités allaient bon train au château. Tous les vassaux de Geoffroi le Bel étaient venus rendre hommage au jeune Henri. Mathilde, qui affectionnait les réjouissances, avait convié jongleurs, trouvères et amuseurs de toutes sortes pour donner un air de cour à sa demeure. Geoffroi aimait recevoir ses vassaux autant que la noblesse qu'il logeait dans le donjon ou ses dépendances, selon son bon vouloir et la faveur dont ils disposaient. Chacun, connaissant ses brusques et violentes colères, s'accommodait de son sort, dans une atmosphère de liesse.

Geoffroi le Bel était un être d'envergure, fort, solide, à l'esprit vif et prompt, habile et rusé, mais aussi d'une grande générosité. Lorsque sa fille Mathilde s'était retrouvée veuve, le roi d'Angleterre avait vu en cet Angevin l'être d'exception duquel naîtrait son héritier. Affaibli et maladif depuis, le roi espérait de toutes ses maigres forces réconcilier l'Angleterre en proie à de nombreuses querelles à propos de sa succession. En 1127, il força la noblesse à reconnaître les droits au trône de Mathilde. Mais son arriviste de neveu, Étienne de Blois, n'attendait que sa mort pour s'emparer de cet héritage. Mathilde était sur le qui-vive. Elle savait qu'il lui faudrait une armée puissante face à celle d'Étienne de Blois, soutenu dans ses prétentions par le roi de France, Louis le Gros. L'Angleterre avait besoin d'un roi. Un roi tel qu'avait été Arthur.

Depuis l'aube des temps, la Grande-Bretagne était sous la protection du savoir des druides qui veillaient à son unification. Pour Guenièvre de Grimwald, ma mère, descendante directe de Merlin l'Enchanteur, le fils que dame Mathilde venait de mettre au monde serait ce monarque qui marquerait le deuxième millénaire.

Chaque jour, les visages défilaient au-dessus du berceau, ne manquant pas de constater la ressemblance entre le fils et le père : même tignasse flamboyante, et déjà cette corpulence massive qui augure des hommes forts et sains. Henri me plaisait.

Dans la grande salle du donjon où des jonchées d'iris et de genêts étaient renouvelées chaque matin, tout était prétexte à ripaille. J'avais choisi la meilleure place : je m'activais au milieu des pages et des servantes, coupant les miches de pain, servant la soupe de lard et de pois, portant les poulardes, les pâtés, les chapons, les gibiers, les sauces, les entremets et les tartes avec Bernaude, me substituant même au bouteiller si j'y pouvais trouver quelque avantage. Ainsi, j'avais tout loisir d'observer sans être remarquée, me fondant avec grâce et un semblant d'indifférence au sein de l'assemblée. Baissant mon museau, je me posais là où la conversation paraissait intéressante et me hâtais vers d'autres lorsque l'on s'apercevait de mon indiscrétion.

À ce jeu-là, j'étais passée maîtresse. J'avais été payée en retour.

La veille, mère s'était éclipsée avant la fin du banquet, précédant de peu Mathilde, fatiguée par ses invités, et mon instinct m'avait soufflé que des choses importantes se passaient à l'étage.

Parvenue au seuil du long corridor qui permettait d'accéder aux différentes ailes du bâtiment, j'étais passée sans hésitation derrière une tapisserie, empruntant le petit couloir qu'elle dissimulait. Obliquant sur la droite, je m'étais glissée à l'intérieur d'un boyau qui servait à l'aération des pièces centrales. La voix de mère m'avait confortée dans mon opinion. Elle se trouvait bien dans le cabinet secret de Mathilde. Là d'où rien de ce qui se disait ou se décidait ne devait transpirer.

Il était question d'Étienne de Blois. Un frisson de dégoût m'avait parcourue, comme chaque fois que je le croisais. Je détestais cet homme.

La voix de mère était ferme et décidée, d'une très grande noblesse :

— Une alliance avec l'Aquitaine serait décisive pour contrarier les ambitions de cet impétueux ! D'autant plus que ses erreurs accumulées desservent sa cause auprès des barons. Il suffirait de peu pour remettre cet insolent à sa juste place. Si la couronne de France continue de rester d'une neutralité de bon ton, nous le moucherons grâce à ses maladresses, mais je crains le pire, Mathilde. Louis le Gros a trop d'ambition, et Blois lui est un allié fidèle. L'eau dormante est souvent une eau croupie. Rien ne vaut une rivière pour laver les salissures de la félonie.

— Il est vrai que cette damoiselle Aliénor ressemble fort à son grand-père, avait répondu ma marraine en poussant un soupir dont je n'avais trop su s'il était de plaisir ou de regret. Guillaume le troubadour… Ah ! Guenièvre ! Avons-nous connu homme plus entêté, plus entier ? Sa petite-fille a le regard droit et fier de ceux qui n'hésitent pas à braver pour s'élever, même si son éducation lui a ôté cette insolence du verbe que son grand-père avait prompte. Elle sera sans nul doute une femme forte et responsable.

— Comme vous l'êtes vous-même.

— Certes. L'Angleterre ne doit pas devenir la patrie des couards. Mais Henri n'est qu'un nouveau-né ! N'est-ce pas folie que de songer si tôt à son devenir ?

— Aliénor est déjà une pucelle, il est vrai, du même âge que ma Canillette, mais vous savez par expérience combien il est sage qu'une femme soit plus âgée que son époux. Imaginez la richesse du duché d'Aquitaine joint à celui de l'Anjou dans la corbeille d'épousailles du futur roi d'Angleterre. Sa puissance serait à même de tenir tête à tous, y compris au roi de France.

— Soit. Je connais la valeur de tes conseils. Attendons que le petit Henri grandisse un peu, le temps d'écarter de lui les humeurs malignes des nourrissons. Lors, si sa force et son caractère se montrent prometteurs, nous agirons en ce sens.

Puis les voix s'étaient estompées, et, faisant le chemin à reculons, j'avais regagné le rez-de-chaussée.

Tandis que je m'abandonnais à ces proches souvenirs, une brise fine s'était levée. Devant moi, le soleil s'arrondissait sur l'horizon, auréolant l'azur sombre d'une étreinte de rose et de gris. Je frissonnai sous mon mantel. L'humidité de la terre gorgée par l'orage de la veille pénétrait la toile et mouillait mes cuisses avec insistance. L'Aquitaine ! On la disait belle, lumineuse, ensoleillée, chaleureuse par sa musique, ses vins et ses arts. J'appréciais les belles choses, tout ce qui, disait-on, coulait là-bas, comme coulait le fleuve en écartant les terres pour s'y frayer un passage et les enrichir. Ainsi c'était l'Aquitaine, cet endroit dont j'avais pressenti en songe l'importance ! J'en étais sûre à présent : ce pays me plairait.

2

— Laisse-toi faire, ma douce, allons…

— Messire, si quelqu'un entrait.

Pour toute réponse, le jeune comte de Poitiers assit la chambrière à même la table et embrassant goulûment sa gorge délacée, glissa une main impatiente sous ses jupes. Elle s'alanguit en minaudant, laissant un regard vaporeux traîner sur l'embrasure de la porte par habitude. Monsieur le comte était si imprévisible !

La silhouette qui s'y encadra soudain lui fit lâcher un petit cri que le jeune homme attribua à ses caresses plus précises. Il poussa plus loin son assaut, excité par les attributs offerts sans retenue, mais le grondement de fureur derrière lui ébranla d'un coup son ardeur :

— Raymond ! Infâme dépravé !

Son visage se glaça, et il s'écarta sans se retourner pour se rajuster. Refermant son corsage, la chambrière, écarlate, disparut par une porte opposée à celle où fulminait la jeune duchesse d'Aquitaine : Aliénor. De rage, celle-ci fit claquer à terre la cravache qu'elle tenait encore en main.

— Bonne promenade, Aliénor ? lui demanda son oncle d'un air détaché, sans lui faire face.

Il saisit un pichet de vin qu'il avait écarté pour installer les fesses charnues d'Isabeau et, avisant un gobelet d'argent, s'en versa une rasade.

— Comment oses-tu ? Ici, chez moi ! Avec cette fille de rien ! Regarde-moi !

Il se retourna lentement, un sourire amusé aux lèvres. Sa nièce, du haut de ses douze ans, était d'une jalousie maladive. La fureur la rendait encore plus belle, jetant des éclairs métalliques dans ses yeux verts. Elle revenait de promenade et avait sans doute galopé à vive allure, car quelques mèches de cheveux s'étaient défaites de sa coiffe et flottaient comme des flammèches dorées autour de son visage.

— Je n'ai rien fait de mal, Aliénor. Je t'assure que cette jeunette était consentante.

Elle s'avança, meurtrière, levant sa cravache pour lui fouetter le visage, des mots rageurs entre ses dents de porcelaine :

— Ignoble petit…

Il bloqua le geste d'une poigne ferme, amusé.

— Pas de cela, ma nièce, je ne suis pas ton palefroi !

— Tu m'as trahie, fulminait-elle, essayant de dégager son poignet.

Il força la main à lâcher le jonc et, lui tordant le bras derrière le dos, l'attira contre son torse massif. Elle poussa un cri de douleur, mais redressa la tête avec défi.

— Assez, Aliénor !

Elle lui cracha au visage pour toute réponse, se débattant de plus belle. Il resserra l'étreinte, conscient de lui faire mal. Si elle n'avait été sa nièce, il l'aurait soumise à son désir frustré, à lui en faire regretter sa hardiesse, et, l'espace d'une seconde, celui-ci réclama son dû avec tant de violence qu'il troubla ses prunelles d'un éclair sauvage. Instinctive, Aliénor rejeta son visage en arrière, lèvres offertes. Il la repoussa rudement, trop vite, brûlé au plus profond de sa chair par l'appel de ses sens. Il lui fallait apaiser le bouillonnement de son sang, ne pas la regarder. Souple, il s'assit sur la table et, saisissant une grappe de raisin qui traînait dans une coupe, y planta ses dents voracement. Aliénor en frémit jusqu'au creux des reins.

Elle le regarda dévorer tandis que la vengeance revenait, lancinante, dans ses poings. Elle se planta devant lui.

— Tu te moques bien que je sois malheureuse ! Tu ne m'aimes pas !

— Mais si, je t'aime, lui répondit Raymond d'un ton qu'il voulait léger, ce qui eut pour effet de la faire trépigner davantage.

— Pas comme je veux !

— Tu ne sais pas ce que tu veux, répliqua-t-il.

Sa voix était plus ferme, son sang s'apaisait lentement.

— Tu es une enfant, Aliénor, ajouta-t-il en haussant les épaules.

— Ce n'est pas vrai, regarde !

D'un geste vif, elle arracha les lacets qui serraient son corsage, dénudant un petit sein blanc et rond. Surpris, Raymond poussa un grognement et détourna la tête. Décidément, cette chipie était prête à tout pour le mettre à bout ! Il ordonna :

— Rajuste-toi ! Tu n'es pas une servante !

— Je suis aussi jolie qu'Isabeau. Touche-moi, reprit la voix, enjôleuse à présent, terriblement sensuelle.

Elle approcha sa poitrine nue de son épaule, s'enivrant de le sentir tressaillir.

« Ne pas céder ! disait sa cervelle en fusion. Ne pas céder ! »

La colère l'emporta. Raymond emprisonna la taille de l'impertinente entre ses cuisses musclées et entreprit de refermer le corsage.

— Vois, tes charmes sont sans effet. Il te faut grandir un peu pour me plaire.

Il fixa, imperturbable, tout au moins en apparence, les grands yeux fulminants jusqu'à ce qu'ils perdent de leur intensité. Aliénor sentit un sanglot lui nouer la gorge. Raymond se moquait d'elle. Il aimait la soumettre, la dominer du haut de sa vingtaine superbe.

— Lâche-moi, gémit-elle, des larmes dans la voix.

Il obtempéra. Elle se détourna, glacée, et lâcha d'une voix éteinte :

— Je sais ce qu'il me reste à faire. Puisque personne ne veut de moi, je n'ai plus qu'à disparaître. Adieu !

Raymond se retint de rire. Il hasarda :

— Où vas-tu ?

— Mourir, messire, lança-t-elle, très digne, en sortant de la pièce.

Il s'attendrit, un sourire aux lèvres. Elle était si obstinée, tellement femme surtout. L'espace d'une seconde, il se demanda si cette entêtée n'était pas capable de se jeter dans le fleuve, juste pour le narguer. Il se dirigea vers la fenêtre du donjon depuis laquelle on pouvait voir les écuries. Un palefrenier était occupé à brosser la haquenée d'Aliénor. La jeune fille donnait des ordres, gesticulait, coléreuse. Au bout de quelques minutes, l'homme saisit une selle à haut pommeau, harnacha l'animal et aida Aliénor à monter. D'un coup sec du talon, elle éperonna sa monture, qui partit d'un trot vif jusqu'au pont-levis.

C'était jour de marché à Bordeaux, et les abords du palais de l'Ombrière regorgeaient de monde, d'étalages aux senteurs les plus variées. Les artisans appelaient leur clientèle d'une voix forte, et Raymond entendait depuis la fenêtre ouverte des phrases sans queue ni tête tant les accents des uns finissaient ceux des autres. Aliénor traversa la foule à vive allure, prenant garde toutefois de ne renverser personne, saluant parfois qui l'interpellait.

S'éloignant des faubourgs, elle prit le chemin qui conduisait vers Belin, à une dizaine de lieues de Bordeaux. Là se trouvait un monastère dont son père était le protecteur et qui servirait à merveille son plan.

« C'est aujourd'hui ou jamais », pensa-t-elle.

Raymond rongea son frein quelques instants, hésitant sur la conduite à tenir.

« Si seulement Isabeau était dans les parages, songea-t-il, elle me ferait oublier cette chipie. »

Mais Isabeau redoutait encore le courroux de sa jeune maîtresse et s'occupait le plus loin possible des appartements de la duchesse. Raymond était seul. Harcelé par l'envie de la poursuivre. Rageur contre lui-même, mais ne pouvant résister davantage, il dévala à son tour les escaliers, haletant comme un jeune cerf, et se dirigea d'un pas ferme vers les écuries.

Il avait beau savoir que tout ceci n'était qu'un jeu, il ne pouvait supporter l'idée qu'il arrivât quoi que ce soit à sa nièce par sa faute. Du moins était-ce l'excuse qu'il s'était donnée.

Les routes étaient peu sûres en ces temps. Depuis quelques mois, une compagnie de bandits de grand chemin les écumait, pillant et massacrant les voyageurs, violant damoiselles et duègnes sans distinction. Le duc d'Aquitaine, Guillaume, le père d'Aliénor, avait dépêché des soldats que Raymond avait conduits lui-même pour décimer ces truands, mais sans succès. Ils restaient introuvables, semblant ne sortir que pour effectuer leurs forfaits. Et il n'y avait pas un vilain pour vendre leur secret. Le duc en était furieux. Son duché qui comprenait le Poitou, la Guyenne et la Gascogne était à lui seul plus vaste et plus riche qu'aucun autre, ridiculisant même les domaines de la couronne. Il ne pouvait laisser dire que ses gardes mieux armés et organisés que ceux du roi Louis le Gros ne parvenaient pas à mater une poignée de voleurs. Mais Raymond, désespérément, revenait bredouille.

Ce dernier trouva son cheval harnaché, un bai qu'il aimait pour sa vigueur, s'en étonna, mais l'air complice du palefrenier le renseigna sur la provenance des ordres. Ainsi, elle savait ! Qu'à cela ne tienne ! Il enfourcha l'animal et sortit à son tour du palais. Quelques marchands l'aiguillèrent sur la route suivie par Aliénor et, sans plus attendre, il s'élança au grand galop sur ses traces.

Le soleil déclinait sur l'estuaire lorsque Raymond rejoignit sa nièce. Il se contenta de la suivre de loin pour ne pas lui donner l'occasion de pavoiser et d'user davantage du pouvoir qu'elle savait exercer sur lui. Il l'aimait à en perdre l'âme, à s'en user le cœur. Elle l'envoûtait. Il la voyait devenir de jour en jour plus femme, et son désir d'homme se heurtait à leur parenté. Il apaisait son appétit charnel avec des servantes, maraudes sans importance. Mais, là encore, Aliénor semblait le deviner, le respirer, et troublait autant qu'elle le pouvait son intimité déjà recluse, à le rendre fou.

Il pénétra dans la cour du monastère, laissa son cheval au frère Alburge qui l'accueillit, et, s'étant renseigné, se dirigea vers les jardins. Aliénor s'y promenait, qui échangeait, angélique, des propos anodins avec un moine. À sa vue, elle ne montra aucune surprise ; pourtant, son regard pétillait de malice. Il se demanda, les doigts brûlants, qui du diable ou de Dieu hantait cette demeure. L'abbé salua Raymond, lança quelques banalités sur l'éphémère des roses qui embaumaient le parterre, puis les laissa seuls.

Aliénor s'avança jusqu'à un petit banc de pierre sous un arbre entouré de clématites. Prenant un air de sainteté qui ne pouvait tromper personne, elle lança d'une voix mélancolique :

— Je vais me plaire ici...

Raymond s'assit à ses côtés.

— Qu'as-tu encore inventé ? L'eau de la Garonne était donc si froide que tu lui aies préféré celle du bénitier ?

— Ne sois pas narquois, Raymond ! J'ai trouvé plus utile que mourir. De plus, le remords passant avec les années, tu m'oublierais et je ne le veux pas. J'ai décidé de prendre le voile.

Raymond avait une furieuse envie de rire, cependant, il décida de jouer la prudence.

— C'est une merveilleuse idée.

La jeune fille tressaillit. Cela ne se passait pas comme elle l'avait prévu. Elle bredouilla :

— Tu crois ?

— Oui. C'est une sage décision. Qui satisfera tout le monde.

— Que veux-tu dire ?

Sa sérénité chancelait face au calme qu'affichait Raymond.

« Touché », pensa-t-il.

Il ne répondit pas. Il étira ses longues jambes et, croisant ses mains derrière sa nuque, s'adossa à l'arbre. Il était maître du jeu, il le sentait au frémissement des doigts d'Aliénor qui pétrissaient la dentelle d'un mouchoir. Il aurait aimé faire durer encore cet instant qui la forçait à baisser les yeux, mais il poussa un soupir satisfait, décidé à l'épargner. Il lança, rêveur, les yeux dans la floraison mauve :

— Pouvoir me promener dans les couloirs du palais, embrasser et cajoler une chambrière, sans risquer d'entendre ton petit pas menu derrière la porte, sans redouter ta colère. Pouvoir venir ici, te confier, en frère, mes déceptions amoureuses ou mes victoires…

C'était plus qu'elle n'en pouvait supporter, la rage embrasa ses joues. Elle lança une main cinglante en direction de son visage, mais il l'esquiva.

— Que se passe-t-il, ma nièce ? Serais-tu en proie au démon pernicieux que l'on nomme jalousie ?

— Tu te moques de moi une fois de plus. Tu sais que je ne peux vivre sans toi…

— Mais si ! Tu seras très bien ici, la rigueur dissimulera ton beau visage, épargnant ainsi maintes souffrances à ceux qui n'auront pas le bonheur d'être aimés comme moi.

— Assez !

Se levant d'un bond, elle courut se réfugier contre un arbre pour cacher ses larmes. Raymond, bien que n'étant pas dupe de son stratagème, s'avança vers elle, la saisit doucement par les épaules et l'attira à lui. Elle se blottit sans résistance contre la poitrine massive et s'abandonna à de violents sanglots.

— Calme-toi. Je n'en pensais rien, tu le sais bien. Pour rien au monde, je ne voudrais que l'on t'enferme entre quatre murs. Tu as besoin d'espace. Sèche tes larmes. La nuit tombe, il faut rentrer.

— Non !

— Allons, sois raisonnable.

Raymond releva le menton frémissant, obligeant sa nièce à lui livrer son visage ruisselant de larmes. Il embrassa le front chaud, avec l'envie de laisser sa bouche caresser les lèvres suppliantes.

— Restons ici, murmura-t-elle d'une voix tremblante, à peine audible. Ensemble ! Je te promets que jamais plus je ne t'ennuierai, ne te ferai de scène. Je t'en prie…

— Tu es folle ! Que vont penser les moines ? Que leur nouvelle recrue s'est liée au démon ?

— Peu m'importe, j'achèterai leur silence ! Je veux dormir contre toi. Me réveiller dans ta chaleur. Juste une fois. Une seule fois. S'il te plaît ?

Raymond secoua la tête, sans conviction pourtant. Les yeux d'un vert d'émeraude brillaient de tant de lumière, d'un espoir si grand, qu'ils faisaient fondre toute résolution.

Et déjà Aliénor savait. Il était vulnérable, il lui appartenait donc. Elle prit sa main, qu'elle sentit molle sous ses doigts, et l'entraîna vers le bureau du père supérieur. Dans le vertige de sa déraison, Raymond n'entendit qu'un brouhaha de mots qui semblaient mêler la fatigue, la fièvre et le besoin qu'avait sa nièce de se sentir veillée, tant le diable l'appelait en ses cauchemars ; explications dont elle jouait avec une telle sincérité qu'on ne pouvait les mettre en défaut. De fait, le saint homme ne trouva nul argument pour les séparer. Il les conduisit à la cellule isolée qu'il réservait à ses hôtes de marque, dans laquelle étaient disposées deux paillasses recouvertes de couvertures. Sur le mur au-dessus d'elles trônait un crucifix de bois. Le frère Alburge leur souhaita une nuit pleine de méditation, puis les laissa seuls. Raymond avait l'impression duveteuse d'être un pantin de chiffons et de plumes, envoûté par l'audace de sa nièce, pris au piège de son amour.

Il la regarda se dévêtir dans un brouillard et l'attirer vers une des couches austères. Il eut encore une hésitation, dernier rempart contre l'inévitable, mais lorsque le corps chaud se moula au sien et qu'Aliénor lui prit la main pour la poser sur son sein en gémissant, il poussa un grognement sauvage et la fit sienne.

Plus tard, Raymond s'éveilla en sursaut. Audehors, un loup affamé hurlait dans la nuit claire. Aliénor sommeillait contre son épaule, un sourire aérien aux lèvres. Un frisson le parcourut. Une fois encore, elle avait obtenu ce qu'elle désirait. Dans le regard du comte de Poitiers, que le sommeil déserterait désormais, l'étincelle du remords avait chassé celle du désir. Pour la première fois depuis longtemps, il se mit à pleurer.

Je sursautai en sentant une main épaisse se poser sur mon épaule. Mais reconnaissant l'homme à la caresse bourrue, je lui souris.

— Que prépares-tu cette fois ? me demanda Geoffroi le Bel, avisant ma mixture.

Occupée à composer mes onguents, je ne l'avais pas entendu venir.

— Une colombe s'est blessée à la patte. Voyez.

Je pris dans le colombier qui me faisait face un volatile aux yeux tristes, couché douloureusement sur le côté. Le long de sa cuisse, une estafilade avait arraché les plumes et le sang s'était caillé, collant celles qui restaient.

Délicatement, sous le regard de Geoffroi, je nettoyai la blessure à l'eau de lis, puis, avec des gestes aussi doux qu'il m'était possible, j'étalai ma pommade sur la plaie. L'oiseau ne bougeait pas, confiant, bercé par la douce mélodie que je chantais et dont il savait le langage.

— Tu deviens aussi savante que ta mère, petite, murmura l'homme, admiratif.

Personne ne savait qui était mon père. Guenièvre n'avait jamais éprouvé le besoin de le dire. En conséquence, j'avais adopté Geoffroi comme tel. Il en était conscient et me le rendait bien. J'achevai mon traitement par un bandage de feuilles, puis recouchai l'oiseau dans sa cage, prête à l'entretien que le comte paraissait souhaiter.

— Vous vouliez me parler, n'est-ce pas ?

Il hocha la tête en souriant. Il s'amusait toujours du fait que je puisse deviner ses intentions. Il s'assit près de moi sur le petit banc de pierre. De cet endroit du château, on apercevait le pont-levis et, par les créneaux des remparts derrière nous, la vue qui s'élargissait paisiblement sur la campagne environnante. J'avais fait mon domaine de cette cour intérieure haute, derrière l'une des tours de guet. J'y avais installé mes colombes et mes pigeons, leur apprenant à force de patience et d'amour à devenir des messagers. Seuls mère et Geoffroi venaient me rendre visite, jamais sans but.

J'attendis. Il semblait mal à l'aise. C'était donc d'importance. Il ramassa à terre une petite flûte de buis que j'avais façonnée quelques jours auparavant, lança trois notes dans l'air de ma patience, puis, se raclant la gorge, murmura :

— Tu n'ignores rien, je le sais, de tout ce qui se dit ou se pense ici. Henri va grandir et un jour peut-être, si Dieu le veut, il deviendra roi d'Angleterre. Il aura besoin à ses côtés d'un être fort, qui saura lui éviter les erreurs. Peut-être est-ce cette damoiselle d'Aquitaine. Ta mère semble le croire…

Il marqua une pause, puis continua d'une voix solennelle :

— Henri aura besoin de toi, Loanna, plus que de toute autre. Dans le sang de cette Aliénor, il y a la violence, peut-être les vices de son grand-père, le troubadour. Lui et moi, nous nous ressemblions par ce caractère entier qui méprise les faux hommages. Mais en aucun cas je n'aurais pu être son ami. Si Henri m'est semblable et je le souhaite, une union avec la petite-fille de Guillaume risque d'être dévastatrice, comprends-tu ?

— Ne vous inquiétez point, père. Je protégerai Henri. J'irai en Aquitaine et deviendrai l'amie d'Aliénor. Je ferai ce pour quoi je suis venue au monde : servir ma terre et mon roi.

Il me regarda avec respect et passa une main affectueuse sur mon front pour écarter les boucles sauvages qui y dansaient. J'avais deviné bien avant qu'il ne parle ce qu'il voulait de moi, et c'était tout ce qui importait.

J'étais prête. Prête à affronter demain.

3

Ce matin-là, 25 février 1137, comme tous les matins depuis une semaine, il y avait du brouillard, un brouillard qui ondulait à terre tel un serpentin vaporeux de mousseline. Les formes s'en trouvaient arrondies, fondues, dans une harmonie de gris perle et de bronze. La rivière à mes pieds glougloutait doucement, sertie dans son écrin de mousse et de bruyère. Et comme nulle part ailleurs, ici, à Brocéliande, en plein cœur de la Bretagne, le temps semblait suspendu. Là étaient mes racines, les toutes premières, celles du premier maillon de la chaîne de vie.

Quatre années s'étaient écoulées depuis la naissance d'Henri. Le roi d'Angleterre, Henri Ier Beauclerc, était mort en 1135 et ce qu'il avait craint s'était réalisé : Étienne de Blois s'était emparé du trône par de nombreuses concessions aux barons et aux prélats, soutenu en cela par le roi de France. Depuis ce jour, dame Mathilde et lui se faisaient une guerre ouverte sans, hélas, que cela pût changer le cours des choses. Il eût fallu bien davantage que des prétentions légitimes pour arracher à ce parvenu cette terre tant convoitée. La suggestion de mère d'unir Henri à la jeune duchesse Aliénor d'Aquitaine prenait désormais tout son sens.

Mère m'avait préparée lentement à recevoir l'offrande de la terre, l'ultime bénédiction de mes ancêtres avant de me confronter à mon destin. Elle m'avait enseigné les rituels magiques, ceux que les druides se transmettent de bouche à oreille, et je savais désormais qui j'étais véritablement. Pas n'importe quelle fille, ni duchesse ni roturière, ni sorcière ni fée, et pourtant tout cela à la fois.

Il y avait de cela longtemps, Merlin l'Enchanteur, alors au service du roi Arthur, avait aimé Viviane, grande prêtresse d'Avalon, l'île gardienne des secrets druidiques. De leur union était née une fille, puis une autre lorsque celle-ci fut en âge de procréer. Toutes avaient en commun le même héritage, de par leur accouplement au Dieu cornu lors des fêtes rituelles de Beltaine. Toutes détenaient le savoir. Mère était la seizième de cette lignée. Elle possédait comme ses ancêtres l'intuition aiguë et la perception des choses invisibles, savait les secrets de la magie et les mystères cachés au regard des seuls humains. L'île d'Avalon s'était éloignée depuis longtemps des rives du monde visible, protégée des hommes par un voile de magie. Nul n'y pénétrait plus. Pas même mère. Tout au plus recevait-elle parfois, par des images confuses, des messages qui guidaient ses décisions. La vérité d'Avalon s'était confondue dans sa légende.

Guenièvre de Grimwald était née comme les autres avant elle pour servir l'Angleterre. Il ne s'était pas passé un règne depuis celui d'Arthur où l'une d'entre nous n'ait été là, familière, indispensable, prompte à apaiser, à comprendre, à soutenir, à guérir et à prévoir dans l'ombre des rois, malgré l'interdit qui pesait sur les anciennes croyances, malgré les prêtres qui nous avaient maudites. En s'emparant du trône d'Angleterre, Étienne de Blois avait tiré un trait sur ces superstitions. Le Dieu des chrétiens, le Seul, l'Unique, devait guider les hommes dans la miséricorde et le repentir. Au mépris de toute sagesse ancestrale. Une terre de prière, une terre d'abstinence, une terre de soumission et d'hypocrisie, de fourberie et de mensonge, voilà ce qu'il entendait faire du royaume d'Arthur. C'était intolérable ! Plus encore que le fait pour dame Mathilde d'avoir été dépossédée de son bien. C'était une tradition que l'on écorchait vive, une lumière que l'on éteignait. Comme on était loin de la quête du Graal et, à travers l'objet mystique qu'il représentait, comme on était loin des paroles et des actes d'égalité, de fraternité et de justice de ces êtres emplis d'amour qui en avaient porté le symbole ! Comme on était loin des premiers temps de la chrétienté où la sagesse première était de préserver celle des Anciens.

Parfois, des images me venaient, comme à mère, de formes humaines auréolées d'une aura intense de bleu et de mauve pailletée d'étoiles. Mère me disait alors que c'étaient eux, ces êtres venus des confins de l'univers, qui avaient essaimé sur la planète alors qu'elle n'était qu'un embryon de vie. Que d'eux venait la connaissance que nous devions transmettre. Tout cela me fascinait. Comment cela pouvait-il être ? Les étoiles étaient si lointaines à nos yeux. Le moindre déplacement terrestre nécessitait souvent plusieurs jours de voyage. Alors que penser d'une route dans l'espace ? Pourtant, elle disait vrai. J'en avais la certitude au fond du cœur.

Mon destin était associé à celui d'Henri. Lorsqu'il deviendrait roi, je serais à ses côtés comme grand-mère avait été dans l'ombre d'Henri Ier Beauclerc et mère dans celle de dame Mathilde.

Mais j'étais la dernière. Mère l'avait annoncé comme une sentence. Ce n'était pas une responsabilité légère. Je n'avais que seize ans ce jourd'hui et je portais en moi tout l'espoir d'un monde en train de mourir qui, désespérément, tentait de léguer l'essentiel de ce qui l'avait fait naître pour que règnent paix, amour, progrès et lumière. Tous ces mots qui avaient un sens avant que l'Église n'assoie son obscur pouvoir.

Je ne savais pas si je me sentais prête. Peut-être l'étais-je depuis toujours. Plus qu'aucune autre avant moi, je me devais à la plus sacrée des missions. Une seule chose pour moi était certaine : je n'avais pas le choix. Je n'avais jamais eu et n'aurais jamais d'autre droit que d'épouser mon destin.

Depuis deux mois, je vivais en ermite, sur nos terres de Brocéliande, dans la chaumière que seuls connaissaient ceux de mon sang, à quelques pas de la source, dans cet endroit où, étrangement, régnait un éternel printemps.

Avant mon départ, Geoffroi le Bel m'avait offert une superbe pouliche blanche que j'avais appelée Granoë. Elle m'avait accompagnée en ce lieu où, recluse du monde, j'achevais mon apprentissage. Les années passant, mon corps de fillette malingre s'était transformé en des courbes souples, fines tel un jonc ; lors ma silhouette de sylphide chevauchant Granoë, à l'aube, faisait se signer d'effroi les bûcherons auxquels j'apparaissais dans la brume comme un fantôme. La forêt de Merlin avait ses légendes. Personne n'osait plus s'aventurer dans les bois de peur de rencontrer une âme aux cheveux de lumière, me laissant ainsi toute intimité et liberté d'agir selon mes désirs.

Avant que je quitte mère et ma paisible vie à Angers, j'avais remarqué un changement dans le comportement de Geoffroi le Bel à mon égard. Il recherchait un contact plus charnel, et je devais souvent m'esquiver d'une boutade. Son intérêt grandissant s'était affirmé de jour en jour, et je sentais peser son regard sur mon corps telle une brûlure. Il n'était pas le seul. Le fils de Benoît le meunier, à peine plus âgé que moi, me poursuivait de ses assiduités. Lorsque mère m'avait annoncé qu'il était pour moi temps de me retirer à Brocéliande, j'avais poussé un soupir de soulagement, car je savais qu'aucun au château n'oserait profaner ce lieu de légende.

Il faisait doux. Si doux que l'on aurait pu se croire aux portes de l'été. Je déroulai soigneusement la coiffe qui retenait prisonnière ma longue chevelure. Elle cascada sur mes seins dans une caresse soyeuse. Chaque matin, je me glissais nue dans l'eau bienfaisante de la source de Baranton où Merlin faisait autrefois ses incantations. Sa fraîcheur était vivifiante, et l'extrême richesse des minéraux qui lui traçaient un chemin dans le roc, unique. Je m'abandonnai à ma baignade, laissant mes pensées courir sur le visage rond et joufflu du petit Henri. Il me manquait un peu.

Je me demandais comment Bernaude pouvait bien faire, à présent que je n'étais plus là, pour contenir les caprices de ce petit monstre. Il était caractériel au possible, d'une ardeur et d'une détermination hors du commun. J'étais la seule à parvenir à l'apaiser, la seule qu'il écoutait, et avec laquelle il se montrait attentif et réservé. Sa nourrice comme sa mère ne pouvaient rien en tirer. Moi, je lui racontais des histoires de magiciennes et de dragons, de chevaliers et de princesses, de lutins et d'elfes, je lui enseignais les secrets de la terre et des cieux, et le respect que l'on doit aux choses vivantes. Somme toute, ces leçons élémentaires que le frère Briscaut ne lui inculquerait jamais. À ses yeux, j'étais donc d'un grand mérite, et l'admiration qu'il me portait accentuait mon pouvoir sur ses humeurs.

Peu à peu, autour de moi, le brouillard levait son voile, dénudant la forêt de son mystérieux habit. Ce jour était différent des autres. La source chantait autrement que d'ordinaire, comme si sa mélodie sentait la sérénité qui m'avait gagné l'âme et le cœur. Je savais qu'au matin Mathilde et Geoffroi étaient partis pour l'Aquitaine rencontrer le père d'Aliénor. Aujourd'hui, le premier pas vers demain était suspendu au vouloir du duc Guillaume.

Je me levai pour laisser l'eau glisser le long de mes cuisses. Il était temps de communier avec les énergies créatrices. Je m'allongeai sur le dolmen qui faisait face au bassin, puis laissai venir en moi l'incantation première.

Les hauts murs voûtés du corridor semblaient vibrer dans le silence obscur. Il était rare qu'une stature aussi masculine s'avançât vers le logis de la grande abbesse de l'abbaye de Fontevrault.

Le visage et le col dissimulés par un long mantel de samit, le duc d'Aquitaine suivait, songeur, la flamme vacillante de la bougie que le frère Thibault tenait d'une main mal assurée.

— C'est ici, messire. On vous attend, dit-il en s'arrêtant devant une lourde porte de bois.

Guillaume se demandait ce que pouvait bien lui vouloir la grande abbesse, en cette fin février 1137. Il répugnait à confier sa fille Aliénor à sa protection, même s'il se rendait compte que le chagrin qu'il éprouvait depuis la mort de son épouse lui avait ôté l'envie et le goût des réalités et des gens. Pour l'heure, il songeait à partir en pèlerinage à Compostelle, prier et se repentir, espérant que cela lui rendrait quelque raison de vivre.

La porte s'ouvrit dans un grincement dont les pierres massives se firent l'écho. Il entra et vit, assises auprès de l'âtre crépitant, deux silhouettes familières. L'abbesse se tenait à quelques pas d'eux, droite et raide, de sorte que les rides de son visage semblaient amidonnées du même onguent que les plis de sa robe. Il abaissa la tête et vint humblement poser un genou à terre devant elle.

— Relevez-vous, mon fils. Vous connaissez le comte d'Anjou et son épouse, dame Mathilde.

Guillaume les salua courtoisement d'un signe de tête. L'abbesse poursuivit d'une voix chevrotante :

— Ils ont sollicité la discrétion de ces murs afin de vous entretenir d'une affaire de la plus haute importance, qui demande pour l'heure un secret absolu. J'ai entendu avec intérêt leur requête et leur ai donné ma bénédiction. Il ne leur manque que la vôtre, mon fils. Mais je vous laisse seul juge de la sagesse et de l'honneur de leurs propos.

L'abbesse s'assit péniblement sur sa chaise, croisa les mains sur sa poitrine et s'abandonna à l'ombre qui baignait ce recoin de la pièce austère, affichant ainsi sa réserve.

Après quelques banalités d'usage, Geoffroi le Bel s'engagea dans le vif du sujet :

— Vous n'êtes pas sans connaître les différends qui nous opposent à la maison de Blois. Or, une évolution favorable des événements nous porte à croire que dame Mathilde sera prochainement couronnée reine d'Angleterre, et selon l'ordre des choses, si Dieu le veut, notre petit Henri sera appelé à lui succéder. C'est la raison pour laquelle nous souhaiterions, malgré son jeune âge, que lui soit promise votre fille aînée, Aliénor. Une union entre l'Anjou et l'Aquitaine serait profitable à nos deux familles, ainsi qu'à leurs descendants.

Guillaume secoua sa lourde tête d'un air satisfait, prit le temps d'une inspiration et répondit :

— Je vous estime, Geoffroi, et je trouve votre requête fort opportune. Mes pensées me conduisaient justement à me préoccuper de l'avenir de mon aînée. Aliénor est une jeune fille à présent. Elle festoie et se plaît en compagnie des troubadours. Je crois cependant qu'elle aurait besoin de recueillement et de solitude pour tempérer son caractère excessif. Votre Henri est fort jeune encore, néanmoins, votre idée me séduit. Mais le fait est que nous ne pouvons unir ces enfants trop tôt. Que me proposez-vous ?

— De placer Aliénor en ces lieux une dizaine d'années. Promise à Henri, elle sortira du couvent pour célébrer leurs épousailles et ceindre la couronne d'Angleterre. Nous ne voulons pourtant pas la retrancher du monde ; aussi, nous envisageons de lui attacher l'amitié de la fille de la baronne Guenièvre de Grimwald, fidèle à dame Mathilde. Elles sont du même âge. Cela l'aiderait sans aucun doute à accepter son isolement et à adoucir ce trait de caractère dont vous nous faites l'éloge, ajouta-t-il en connivence. Leur rapprochement scellerait de fait notre entente.

— Cela me semble fort bien pensé, et convenable.

— Il va de soi que pour l'heure, et dans l'intérêt même de nos enfants, cette entrevue doit demeurer secrète, ajouta Mathilde.

— Je pars sur les chemins de Compostelle dans quelques semaines. À mon retour, nous clarifierons cela par écrit et réglerons les détails de la dot. Jusque-là, vous pouvez être assuré de mon entière discrétion et de mon engagement, conclut Guillaume en serrant fraternellement la main tendue de Geoffroi.

Lorsque la porte s'ouvrit sur le corridor pour laisser le duc d'Aquitaine sortir, un glissement de pas furtifs s'éteignit avec la lueur d'une chandelle. Guillaume chassa de son esprit la désagréable sensation que le frôlement y produisit. D'ailleurs, en ce lieu de recueillement, qui pouvait avoir à se fondre dans l'obscurité aussi rapidement ?

En rejoignant son escorte près de la rivière, à l'orée de la forêt, il avait retrouvé sa sérénité. « Ainsi le sort d'Aliénor est joué, et au mieux des intérêts de l'Aquitaine », pensa-t-il. Pour la première fois depuis longtemps, un sourire léger étira ses lèvres sèches.

— Maudite soit ma cousine !

Étienne de Blois fulminait. Il faisait les cent pas dans sa demeure, renversant parfois avec rage un bibelot du revers de la main. Frère Thibault n'osait plus ni parler ni relever la tête de peur de subir personnellement les foudres de cet homme.

Il avait obtenu de la grande abbesse une dérogation de visite à sa mère, qu'il avait prétendue gravement malade, pour avertir sans tarder la maison de Blois de ce qui se préparait.

— Notre grand maître Bertrand de Blanquefort sait-il la nouvelle ?

— Pas encore, messire.

— Si cette union se fait, tous les projets de l'ordre du Temple seront contrariés. Nous devons conserver l'Angleterre, et Louis de France qui nous est acquis doit s'allier l'Aquitaine. Sang de Dieu ! Les prétentions et le pouvoir de l'Église vont bien au-delà de ces querelles vassales. Va ! L'ordre te récompensera pour le soutien que tu lui apportes.

Frère Thibault hocha timidement la tête en guise de remerciement et disparut à petits pas craintifs.

Un homme sec au regard métallique sortit de derrière une courtine. La chlamyde blanche qu'il portait montrait clairement son appartenance à l'ordre des Chevaliers du Temple. Le comte de Blois, roi d'Angleterre, ne parvenant pas à calmer son humeur contrariée, se versa une rasade d'eau-de-vie de prunelle qu'il affectionnait.

L'abbé Suger, fidèle conseiller du roi de France Louis VI le Gros, s'assit dans un lourd fauteuil ouvragé qui meublait un coin de la pièce richement ornée de tapisseries et de statuettes de bronze.

Bien qu'il n'appréciât pas cette tendance pernicieuse à la boisson qui depuis quelque temps semblait coutumière au comte, il s'abstint de tout commentaire. Son souci pour l'heure était autre. Laissant ses pensées franchir ses lèvres, il commenta :

— Mathilde d'Anjou est fin stratège. J'ai déjà entendu le nom de Guenièvre de Grimwald. Qui est-elle ?

— Une sorcière, mon père ! Elle possède les terres de Brocéliande depuis de nombreuses générations. La rumeur la prétend descendante de Merlin l'Enchanteur. De fait, les trouvères parlent d'elle à demi-mot, comme de « celle qui sait ». Qui qu'elle soit en vérité, elle est dangereuse. Depuis toujours, sa famille est proche du trône. En soutenant Mathilde, elle me renie. Songez que certains imbéciles de barons ont été jusqu'à s'indigner que je n'aie à mes côtés quelqu'une de sa race pour prévoir l'avenir ! Comme s'il suffisait de sa présence pour devenir légitime ! Si je n'avais eu assez d'or et le soutien des prêtres pour leur promettre les châtiments divins, ces sots se seraient agenouillés devant des dieux en rut ! *Miserere !*

— Laissez donc à la rumeur sa bassesse, mon fils. Vous qui siégez à la table ronde et buvez la coupe des chevaliers du Christ ne pouvez donner crédit à ces ragots de serfs. C'est souvent la peur plus que la raison qui amène la foi. Croyez-moi, Mathilde d'Anjou n'a besoin de personne pour intriguer contre votre camp.

Étienne de Blois se renfrogna :

— Ne sous-estimez pas Guenièvre de Grimwald, l'abbé. Son influence sur Mathilde est grande. Si vous aviez seulement pu croiser son regard une fois, vous comprendriez. Bien que sous la protection de Dieu, j'en viens parfois à craindre le souffle du Malin dans la verve de ces femelles.

Suger se retint de sourire face à l'épouvante qu'il lisait dans les yeux du comte de Blois. Celui-ci avala une nouvelle rasade d'eau-de-vie, rota bruyamment, puis enchaîna :

— Comment se porte notre Sire Louis de France ?

Ce fut au tour de Suger de grimacer. Il aurait préféré n'avoir pas à répondre, il ne pouvait pourtant mentir. Il soupira :

— Mal. Le flux de ventre ne le quitte que rarement. Je crains que celui-ci ne l'emporte plus tôt qu'il ne faudrait.

Blois s'étrangla :

— Raison de plus pour empêcher cette alliance, mon père ! Les barons anglais ne me suivront plus bien longtemps si Mathilde leur fait miroiter la dot de la jeune Aliénor. J'ai offert mon soutien à l'ordre en échange du sien. J'attends aujourd'hui d'être payé en retour de mes largesses.

Son poing frappa la table avec violence. Suger réprima un sursaut. Cet individu l'agaçait décidément par ses sautes d'humeur ridicules. Il exécrait cette bassesse de l'homme à toujours prétendre à plus qu'il ne devrait exiger.

Pourtant, l'ordre du Temple avait besoin de lui. Cette armée du Christ récemment créée suivait un nouveau chemin depuis la mort de son fondateur, Hugues de Payen, il y avait tout juste une année.

Cela avait été une période difficile durant laquelle le pape avait lourdement insisté pour que Bernard de Clairvaux, l'abbé de l'ordre de Cîteaux, prenne la succession vacante. C'était lui qui, le tout premier, de par sa sagesse, sa rigueur et sa foi citées en exemple, s'était vu chargé de rédiger la règle de l'ordre naissant. Lui qui avait donné le souffle sacré à cette vaste et divine entreprise. Malgré tout ce qu'elle comportait de rêve et de grandeur pour lui, Bernard de Clairvaux avait refusé de devenir grand maître. Bertrand de Blanquefort s'était proposé, achetant les soutiens par de nombreux dons à l'ordre. Il voulait le pouvoir. Le pouvoir absolu que donne la foi, autant sur les rois que sur les esprits et les âmes. Là où Hugues de Payen, Godefroy de Saint-Omer ou Bernard de Clairvaux parlaient de spiritualité, lui parlait d'or, de terres, de domaines, d'allégeances, de biens en tout genre abandonnés par ceux qui s'achetaient ainsi le soutien de l'ordre. Si Bernard de Clairvaux songeait à l'avantage qu'aurait eu une armée divine lors de la précédente croisade, le nouveau grand maître y voyait le moyen d'orchestrer dans une gigantesque toile d'araignée le jeu des alliances, pour devenir rien moins que le grand maître de l'Occident chrétien. L'abbé Suger, de très basse extraction, était avide de pouvoir et rongé d'orgueil. Il avait tôt fait de comprendre son intérêt à rejoindre et à soutenir l'ordre du Temple. Il avait pour cela un atout de choix : son ombre sèche et chétive marquait de son empreinte le gouvernement du royaume de France.

L'abbé rassura le comte de Blois :

— Allons, mon ami, calmez-vous… Quoi que vous décidiez, n'oubliez jamais que ce que vous possédez, c'est à Dieu que vous en êtes redevable. Notre Père à tous ne saurait laisser les intérêts de Son Église à la merci d'ambitions qui ne sont pas les Siennes. Voilà pourquoi notre confrérie accepte désormais les scélérats de toute espèce venus en masse se faire admettre dans l'ordre en expiation de leurs péchés. Qu'ils soient voleurs, sacrilèges, adultères, parjures ou encore homicides, leur foi et leur repentir sont extrêmes. Nous ne pouvons douter que Dieu Lui-même les ait reconnus comme Siens. Ils n'agissent donc plus par mouvement de colère, d'ambition, de vaine gloire ou d'avarice, ils font la guerre de Jésus-Christ leur Seigneur. Selon la Loi divine, mon ami, ils ne sont coupables d'aucun crime s'ils servent la cause de l'Église. S'ils tuent, c'est pour la gloire de Jésus-Christ et s'ils sont tués, ils sont assurés du salut de leur âme. Voyez donc que rien ne saurait se mettre en travers de notre chemin.

— Dois-je comprendre que nous devons employer tous les moyens pour empêcher ces fiançailles ? hasarda Étienne de Blois.

Suger se leva lentement, il considérait l'entretien comme terminé. Il ajouta toutefois d'un ton sans équivoque :

— Comprenez ce que Dieu vous pousse à comprendre, mon fils. J'ai à mon service un chevalier dévoué qui, du fait de la noirceur de son passé, accomplit en virtuose l'expiation de ses crimes. Peut-être serait-il bon de lui faire revêtir le manteau de pèlerin…

Mon esprit s'était fondu à la terre, la pierre et l'eau pour ne faire plus qu'un dans l'équilibre du Grand Tout. Je pouvais désormais deviner chaque mouvement des puissances invisibles. Je me redressai et m'assis sur le dolmen qui avait accumulé à mon contact une douce chaleur. Je gardais les yeux fermés, mais je visualisais chaque élément sous son apparence énergétique. Je savais de ce fait exactement où se trouvait tel arbre ou telle pierre. L'aura qui les enveloppait était un fondu de couleurs tout à la fois violentes et pastel.

Je respirais la force qui montait de la terre dans une odeur entêtante d'humus. Elle me nourrissait. C'était le moment. Je le pressentais. J'aurais dû être impatiente, mais la paix était en moi aussi vivante qu'une eau sous une carapace de glace. J'attendis. Et c'était merveilleux d'attendre.

Soudain, cela commença. Un point lumineux grandit à l'intérieur du cercle magique que j'avais formé avec des morceaux d'opale polie. La clarté devint de plus en plus vive, alors seulement j'ouvris les yeux et je la vis tourbillonner sur elle-même. Elle semblait jaillir de la terre, au pied de la fontaine de Baranton. Lentement, elle prit forme, et un être de lumière se modela du sol vers le ciel.

La longue robe de Merlin inondait à présent le parterre de multiples ruisseaux d'eau pure, à l'endroit où elle reposait en de fines racines. J'admirais avec une infinie tendresse cette cascade étincelante dont le regard d'amour de l'être sans âge semblait à lui seul être la source.

Il avança vers moi ses longs bras de gouttelettes.

— Me voici, mon enfant, ainsi que tu le souhaitais, murmura à mes oreilles la voix musicale de l'Enchanteur. Approche…

Drapée de ma nudité comme d'un habit de baptême, je descendis de mon siège et m'avançai vers mon aïeul. J'entrai face à lui dans le cercle d'opale et la lumière vint me sertir d'un manteau de diamants et de soleil. Merlin me prit la main gauche et la posa à l'endroit de son cœur. Aussitôt, les puissances bénéfiques de sa magie éclatèrent en moi.

— Voici tout ce qu'il te restait à savoir, dit-il simplement. Tu es désormais prête pour affronter demain. Ne sous-estime jamais la cupidité et l'obscurantisme de l'Église. Elle a prétendu les pouvoirs druidiques néfastes et diaboliques quand elle aurait dû œuvrer pour leur respect et leur connaissance. L'asservissement des peuples par cette foi aveugle qu'utilisent ceux qui gouvernent l'Église ne peut être en accord avec les mouvements de la terre, de l'air, des eaux et du feu céleste. En étant à l'écoute de l'énergie cosmique, c'est à l'écoute des hommes et de la vie que tu te mets. Là est la véritable magie : en apprenant à utiliser les forces qui t'entourent et que tout être vivant sécrète par sa seule existence. Souviens-t'en, mon enfant, quand l'heure viendra où tes choix devront aller non dans le sens des enseignements cléricaux, mais dans celui logique et intuitif du bien commun. Va à présent, mon enfant. Avec cette pierre de lune dont tu ne devras jamais te séparer, je lie le destin de l'Angleterre à ta propre existence. Je sais que tu en seras digne. Va.

Je portai à mes lèvres tremblantes d'émotion la main illuminée de Merlin, puis, sachant que le charme serait bientôt rompu, retournai m'allonger sur le dolmen, épuisée de toute cette connaissance qui m'avait pénétrée. Là, je sombrai dans un sommeil aux rêves de cristal, la pierre de lune en pendentif tout contre mon cœur.

Nous étions le 8 mars 1137. Aliénor, la jeune duchesse d'Aquitaine, se trouvait dans un état d'agitation extrême. La veille, son père lui avait annoncé la visite à Bordeaux de la filleule de Mathilde d'Anjou, et cela la grisait. Comment aurait-il pu en être autrement ? Les mièvreries de ses amies l'ennuyaient à mourir. D'ailleurs, depuis le départ de Raymond pour Antioche où il était promis à la fille du roi Bohémond récemment disparu, elles lui semblaient toutes insipides. Le fait est que Raymond lui manquait atrocement et, plus encore que lui, cette sensation nouvelle qu'il avait fait naître au plus profond de son ventre, une fois, une seule fois lors de cette nuit au monastère de Belin.

Dès le lendemain, Raymond s'était éloigné d'elle, quittant autant qu'il lui était possible le palais pour éviter de rencontrer au détour d'un mur son corps offert. Il ne pouvait plus supporter de vivre dans son sillage, de respirer son parfum de rose et d'iris, de songer à sa chair tiède et à son interdit. Quelques mois plus tard, il se hâtait vers Antioche, vers son destin d'homme et vers une autre femme, espérant y consumer la brûlure de son âme.

Aliénor ne lui en voulait pas. Elle savait combien leur amour était insensé, et sans doute était-ce cela plus que Raymond lui-même qu'elle aimait. Elle se demandait par instants lequel, de l'homme ou de la caresse, son corps regrettait le plus. Parfois, elle découvrait impudiquement ses formes voluptueuses devant le miroir et songeait que Raymond les aurait aimées ainsi transformées. Elle passait par jeu un doigt sur ses seins durs et ajoutait à voix haute, comme un défi au reflet de sa peau :

— D'autres que lui l'aimeront !

— C'est un honneur pour moi, duchesse !

Je me courbai avec respect devant son minois rieur. Aliénor avait les yeux pétillants et hautains, de ceux dont on se dit qu'ils pourraient faire marcher le monde à leur caprice. Elle était belle, et son regard qui me détaillait avec un plaisir non dissimulé me valorisait plus que je n'aurais pu m'y attendre. Je lui plaisais. Je redressai la tête et lui souris de connivence. Aussitôt un rire carnassier franchit ses dents, et, me tendant une main franche et amicale, elle lança d'une voix enjouée :

— Je sens que nous serons, vous et moi, les meilleures amies du monde !

Puis, à l'intention de sa suite, ordonna :

— Allons, damoiselles, faites bonne figure à notre invitée.

Je saluai les jeunes filles autour d'elle, visiblement moins ravies que la duchesse de mon intrusion dans leur comité. Elles m'accueillirent pourtant selon toute bienséance. Sans plus s'occuper d'elles, Aliénor me saisit le bras avec une autorité dont il était évident qu'elle jouait à satiété et m'entraîna le long d'un corridor somptueux en m'expliquant :

— Je vais vous conduire personnellement à vos appartements. Vous verrez, Bordeaux est une ville merveilleuse, tout ici est léger et gai. Ne vous inquiétez pas de ces péronnelles, elles n'ont aucune saveur. Ici les troubadours chantent la joie, quand elles ne sont que fardeau. Vous allez m'égayer, ma chère. Mais je parle, je parle, quand je voudrais tout savoir de vous. Père me disait que vous étiez d'origine anglaise, est-ce vrai ? Les taches de rousseur sur vos joues en sont caractéristiques…

Je la coupai d'un ton moqueur :

— L'air ne vous manque-t-il point ?

Elle s'arrêta et me regarda sans vouloir comprendre :

— Oseriez-vous…

— Insinuer que, pour vous répondre, il me faudrait le temps de parler ? Oui, je l'avoue, terminai-je en plaisantant.

Elle se demanda un instant si elle devait rire ou s'offusquer, puis pencha pour ce naturel joyeux qui était le sien et répliqua :

— Je sens décidément que votre compagnie me sera un délice…

— Est-ce donc mon silence obligé qui vous plaît tant ?

— Plutôt votre impertinence. Aucune de ces sottes n'aurait osé me parler ainsi. D'ailleurs, elles ne sont que caquetage sans intérêt, de sorte que je n'ai plus aucun plaisir à dialoguer.

— Voilà pourquoi vous monologuez en ma compagnie.

— Oh, pardon, pardon ! Je suis tellement surprise et heureuse de notre entente. Regardez.

Elle me montra à travers une fenêtre la ville qui respirait. Le palais de l'Ombrière, dominant les rives de la Garonne, était un vaste bâtiment carré flanqué d'un donjon rectangulaire, que l'on surnommait l'« Arbalesteyre », et de deux autres tours reliées par une coursive. Autour de lui, Bordeaux s'articulait avec grâce, son fleuve semblant se dérouler comme un serpent entre les terres. De là, je pouvais voir grouiller en bas une multitude de gens, d'échoppes, de commerçants, de mendiants et même de bateleurs. Il régnait à Bordeaux une animation comme jamais je n'en avais connu auparavant.

— De l'Arbalesteyre, m'expliqua Aliénor, où se situe votre chambre, on distingue loin en aval, vers Blaye et en face vers le Médoc. Je l'ai choisie moi-même. Je suis sûre à présent qu'elle vous plaira.

Aliénor, sans attendre de réponse mais je commençais à trouver cela normal, m'entraîna dans un autre dédale de corridors et d'escaliers aussi richement décorés que les précédents. Puis elle s'arrêta devant une porte et, cérémonieusement, poussa le lourd battant de bois.

Comme l'aurait fait une servante, elle s'inclina pour me laisser entrer. Je restai bouche bée devant la vaste pièce qui n'avait aucune commune mesure avec celle du donjon de mon enfance. C'était un havre de bon goût et de chaleur. Au centre de la chambre trônait un lit immense, très haut, dont les montants sculptés d'aigles et de serpents se rejoignaient sur les traverses en un bouquet floral. Des tapisseries représentant des scènes courtoises égayaient les murs de leurs teintes chaudes.

Par terre, on avait disposé avec soin un damier de menthe et de sauge, que reprenait un vase d'argent sur une coiffeuse ornée d'un miroir. Une bassine du même métal attendait, emplie d'eau de mélisse, que j'y fasse ma toilette, et d'une malle au couvercle relevé s'échappaient des robes et des coiffes de velours et de dentelles, de voiles et de pierres précieuses. Jamais encore je n'avais vu pareille magnificence.

« C'est la chambre d'une reine », pensai-je.

J'avais entendu maints ragots sur la richesse du duché d'Aquitaine, mais tout cela dépassait mon imagination la plus folle.

Aliénor paraissait aux anges. Ses présents faisaient sur moi l'effet qu'elle avait escompté.

— Aimez-vous ? me demanda-t-elle, impatiente, sans vraiment douter d'elle.

— C'est… majestueux !

Même ce terme-là me semblait fade à côté de tout ce dont mes yeux se régalaient.

Elle pirouetta sur elle-même, légère, en battant des mains comme une enfant. Je me surpris à me demander laquelle des deux, de la femme qu'elle passait pour être ou de l'enfant à laquelle elle ressemblait, me plaisait le plus. J'optai pour son espièglerie et l'embrassai sur la joue avec reconnaissance. Son regard devint brûlant. Un instant nous nous dévisageâmes en silence, puis elle s'approcha du lit, féline, et, me lançant une œillade taquine, me dit :

— Je l'ai fait sculpter par l'ébéniste du palais. Comment le trouves-tu ?

Le tutoiement était venu brusquement, sans doute né de mon baiser.

— Il est beau. Tout cela est nouveau pour moi, duchesse, et je sens que je vais me plaire ici.

Elle hocha la tête. Je ne comprenais pas exactement pourquoi, mais son comportement soudain n'était plus celui d'une enfant, elle paraissait troublée, moins exubérante.

« Je n'aurais pas dû l'embrasser », pensai-je.

Mais cela m'avait semblé tellement naturel.

Aliénor reprit en souriant, comme si, de me voir pensive, elle avait retrouvé son éloquence :

— Père m'a affirmé que tu aimais les oiseaux. Dans les Pyrénées toutes proches, on peut voir des aigles qui s'enivrent des sommets, ils sont si

libres. Voilà pourquoi je les admire. Les affec-
tionnes-tu, Loanna de Grimwald ?

— Je n'en ai jamais vu, mais je crois, oui, que
je les aimerais.

— Un jour, nous irons. Je demanderai à père de
nous fournir une escorte et nous partirons en montagne. Pour l'heure, il te reste à découvrir ce qui
donne tout son sens à l'harmonie de cet endroit.
Mes troubadours sont dans la salle de musique, ils
célébreront tes yeux et ta chevelure. Nul doute
qu'avant longtemps tu deviendras l'une de leurs
chansons.

— Crois-tu ?

Elle hocha la tête, un sourire malicieux au coin
des lèvres. Puis, frappant dans ses mains, elle
appela, dans le silence qui était retombé :

— Camille !

Aussitôt, une jouvencelle à peine plus âgée que
nous souleva le pan d'une courtine qui masquait
une ouverture et vint s'incliner devant moi.

— Ici, toutes mes dames de compagnie ont une
chambrière. Camille est à ton service. Elle loge
dans le réduit qui jouxte cette chambre. Commande
selon tes désirs et tes besoins, elle t'obéira.

— Que Dieu bénisse votre séjour en nos murs,
baronne, récita la bouche pulpeuse de Camille.

Son sourire franc et jovial qui creusait deux fos-
settes de part et d'autre de ses joues, son regard de
chat et son embonpoint me plurent aussitôt.

— Levez-vous, dis-je simplement, peu habituée
à avoir mes propres servantes.

Camille obtempéra, mais demeura figée dans l'attente d'un ordre. Je ne sus que lui dire. J'aurais préféré cent fois être libre de mes mouvements comme à Brocéliande, mais cela aurait froissé mon hôte. De fait, je me trouvais gourde de ces conventions que j'exécrais. Aliénor ne s'en aperçut pas. Avec une condescendance déconcertante, elle ordonna :

— Tu peux te retirer, Camille. Damoiselle de Grimwald n'a plus besoin de toi. Allons à présent, enchaîna-t-elle en me prenant la main, s'il est une chose dans ce palais qu'il ne faut jamais, jamais, faire attendre, c'est la musique.

Aliénor me devança. La porte se referma sur mon nouveau royaume, barrée par Camille après notre sortie. L'amitié aussi était quelque chose d'inhabituel pour moi. L'Aquitaine et sa duchesse possédaient un charme certain qu'il allait me falloir contrôler, si je ne voulais pas en devenir l'esclave et oublier ma mission.

Nouveau dédale de couloirs. Il m'arriverait sans doute plus d'une fois de me tromper de chemin. Les visages que nous rencontrions se courbaient tous sur le passage de la jeune femme, excessivement à mon goût, mais cela semblait être de coutume.

Parvenue sans mot dire au terme de son périple, Aliénor poussa les deux battants d'une lourde porte sculptée, et la musique, qui n'était qu'un murmure, explosa à mes oreilles : cithares, luths, flûtes, tambourins, violes se mélangèrent un instant encore, puis s'arrêtèrent brusquement, laissant place aux révérences des troubadours pour leur muse. Aliénor leur lança, en me désignant :

— Messires, la voici. Chantez ses louanges, mais n'en oubliez pas les miennes pour autant.

Aussitôt, tel un essaim d'abeilles, je vis la dizaine de musiciens s'agenouiller à mes pieds, baiser le bas de ma robe, s'éloigner de quelques pas pour mieux me contempler, pincer quelques cordes, lancer des vocalises dans une agitation étourdissante. Amusée, Aliénor alla prendre place sur un fauteuil surélevé habillé d'un velours grenat, sans un mot pour les autres damoiselles alanguies sur des coussins. J'allais crier grâce, quand un battement de mains imposa silence.

— Je vous ai demandé de la charmer, pas de l'étourdir, clama la voix ferme de la duchesse. Allons, Loanna de Grimwald, venez à mes côtés, ces damoiselles vous feront une place. Quant à vous, messires, jouez, divertissez-nous.

Je m'installai sur le banc que me céda à contrecœur une brunette fade au regard de chien battu. Et, tout en songeant combien ce pays était doux, je me laissai emporter par le velouté de la musique.

4

— Peut-être serait-il sage que tu ailles rendre hommage au duc Guillaume. Ta châtellenie t'a été rendue et tes terres sont prospères.

Jaufré sourit vaguement :

— Sans doute, Uc, mais je répugne à me courber devant lui.

— Fais donc fi de ce ridicule sentiment. Ton isolement n'a que trop duré, s'emporta affectueusement le vieil homme. De plus, la cour d'Aquitaine reçoit les plus grands troubadours de ce temps. N'as-tu point envie de sortir de ces murs et d'aller chanter tes vers devant la plus jolie des damoiselles du pays ?

Jaufré se leva, piqué au vif par un irrépressible dégoût. Il grommela entre ses dents serrées :

— La plus belle certes, mais aussi la plus cruelle ; narquoise et hautaine comme l'était son grand-père. Elle rira de mes chants, de mes rêves, pour m'humilier ainsi qu'il l'a fait avec mon père.

Jaufré le troubadour, comte de Blaye, au nord de Bordeaux, tournait comme un lion en cage dans la haute tour de son château surplombant l'estey. Depuis la fenêtre largement ouverte, il voyait les îles proches bercées par le ressac de la marée montante, et les bateliers au pied des remparts héler leurs éventuels passagers d'une voix forte. La brise marine charriait un parfum de large et de liberté qui chatouillait les sens du jeune troubadour.

Uc le Brun, comte de Lusignan, poussa un soupir de tristesse.

« Que de vitalité gaspillée, pensa-t-il. Que de talent en sommeil qui n'exhale rien que les parfums de la nuit. »

Vidant son verre de verjus, il se leva à son tour et glissa son pas derrière la silhouette immobile devant la croisée. Il posa une main paternelle sur l'épaule, la sentit s'affaisser sous sa poigne bourrue.

— Jaufré, murmura-t-il d'une voix gutturale, mon affection pour ton défunt père me fait te considérer tel un fils, tu le sais. Je répugne à repartir en te sachant amer. Il faut oublier les querelles anciennes, se tourner vers l'avenir. Tu n'es pas fait pour te battre, mais pour chanter la vie, l'amour, et ces gestes qui font s'envoler les rires. Depuis ton retour voilà ce jourd'hui trois années, tu as réussi des miracles sur cette terre qui est tienne. Pas un de tes vassaux ne manque de quoi que ce soit, et moi-même ne puis en dire autant dans mes campagnes. Tu es acclamé de partout, reçu non comme un seigneur, mais comme un ami tant tu as brisé d'injustes coutumes qui pesaient sur tes gens et les réduisaient à la misère. Je voudrais avoir ta droiture et ta justesse quand mes élans belliqueux m'entraînent à souhaiter plus et mieux que je ne possède. Pour tout cela je t'envie, mais, pour ton regard que je vois s'éteindre de plus en plus à chacune de mes visites, je me sens triste et riche de tout ce qui te manque. Tu as besoin d'aimer, Jaufré, d'aimer avec ton âme, comme j'adore Sarrazina mon épouse, et non comme tu le fais, avec ton corps, cherchant l'oubli dans des caresses brutales. Crois-moi, mon ami. Va au-devant de ton rêve. Alors, tes vers chanteront mieux et plus intensément.

— Aimer Aliénor ? Tu es fou, vieil ami !

— Si ce n'est elle, ce sera une autre. Aucune ici n'a comblé le vide de ton cœur ni ne s'est reconnue dans tes chansons.

— Tu as sans doute raison, Uc, mais que suis-je pour la duchesse ? Rien d'autre qu'un vassal, indigne d'être conquis.

— Digne au contraire de ce que tu possèdes. Aie confiance en toi. Elle se complaît en compagnie des troubadours, elle se pare de leurs chants, de leur cour, comment ne pourrait-elle respecter l'amour ?

Jaufré poussa un long soupir, n'osant montrer ses doutes au vieil homme — Uc allait sur ses quarante ans. Il se contenta d'étreindre cette main qui pesait sur son épaule. Il se sentait si seul, si las.

— Je vais y réfléchir. Pars soulagé, Uc, tes paroles m'ont touché. Nous nous reverrons bientôt, je te le promets.

Longtemps après son départ, Jaufré resta près de sa lyre, allongé à même le sol sur sa pèlerine de voyage, les yeux dans les étoiles que la nuit avait allumées.

— Par ici, Loanna !

La voix me parvint dans un murmure au milieu des cris et des rires qui s'éparpillaient dans le vaste jardin du palais de l'Ombrière. Ces damoiselles, ainsi que je le constatais depuis une dizaine de jours, date de mon arrivée à Bordeaux, se complaisaient à toutes sortes de jeux pour occuper leurs journées. Pour elles, point ici de vulgaires soucis, ménagers ou vétérinaires, les faucons étaient au fauconnier et les servantes aux fourneaux sans ambiguïté. Le monde futile ne cohabitait que rarement avec le raisonnable. Ces damoiselles ne s'inquiétaient que de toilettes, de parfums, de commérages ponctués de gloussements et de musique, pour ne point dire de badinage, car, comme me l'avait à maintes reprises laissé entendre Aliénor, les jeux de l'amour étaient le meilleur garant d'une jeunesse et d'une beauté éternelles. Je me pliais donc à ces roucoulements de damoiseaux lyriques et profitais de mon existence de soie. Dire que cela me plaisait étant un mensonge diplomatique facile, je l'employais lorsqu'on s'inquiétait de mon air absent, prétextant simplement la nostalgie de ma terre.

Bordeaux était sans nul doute la plus belle ville qu'il m'ait été donné de voir, et, parce qu'une multitude de gens, d'échoppes, de métiers grouillaient sous les fenêtres du palais, il me semblait mille fois plus excitant de découvrir ce petit peuple que de languir parmi ces péronnelles. Fort heureusement, il y avait Aliénor. Une Aliénor trépidante, secrète, troublante, séduisante, cynique, aux mots d'esprit et à la voracité verbale qui m'étaient un régal. Elle avait reçu une éducation presque semblable à la mienne, car, outre les textes « obligés » comme Cicéron ou Platon, elle appréciait à leur juste valeur Plaute, Ovide et Juvénal, sans parler des enseignements d'Abélard que l'Église avait condamné. De son côté, le fait que je parlais une langue d'oc sans faille lui plaisait infiniment. Je me régalais à lui raconter les merveilleuses aventures du roi Arthur, que le conteur gallois Breri avait introduites en terre de France sous le nom de « Matière de Bretagne ». La légende colportée avait eu raison de la réalité, mais cela n'avait aucune importance. Tout ce qui touchait à l'Angleterre, tout ce qui me permettait de parler de sa grandeur et de la noblesse de ma race était un bien. Éduquer Aliénor pour en faire une future reine, lui apprendre le devoir avant ses caprices d'enfant gâtée, tout cela viendrait plus tard.

Je devais d'abord gagner son affection, ce qui paraissait en bonne voie, et sa confiance. Elle ignorait les projets de son père au-delà de son isolement clérical, et encore davantage que je l'y suivrais. Je devrais manœuvrer habilement pour que ma présence lui devienne un soulagement et une récréation. Son père ne voulait en aucune façon qu'elle se sente surveillée et contrainte à son destin trop tôt.

— Avant toute chose, Aliénor doit s'assagir, prendre conscience des valeurs dont son rang est le garant. Vous devrez l'aider comme une amie que vous semblez être déjà, non comme une espionne qu'elle penserait à ses côtés, m'avait confié le duc en aparté. À mon retour, je donnerai à Aliénor les raisons de mon choix ; lors, parce qu'elle vous aimera, j'en suis sûr, son infortune lui semblera moins cruelle. Devenir reine mérite quelques sacrifices, elle en sortira plus grande.

— Par ici, Loanna !

La voix se fit insistante, je me dirigeai donc vers le bosquet d'où elle provenait. Passant devant un saule pleureur dont les branches se prolongeaient jusqu'à terre, j'en vis surgir une main qui m'agrippa et m'attira sous l'épaisse végétation. Cerné par les branchages, un petit banc de bois se détachait à peine de la pénombre qui y régnait. Aliénor rit en s'écriant :

— Surprise !

Avant que j'eusse le temps de répliquer, elle posa un doigt sur ma bouche, accentuant d'un

« chut » son geste. Des voix s'étaient rapprochées de la cachette. Elles chuchotaient des « Par ici ; non, par là ; je suis sûre de l'avoir entendue parler », mais ces sottes, ne songeant pas à écarter les branchages, s'éloignèrent après quelques minutes. Aliénor me prit la main et me conduisit jusqu'au banc. Il s'agissait en fait d'une planche de bois grossièrement taillée et posée sur deux pierres. Comme je m'en étonnais, la duchesse éclata d'un petit rire qu'elle modula, pour n'être point perçue au-delà de notre cachette.

— Je l'ai fabriqué moi-même à l'époque où Raymond était ici. Je m'étais cachée sous les branches une fois pour le surprendre, puis trouvant l'endroit stratégique, au fil des jours, j'ai taillé celles qui me gênaient et me suis aménagé cette retraite. D'ici, je peux entendre tout ce qui se dit ou presque dans le jardin. Je t'assure qu'il s'y passe parfois des événements bien excitants !

— Pauvre Raymond ! Comme il a dû souffrir de n'avoir aucun répit !

— Eh bien, tant pis pour lui ! Il n'avait qu'à prendre les fruits que je lui offrais au lieu de se servir dans d'autres corbeilles. Ici, nul ne nous aurait dérangés. Nul n'aurait su !

— Cela n'aurait pas été convenable, voyons ! mentis-je, me souvenant des récits de mère à propos des fêtes païennes.

— Au diable les convenances ! Plutôt mourir que vivre d'ennui ! Comment trouves-tu ma tanière ? Tu es la première à y entrer, sais-tu ?

72

— Cela signifie donc que tu m'accordes ta confiance, j'en suis flattée, duchesse…

— Ne te moque pas de moi, Loanna de Grimwald ! Alors ? Aimes-tu ?

— Oui, là ! Tu sais combien j'apprécie ces endroits secrets où l'on peut laisser libre cours à sa solitude.

— Tu pourras venir ici autant et tant que tu le voudras, je te l'offre.

Elle posa un baiser sur ma joue avec des étincelles de malice dans les yeux. Je compris à cet instant que j'avais gagné plus que sa confiance. Le temps était venu d'entrouvrir un peu les portes de mon silence. Elle m'y aida :

— Ces sottes vont nous chercher longtemps, je te l'assure. Elles m'agacent avec leurs jeux stupides. Quand je songe que pas une d'entre elles n'a été embrassée !

— Moi non plus. Cela ne veut pas dire pour autant que je sois stupide, me défendis-je.

— Toi, ce n'est pas pareil. En Anjou, les mœurs ne sont pas aussi libertines qu'ici, les occasions t'ont manqué.

Je pris une profonde inspiration, puis lâchai innocemment :

— Rêves-tu du grand amour, Aliénor ?

Elle haussa les épaules.

— À quoi cela servirait-il ? On me mariera sans me demander mon avis.

— Je ne parle pas de mariage, je parle de sentiments.

— Bah, aimer fait perdre la tête et le sens des choses raisonnables. Vois où cela a conduit Raymond ! À s'exiler à Antioche pour refuser mes avances quand je ne lui demandais rien d'autre. Non, j'ai trop plaisir à obtenir ce que je désire pour m'enticher un jour d'un homme.

— Mais le pouvoir te fascine, n'est-ce pas ?

Elle lissa les plis de sa robe d'une main légère, prenant par ce geste le temps d'une réflexion que je savais feinte.

— Je crois que oui.

J'insistai :

— Et si tu rencontrais un bel homme qui aime et use du pouvoir autant que toi ?

— S'il n'est pas un ennemi, alors, oui, je pense que l'on pourrait s'entendre, à condition toutefois qu'il ne déserte pas mon lit pour s'offrir à la guerre. Tu vois, Loanna, qu'un tel bijou n'existe pas !

— Ici, sans doute pas, laissai-je tomber d'un ton mystérieux.

— Ce n'est pas au couvent que je le trouverai !

La voix se fit rageuse. Aliénor frappa de son poing fermé la planche qui nous servait de siège. Elle explosa :

— Quelle idée absurde ! Je refuse de porter le voile ! Et père qui s'entête ! Je ne comprends pas.

— Tu saignes.

Une écharde avait déchiré un lambeau de peau sur le plat de son poing. Je saisis délicatement sa main et, portant la blessure à mes lèvres, demandai d'une voix enjôleuse sans lâcher ses prunelles :

— Même si je t'accompagne ?

Son regard se troubla. Elle regardait avec un plaisir étrange mon baiser sur sa blessure, et je sentis combien il était facile de me l'attacher.

— Pourquoi le ferais-tu ? hasarda-t-elle.

Je retirai ma bouche et lui souris, moqueuse.

— Pour que tu ne perdes pas l'amour du pouvoir au profit de celui de Dieu !

Son rire se heurta de nouveau à la voûte végétale. Elle retira sa main de la mienne et me lança un regard de connivence. Mon jeu lui plaisait.

— Crois-tu que je sois un démon comme le disait Raymond ?

— Sans aucun doute. Toutefois, il a les traits d'un oiseau, peut-être un de ces aigles dont tu me parles et qui semblent s'enivrer d'espace et de hauts sommets pour mieux décrocher les étoiles.

— Un aigle ! Voilà qui me plaît mieux.

Elle s'étira, féline, puis enchaîna :

— Tu as de belles images pour parler des choses et des êtres, il ne te manque que la musique pour les chanter.

À mon tour, je ne pus m'empêcher de rire :

— Une femme troubadour ? Ce ne serait pas sérieux, voyons !

— Pourquoi ? Mon grand-père serait fier, je crois, si j'étais capable de me jouer comme lui des vers et des harmoniques.

— Mais il condamnerait pareille attitude. Une femme doit fredonner et se bercer de poésie, parfois jouer de la harpe au coin du feu, mais sûrement pas chanter l'amour de ville en ville !

Aliénor haussa les épaules.

— Qui parle d'amour ? Je parle de liberté et de pouvoir.

— Aucun troubadour ne chante cela, rétorquai-je.

— C'est bien dommage !… Enfin !

Elle soupira profondément.

— Ils vont me manquer dans cette prison austère. Même si tu m'accompagnes.

Elle marqua une hésitation, me regardant dénouer ma tresse avec insistance.

— Le feras-tu vraiment ?

Je la rassurai d'un « oui » franc. Elle éparpilla mes cheveux libérés sur mes épaules avec lenteur. L'ombre s'était accentuée sous la voûte, sans doute à cause du jour qui décroissait. J'avais peine à distinguer son regard, mais perçus néanmoins son souffle qui devenait irrégulier.

— M'aimes-tu un peu, Loanna ?

La question n'était pas innocente. Je sentais au creux de mes reins brûler une chaleur inaccoutumée que j'attribuai sans hésitation à la caresse de sa main sur ma nuque au travers de ma chevelure. Je pensai l'espace d'un instant que j'étais responsable de ce jeu pour l'avoir provoqué. J'aurais dû me douter que ma compagne trouverait le moyen de le retourner à son avantage. Je répondis évasivement, contrôlant autant qu'il m'était possible ces sensations inhabituelles.

— Oui, sans doute.

— Ce n'est pas la seule raison, n'est-ce pas ? Pourquoi sacrifierais-tu ta jeunesse et ta beauté dans ce couvent quand rien ne t'y contraint ?

— Va savoir ! lançai-je par défi, cherchant l'éclat de ses prunelles dans l'obscurité.

Elle passa délicatement un doigt sur mes lèvres.

— Dis-moi, murmura-t-elle dans un souffle.

Je ne répondis pas. J'avais promis de garder le secret des fiançailles jusqu'au retour du duc. Celui-ci partait dans quelques jours. Aliénor avait pour habitude d'obtenir de lui tout ce qu'elle désirait et plus encore depuis la disparition de sa mère. Toutefois, il ne revenait pas sur sa décision de la confier à Fontevrault et la jeune louve pressentait là plus qu'un entêtement de vieil homme rongé par la solitude.

— Dis-moi, répéta-t-elle en approchant son visage du mien.

Malgré la douceur de la caresse, je détournai la tête.

— Je n'ai rien à te dire de plus, Aliénor. Il ne t'est pas nécessaire d'user de ce jeu ridicule avec moi. Je ne suis point Raymond.

Ma voix se voulait affirmée, elle ne résonna à mes tympans que pour mieux me convaincre du désir que j'avais de sa bouche sur la mienne. Elle le perçut et s'en troubla davantage.

— Que m'importe Raymond ! Les jeux de l'amour ont mille facettes. Ne veux-tu point que je t'apprenne ?

Mon sang cogna à mes tempes. Comment se pouvait-il que je me sente vulnérable, alors que les enseignements de Merlin m'avaient rendue si proche des éléments et si détachée des humeurs terrestres. Peut-être était-ce l'atmosphère badine du palais et ce vent de déraison qui s'insinuait en chaque recoin. Peut-être n'était-ce que sa présence, si différente des autres femmes. Son poing fermé attira mon menton vers son visage que la pénombre voilait. Je devais contrôler, contrôler coûte que coûte dans l'intérêt de ma mission. Son souffle sur ma bouche…

Un pas menu trottina dans l'herbe. Les branches s'écartèrent. Aliénor suspendit son geste, me laissant entre le soulagement et la frustration.

— J'étais certaine de te trouver là. Bonsoir, damoiselle Loanna.

La jeune sœur d'Aliénor fit une révérence gracieuse.

— Bonsoir, Pernelle, répondis-je d'une voix qui avait du mal à reprendre sa légèreté.

Fort heureusement, l'enfant n'était pas encore en âge de se douter des pulsions d'une chair trop sensuelle. Aliénor bouillait. Je la sentais en proie à l'envie de souffleter vigoureusement sa cadette. Elle se contint pourtant et lui offrit un sourire rageur.

— Un troubadour demande à être reçu. Il est bien désagréable de visage, pas comme celui qui est venu hier, nous annonça Pernelle, très satisfaite, semblait-il, de l'importance de sa nouvelle.

Aliénor se leva dans un froissement de soie.

— Eh bien, ne faisons pas attendre cette curiosité, nous reprendrons cette conversation plus tard, Loanna.

— Comme il vous plaira duchesse.

— Accompagnez-moi, vous me donnerez votre avis. Allons, Pernelle. Et racontez-moi un peu, petite effrontée, comment il se fait que vous connaissiez ma cachette ?

Pernelle partit d'un rire frais qui acheva de chasser de mon corps les brouillards du désir.

Jaufré de Blaye se sentait mal à l'aise, il ne savait plus que faire de ses grands bras, de ses mains qui tenaient gauchement la mandore, de ses pieds qui semblaient s'emmêler. Il eut brusquement envie de fuir, de se réfugier dans la tour sévère et triste de son donjon, si familière, si sécurisante. Les pierres ne riaient jamais de ses chansons. Mais elle ! Elle ! On était parti la chercher, le laissant seul dans ce boudoir aux teintes chaudes, abandonné à son angoisse de vassal, de poète.

« J'ai été fou d'écouter les sornettes de ce vieil homme, pensa-t-il. Que vais-je lui dire, que vais-je chanter, que vais-je inventer pour lui plaire ? Qu'ai-je besoin de lui plaire, d'ailleurs. Seigneur, Seigneur, comment pourrais-je lui plaire, je suis si fat, si blanc à ne contempler que la clarté lunaire. Partir. Oui, c'est cela, partir, avant qu'elle me voie. Partir. »

Il s'élança sur la porte dans un dernier sursaut de peur, mais déjà elle s'ouvrait.

Aliénor, hautaine, contempla ce jeune homme de vingt-cinq ans, ni beau ni vraiment laid, ni grand ni petit, chétif comme une femme avec des traits si fins qu'on les aurait dits de cire. Elle le reconnut instantanément. Elle l'avait vu une fois à Poitiers, il y avait trois ou quatre années. Il était resté le même qu'alors, les yeux sur les bottes, aussi gauche et maladroit qu'avant. Elle sourit de plaisir. L'humilier serait facile ; curieusement, elle ne le fit pas, sans doute à cause de moi.

Elle s'avança, et Jaufré se courba en une révérence qui accentua son ridicule. Il me fit pitié et plus encore, comme la présence d'un animal blessé, traqué de toutes parts. Je ne pus en supporter davantage.

— Relevez-vous, mon ami, murmurai-je.

Ma voix apaisante n'était pas celle dont il se souvenait. Surpris, il leva la tête et se troubla sur mon sourire engageant.

— Jaufré, comte de Blaye, pour vous servir, gente damoiselle.

— Nous savons qui vous êtes !

Cette voix sèche, rugueuse ! Il tourna les yeux et rencontra ceux d'Aliénor, amusée. Du rouge lui monta aux joues. Il avait failli au protocole. Il bredouilla de pâles excuses inintelligibles, et Aliénor éclata d'un rire cruel :

— Allons, messire, lança-t-elle, les belles dames manquent-elles dans vos terres qu'il suffit d'un joli minois pour vous faire perdre vos moyens ? On vous prétend troubadour. Saurez-vous vous montrer digne d'un tel titre ? Ici, les sots ne sont point les bienvenus !

Elle le frôla majestueusement de sa robe en passant près de lui et alla s'asseoir sur les coussins de velours grenat, Pernelle à ses pieds comme un jeune chiot. J'étais glacée. Ces yeux si intensément purs à quelques mètres des miens, si fiers et si fragiles à la fois ! Mon cœur se serra. Jaufré n'osait bouger, fixant la chevelure aux reflets d'or qui cascadait sur mes épaules. Je réalisai brusquement n'avoir pas pris le temps de reformer mes nattes. Au fond, cela avait si peu d'importance, face à son désarroi ! Sans savoir trop pourquoi, j'eus foi soudain en son talent. Passant à son côté, je murmurai pour lui seul : « Chantez pour moi », puis m'installai à droite d'Aliénor, plaidant son indulgence d'un regard.

Elle effleura mon bras d'un doigt plein de promesses, mais sa caresse ne me laissa cette fois sur la peau qu'une sensation de dégoût. Je détestais celle qui toisait son vassal de ce ton supérieur :

— Allons, messire, faites-nous entendre votre chant ou sortez !

J'eus envie de la gifler. Le comte de Blaye nous fit face, un sourire de dédain aux lèvres. Ses yeux accrochèrent les miens, et je pus y lire le bienfait de mes simples paroles d'encouragement. La bête traquée semblait métamorphosée.

— Votre confiance m'honore, ma dame, dit-il en la saluant, mais je compris qu'il ne s'adressait qu'à moi, à moi seule, et cela me remplit d'un bonheur indicible.

J'attendis sa musique comme on attend un arc-en-ciel, et sa musique vint, naquit, plainte langoureuse sous les doigts osseux, monta et gagna le plafond, les coussins, les tapisseries, et les pierres elles-mêmes s'alanguirent de plaisir. Puis le timbre s'envola à son tour, aussi limpide que les prunelles, aussi doux et fin que le visage, cueillant dans un tourbillon de volupté la noblesse dominatrice de son hôtesse.

Lorsque la mélodie se tut, le jeune homme continua de vibrer tout entier d'une aura surnaturelle, qui, même si elle n'était due qu'aux flammes dansantes des bougies dans la pièce, le transfigurait. Aliénor en avait oublié sa première impression désastreuse, et Pernelle battait des mains à mes côtés, radieuse. Quant à moi ! Moi, je n'osais plus rien dire, à peine respirer pour ne pas briser le sortilège de cet instant.

Le troubadour nous dévisagea toutes trois avec l'ineffable douceur de ceux que leur passion fait vivre, puis, se courbant en une révérence gracieuse, il murmura d'une voix caressante :

— Votre beauté, damoiselles, surpasse mon mérite. Mes vers sont bien mièvres à ne rendre qu'un reflet quand ils devraient magnifier la source de leur inspiration. Oserai-je espérer que vous leur pardonniez de n'être qu'insignifiants, écrits avant d'avoir su votre existence.

— Relevez-vous.

Aliénor avait la voix rauque des sens exacerbés. Il s'exécuta, et saisit avec délicatesse la main qu'elle lui tendit à baiser. Il l'effleura de ses lèvres, avec le plaisir que donne la revanche, et joua à s'attarder pour mieux la sentir frémir. Longtemps il avait rêvé de lui faire payer son dédain. S'en faire aimer serait un bon moyen, mais sitôt venue, l'idée lui fit horreur ; non pour la souffrance qu'il pourrait lui infliger à la laisser se pâmer, mais parce que mes yeux si proches lui murmuraient toute ma tendresse.

Brusquement m'étaient revenues en mémoire ces images que j'avais vues, enfant, alors que je jouais en apprentie avec les formules magiques de mère. Ces visions et ce regard comme une promesse ! Il lâcha la main d'Aliénor. Ma gorge palpitait comme jamais, au point qu'il me sembla devenu impossible d'oser le moindre geste.

— Vous nous avez conquises, comte de Blaye. Un tel plaisir mérite récompense.

La voix d'Aliénor me ramena vers la réalité, d'autant plus qu'elle s'adressait à présent à moi :

— Damoiselle Loanna, conduisez donc notre invité aux appartements que nous réservons aux hôtes de marque !

Elle fit une pause pour constater l'effet que produisait son ordre, puis, satisfaite de mon trouble, modula :

— À moins que la bienséance ne me pousse à confier cette tâche à quelque page.

— Je veux bien, moi, le conduire.

La voix fluette de Pernelle s'intercala dans ce jeu dont j'avais du mal à cerner l'intérêt, mais Aliénor répliqua d'un ton sec, qui déclencha une moue boudeuse sur le visage de sa sœur :

— Vous êtes trop jeune encore pour prendre part aux décisions, Pernelle. Il suffit bien que vous assistiez à ces cours d'amour. Plus un mot, voulez-vous ?

Puis, se tournant vers moi, tremblante sous ma carapace :

— J'attends votre réponse. Dois-je envoyer quérir ?

— N'en faites rien, duchesse. Je suis certaine que notre invité est un homme courtois, à l'image de ses chansons, m'entendis-je répondre.

— Soyez-en assurée. damoiselle ?

— Loanna de Grimwald.

Il s'inclina de nouveau. Aliénor affichait un rictus d'amusement cruel. L'intérêt que je portais à cet homme, bien que je me défendisse d'en laisser rien paraître, l'excitait sans aucun doute. Elle ajouta :

— Eh bien, allez, avant que je change d'avis !

Je me glissai sans mot dire le long de la coursive, Jaufré sur mes talons, ressentant avec une jouissance impertinente la brûlure de son regard sur le velours bleu nuit de ma robe ; je me hasardai un instant à déchiffrer ses pensées et ce que j'y lus me fit rougir jusqu'aux oreilles. Fort heureusement, il ne pouvait rien deviner de mes pouvoirs ! Et c'est ainsi que, troublée au plus profond de ma chair, j'arrivai devant la porte massive de sa chambre, dans la tour hexagonale. Je me retournai lentement et lui livrai la douceur de mon visage. Il s'agenouilla et me saisit les mains avec ferveur.

— Ce regard fait de moi votre esclave, gente dame. Je vous dois tout par la confiance que vous m'avez offerte si spontanément et, pourtant, je suis à l'instant plus vulnérable que jamais. Exigez seulement ma vie et vous l'obtiendrez.

— Je ne souhaite rien de plus que votre amitié. Relevez-vous. Vos chansons me plaisent, alors chantez. Chantez autant que vous le voudrez.

— À l'instant, si vous le voulez.

— Plus tard.

— Quand ?

— Ce soir, demain, nous avons tout le temps.

Son impatience m'amusait, m'agaçait.

— Je serai tout entier à vos moindres désirs.

Le contact de sa peau, son regard suppliant de chiot devant son maître ! Décidément, je n'étais plus moi-même ! Je murmurai, tremblante :

— Relevez-vous, je vous en conjure.

De mauvaise grâce il s'exécuta, conservant toutefois au creux de ses mains mes paumes moites. Il les porta délicatement à ses lèvres, mais non comme il l'avait fait avec Aliénor. Son baiser, d'une douceur pleine de promesses, me liquéfia tout entière. Moi qui, de mon existence, n'avais eu d'autres caresses que celles de mère, apaisantes et rassurantes, je me retrouvais plongée dans un océan de sentiments et de sensations qui éveillaient chaque grain de ma peau. Tout mon savoir semblait réduit à néant et je mesurais avec effroi l'abîme de mes lacunes amoureuses. Que se passait-il donc dans ma chair pour me faire éprouver pareils désirs à quelques minutes d'intervalle ?

Toute à mes pensées, je repoussai gentiment mon prétendant en bredouillant un trop rapide :

— Je dois vous laisser à présent, la duchesse m'attend.

Il s'inclina devant ma décision, et je sentis son regard peser sur mes reins jusqu'à ce que le coin du mur m'y dérobe. Lors, laissant libre cours à ces violences que je ne maîtrisais pas, des larmes me secouèrent sans que je puisse comprendre ce qui les avait provoquées et ce qu'elles épanchaient. J'entendis, dans le silence que je me forçais à respecter, la porte se refermer et, après quelques secondes, un chant plus beau encore me parvenir, accentuant mon désespoir. Jaufré de Blaye, je le savais, chantait pour moi.

Cette nuit-là, je ne pus dormir. Quelqu'un vint gratter à ma porte longuement, sans que je sache lequel, d'Aliénor ou de Jaufré, j'aurais eu le plus envie d'accueillir, sans que je sache lequel m'espérait derrière. J'étais perdue. Je n'avais droit qu'à un seul amour : l'Angleterre. Mais le désir était-il l'amour ? Je ne savais plus. Ce regard qui me poursuivait depuis l'enfance me hantait. Si Jaufré faisait partie de mon destin, était-il là pour me soutenir ou pour me détruire ? Quelle était la signification de cette vision d'autrefois ? Était-elle un avertissement ou une promesse ? Qu'allais-je devenir si je ne parvenais pas à maîtriser ces sensations qui me brûlaient l'âme et le corps ? J'étais si démunie. Si seule ! Le petit matin me trouva épuisée d'avoir tourné et retourné dans mon lit.

La semaine qui suivit fut pesante. Non seulement Guillaume ne cédait pas aux supplices de sa fille, mais il se préparait activement en dévotions et prières à accomplir son pèlerinage. Il ne songeait plus qu'à apaiser sa conscience et la souffrance morale que sa solitude lui infligeait. Plus rien d'autre ne retenait son attention, ni les larmes d'Aliénor, lesquelles n'étaient que les fruits d'un jeu habile, ni les caresses de Pernelle.

Furieuse d'avoir ainsi perdu tout pouvoir sur son père, Aliénor exerçait sur moi son charme, autant, je le devinais, par désir que par défi.

Jaufré ne nous quittait pas, me couvant d'un regard langoureux que, fort heureusement, il parvenait à dissimuler à Aliénor. Il m'entourait de louanges, de poèmes, me nommant « sa lointaine », pour ne point blesser la duchesse à laquelle il lui fallait, selon l'usage, donner sa préférence. Je l'évitais autant que possible en dehors des moments où Aliénor réunissait ses troubadours, ses jongleurs et sa cour dans la grande pièce centrale. Je redoutais de me retrouver seule avec lui. Le moindre de ses souffles près de moi accélérait les battements de mon cœur. Au point d'être esclave de sa présence, de sa voix, de son visage, de son sourire, et, tout à la fois, pressée qu'elle cesse.

J'étais si intimement troublée que je relâchai ma garde. Aliénor s'en aperçut. Sans doute s'imagina-t-elle qu'elle en était l'origine. Quoi qu'il en soit, deux jours avant le départ du comte pour son pèlerinage, je commis l'imprudence d'oublier de barrer ma porte. Le grincement des gonds me tira de l'engourdissement qui m'avait saisie. J'avais soufflé mes chandelles depuis un long moment. L'idée me vint d'appeler à l'aide, mais je n'osai bouger. J'étais comme pétrifiée. Cet instant que j'avais espéré en secret et redouté d'autant me laissait sans défense. Lorsque je reconnus dans la lumière vacillante le visage d'Aliénor, je me mis à trembler. Elle était nue, ses cheveux cascadaient sur ses seins ronds et fermes. Elle posa son chandelier à mon chevet. Drapée seulement d'un doux sourire, elle se glissa dans mes draps et m'étreignit avec tendresse. Ses mains douces et chaudes se glissèrent sous ma chemise de nuit et ses lèvres prirent les miennes sans que je puisse trouver en moi la force de la repousser. J'étais émue plus que je ne l'avais cru possible. Ses mains, sa bouche me donnèrent un plaisir insoupçonné, de sorte que, m'enhardissant, je lui rendis bientôt ses caresses avec la même sensualité. Peu à peu, à la sentir frémir sous mes doigts, je pris conscience du pouvoir que je détenais sur elle. Si j'étais innocente aux jeux de l'amour, j'avais reçu une éducation qui m'avait préparée à l'écoute. Je m'en servis pour l'aimer. Lorsque Aliénor me quitta, bouleversée et heureuse, j'eus la certitude que désormais j'étais maîtresse du jeu.

Restait Jaufré. C'était bien plus difficile. Il me surprit dans les jardins alors qu'Aliénor et Pernelle étaient auprès de leur père. Ce dernier, qui les confiait à la garde de Geoffroi du Lauroux, l'archevêque de Bordeaux chargé d'administrer ses domaines pendant son absence, leur faisait ses dernières recommandations. Les dames de compagnie d'Aliénor souffraient quelques aubades sous la tonnelle, et, lasse de leurs miè-vreries, je m'étais éloignée seule vers le verger.

Je ne l'entendis pas venir. Son pas dans l'herbe fine était si léger qu'on eût dit quelque insecte qui s'y serait posé.

— Ces poires ont l'air succulentes, commenta sa voix dans mon dos.

Je faillis m'étrangler de surprise comme je venais de mordre dans une de celles qu'une branche avait mises à portée de main.

— Messire de Blaye, vous auriez pu m'étouffer ! m'indignai-je, après avoir recraché le morceau qui m'avait arraché un toussotement.

— Mille pardons ! Pour rien au monde je ne voudrais pareille chose, croyez-le.

Il me tendit son mouchoir de dentelle, et j'essuyai le bord de mes lèvres où le fruit juteux avait tracé de fins sillons sucrés.

— N'en parlons plus. Mais vous m'avez fait peur. Ce ne sont pas des façons d'arriver ainsi derrière une damoiselle sans s'annoncer.

— Si je l'avais fait, vous vous seriez enfuie. Car vous me fuyez, Loanna de Grimwald. Là encore, en détournant votre regard du mien. Suis-je donc si laid ?

Sa question me bouleversa. Je relevai les yeux. Il avait l'air blessé.

— Vous n'êtes pas laid.

— Allons donc ! Croyez-vous que je n'entende point les railleries sur ma face blanche et maigre, sur mon aspect chétif, presque efféminé ? Le regard des autres m'indiffère. Le vôtre seul me tue.

J'étais glacée. Glacée et brûlante à la fois. Je me mis à trembler, et la poire que ma main soudain ne tenait plus tomba en froissant l'herbe.

— Vous grelottez, remarqua-t-il en esquissant un pâle sourire. Pardon de vous avoir effrayée. Les poètes sont un peu fous. Je n'échappe pas à la règle.

Je voulus parler, mais ma gorge était sèche. Je déglutis péniblement, tandis qu'il poursuivait :

— Je voulais simplement vous saluer avant de partir. Rester près de vous m'est désormais plus pénible que la solitude de mon donjon. Je vous aime, Loanna de Grimwald. Quand vous ne m'aimerez jamais.

Il tourna les talons sur mon silence. Alors, ce fut comme un éclair dans un ciel d'orage. Une fulgurance qui m'écartela. Les mots jaillirent de moi comme crève un nuage de pluie :

— Ne partez pas. Je vous aime.

Il se retourna. Mon cœur battait à tout rompre. Mais je ne tremblais plus. J'avais besoin de le rassurer soudain. Sans fuir son regard cette fois, je murmurai encore :

— Jamais je n'ai vu visage plus noble et plus beau que le vôtre, comte, lorsque la musique tout entière le caresse et l'enivre. Quant à votre voix, elle est digne d'un chant d'oiseau, lorsque l'aurore point et que le ciel s'embrase à son hymne. Si vous partiez maintenant, vous condamneriez ce printemps qui vient à mourir avant de naître. Si je vous ai fui, ce n'est pas par dégoût de vous, mais par peur de moi.

Il s'avança lentement et, s'agenouillant à mes pieds, prit ma main dans les siennes pour y déposer un long baiser. Puis, posant son oreille sur le velours de ma robe, il gémit en confidence :

— J'ai vu la duchesse entrer dans votre chambre cette nuit. Elle n'avait point refermé entièrement la porte derrière elle. J'ai osé l'indiscrétion d'un regard. Pardonnez-moi.

Son aveu me fit rougir. Je comprenais mieux pourquoi il s'était imaginé rejeté.

J'avais appris à assumer mes actes quoi qu'il advienne. Cela faisait partie des lois. Un seul amour, avait dit mère : l'Angleterre. Je serrai les dents. Je m'étais abandonnée deux fois en moins d'une lune. J'avais oublié qui j'étais. Je ne voulais pas le blesser, mais je devais me ressaisir. Je posai ma main sur sa joue. Elle était douce comme un cendal.

— Ce qui s'est passé cette nuit n'est rien. Vous savez combien ici les jeux de l'amour sont sans conséquence. J'étais novice. Elle m'a initiée. Mon destin est lié au sien, pour des raisons que je ne peux dévoiler. Lorsque le duc d'Aquitaine reviendra de Compostelle, j'entrerai au couvent avec elle. Mon cœur et mon âme sont vôtres, Jaufré de Blaye. Mais je n'ai pas le droit de vous aimer.

— Je ne vous reproche rien, ma dame. Je vous appartiens.

— Non, Jaufré. C'est à votre talent que vous appartenez.

— Il n'existerait pas sans la confiance dont vous l'honorez.

— Il existe par lui-même. Croyez-moi. Ne doutez pas de vous. Ne doutez pas de moi. Un jour viendra peut-être où je pourrai être à vous, mais, de grâce, ne vous aliénez pas à m'attendre. Mon fardeau serait bien trop lourd à porter.

— Le poète n'a qu'un seul amour. Quoi que vous me demandiez, je le ferai, dussé-je mourir pour vous. N'attendre rien faisait mon malheur. Vous attendre sera ma plus belle chanson. N'empêchez pas qu'elle se compose de mes rêves.

— Vous êtes fou.

— Je vous l'avais dit. Je n'échappe pas à la règle.

— Restez jusqu'au retour du duc.

— Jusqu'à ce que vous me chassiez, ma douce aimée.

Des rires et des babillages tout proches mirent fin à notre entretien. Agacée de n'avoir pu infléchir son père, Aliénor me cherchait. Jaufré s'esquiva, non sans avoir volé sur mes lèvres un baiser chaste et doux qui me laissa gaie comme un pinson.

Le lendemain, Guillaume, revêtu de son mantel de pèlerin et chaussé de fines sandales, s'éloigna à pied avec quelques barons et amis qui avaient choisi de l'accompagner. Il embrassa ses filles d'un air absent, puis s'en fut vers son destin.

Tandis que je suivais sa silhouette appuyée avec lassitude sur son bourdon, un froid glacial m'envahit. Sans m'expliquer pourquoi, je sus que la mort le guettait sur le chemin.

5

— Les Pyrénées, enfin !

La voix sortit le groupe de son mutisme. Devant eux, les sommets enneigés se dessinaient avec majesté, comme un défi aux courbes que leurs pieds et leurs mollets avaient franchies depuis trois semaines. Les pèlerins se regardèrent et échangèrent un sourire confiant. La passe dans la montagne, au col de Roncevaux, était surnommée « la révélatrice ». Certains n'allaient pas au-delà, malgré leur foi, épuisés par la fatigue et le jeûne. Pour les autres, ceux qui passaient le col et pénétraient en Espagne, la route devenait légère, les douleurs moins pernicieuses, la corne sous la plante des pieds, que les semelles de cuir ne protégeaient plus, rendait le sol moins caillouteux, moins tranchant. La béatitude s'emparait des âmes, un sentiment infini d'humilité les amenait à rendre grâces au Seigneur de cette souffrance nécessaire.

Ce jourd'hui, 9 avril 1137, Guillaume d'Aquitaine regardait cette barrière avec inquiétude. Ces derniers temps, sa santé légendaire lui faisait défaut. Il souffrait de violentes migraines et des spasmes lui tordaient l'estomac, lui faisant parfois rendre quelques filets de sang. Il supposait que la mangeaille, saine mais inaccoutumée, lui pesait. Le pain de seigle et le gruau dont il se nourrissait lui laissaient dans l'arrière-bouche un goût âcre dont il ne se débarrassait plus. Il avait maigri durant le voyage et se sentait affaibli.

« Sans doute, pensait-il, ai-je attrapé quelque maladie destinée à purger mon corps de ses humeurs malignes, de ses impuretés. »

Et, malgré la souffrance qui creusait des cernes violacés sous ses yeux, il en tirait une certaine jouissance, celle de penser que son périple n'était pas vain et qu'il entrait en état de grâce. Ses proches, cependant, se montraient moins optimistes. Guillaume était d'ordinaire un être solide, fort comme un bœuf, capable d'engloutir à lui seul un quartier de mouton en un repas, et l'aspect cireux que prenaient ses traits n'augurait rien de bon.

Pourtant, confiant, il continuait son chemin lorsqu'ils lui conseillaient de rester à l'étape. Le jeune baron tourangeau avec qui il s'était lié d'amitié et qui fraternellement servait chacun en eau et gruau l'avait d'ailleurs rassuré quant à cet excès de fatigue. Lui-même avait franchi une première fois la passe à la limite de l'agonie, mais il en était revenu transfiguré et repartait avec plus d'enthousiasme encore. N'était-ce point un signe du destin ?

— Votre gruau, messire.

Avec un sourire enjôleur, Anselme de Corcheville tendit l'écuelle de terre cuite à Guillaume.

« La dernière », songea-t-il, avec l'impression d'entendre tinter dans ses poches les écus d'or promis.

Guillaume s'en saisit maladroitement. L'espace d'une seconde, l'idée lui prit de jeter cette nourriture infecte à terre, mais la voix susurra :

— Il vous faut manger, compère. Vous ne pouvez franchir « la révélatrice » sans forces. Demain, j'en suis convaincu, ces humeurs vous quitteront. Courage !

— Je me sens si mal, Anselme, que je me demande si la prudence ne serait pas de m'arrêter à la prochaine étape, murmura Guillaume, avec une moue de dégoût pour la pâtée qu'il écrasa entre ses doigts violacés, sans se décider à la porter en bouche.

— Rangez-vous à notre sagesse, Guillaume, vous n'avez que trop tardé, répondit le baron d'Angoulême, qu'un pressentiment rendait nerveux.

Il n'appréciait pas ce jeune baron de Corcheville. Outre la vilaine cicatrice qui fendait en deux un visage de fouine, depuis l'arcade sourcilière gauche jusqu'à la commissure droite des lèvres fines, quelque chose dans son attitude mielleuse sonnait faux. Même s'il prétendait tenir cette marque d'un félon qui avait tenté de s'emparer de ses terres, le baron d'Angoulême n'était pas loin de penser que le contraire eût été plus vraisemblable, et que l'homme était un rusé coquin. Son engouement pour le comte s'était avéré trop soudain. Pourtant il ne pouvait accuser sans preuve, d'autant moins que Guillaume semblait fasciné par son nouvel ami.

Anselme examina Guillaume d'un regard compatissant, prit un air résolu et navré, puis consentit dans un soupir :

— Je crois qu'il faut se rendre à l'évidence, vos amis ont raison et sans doute avais-je tort. Mon chemin de croix ne peut être le vôtre, puisque nos raisons et nos péchés diffèrent. Ce soir, nous arriverons à l'hospice. Vous vous ferez examiner par un moine, et vous vous y reposerez.

— Le croyez-vous vraiment ?

— Nous le croyons tous, Guillaume. Ce serait folie que s'entêter, insista le baron d'Angoulême, surpris par ce revirement d'opinion.

Guillaume secoua la tête, dépité. Il songea à sa fille Aliénor et à l'engagement qu'il avait pris de la fiancer à son retour.

« Ainsi, pensa-t-il, l'esprit libéré de toute obligation, je pourrai subir la loi de Dieu. Pour l'heure, la sagesse doit l'emporter sur mes commandements. »

— Peut-être est-ce mieux ainsi, soupira-t-il à haute voix.

Résigné, il porta, à l'exemple de ses compagnons, le gruau à ses lèvres, le mâcha sans appétit, les yeux perdus dans les songes imagés de sa fille auréolée de la couronne d'Angleterre.

Brusquement, les images se troublèrent, un spasme d'une violence insoutenable lui fit lâcher l'écuelle et congestionna ses traits. Le souffle lui manqua. Tournant un regard hébété vers ses compagnons qui s'étaient précipités dans un fracas de vaisselle, il s'écroula vers l'arrière, le corps secoué de convulsions. Dans un sursaut de conscience, il saisit la main d'Anselme qui lui soutenait la nuque et la serra avec violence, lâchant dans un souffle, à l'intention des visages penchés au-dessus de lui :

— Unir Aliénor au futur roi… Promesse…

Un filet de sang éructé avec violence de sa gorge en un dernier hoquet vint finir sa phrase. Les yeux révulsés, il rendit son ultime souffle.

Anselme, satisfait, lui ferma les paupières, affichant comme il se doit la perte d'un ami cher sur son visage de fouine.

Saisissant d'à-propos, il murmura à l'attention de tous :

— Nous respecterons ta promesse, Guillaume. Nous irons porter tes dernières volontés au roi de France, ton choix doit être le nôtre désormais.

Brisés par la douleur, les barons ne purent qu'approuver d'un signe de tête avant de se recueillir en prière. Malgré son antipathie pour le baron de Corcheville, pas davantage que les autres le baron d'Angoulême n'imagina un seul instant que le poison était la cause de ce trépas.

À Béthisy, demeure des rois de France, l'abbé Suger reçut la délégation d'Aquitaine avec un éclat métallique dans les prunelles. Il reconnut à leurs côtés celui que les Chevaliers du Temple avaient converti à leur cause, mais demeura de marbre, l'habit et l'esprit qu'il défendait le mettant à l'abri de remords inutiles.

Il fit prévenir Louis VI dit le Gros de l'urgence de l'entretien, puis donna des ordres pour que ces hommes éprouvés prennent collation et repos.

Quelques heures plus tard, Louis le Gros entra dans la grande salle voûtée. Le roi de France avait le teint cireux des êtres malades que le flux de ventre affaiblissait de jour en jour. Son abdomen était enflé telle une outre, et son visage boursouflé couvert de furoncles purulents. Il s'installa sur le trône, puis ses vassaux vinrent s'agenouiller au pied des deux marches recouvertes d'un épais tapis de velours.

D'un geste las, il leur fit signe de se relever, mais le baron d'Angoulême demeura prostré, un genou à terre, accablé par le chagrin. Tendant un visage marqué, il s'exprima au nom de ses compagnons, humblement placés en arc de cercle derrière lui :

— Votre Majesté, nous sommes porteurs d'une bien triste nouvelle. Guillaume, duc d'Aquitaine, n'est plus. Son corps a été inhumé il y a quelques semaines près de l'endroit où il rendit l'âme. Nous sommes ici plusieurs à avoir recueilli ses dernières volontés. Sans prévenir sa maison pour ne pas risquer d'éveiller la convoitise des barons qui lui étaient hostiles, nous venons en son nom vous demander protection pour Aliénor, son aînée, ainsi qu'il est de votre bonté et pouvoir d'en assurer la tutelle.

— Cette nouvelle m'attriste, répondit le roi, contorsionnant sur son siège ses viscères malades, et je ne peux qu'accepter votre requête. La duchesse Aliénor bénéficie sur l'heure de toute ma protection, de même que ses biens et ses gens.

— Que Votre Majesté en soit louée. Toutefois, messire le duc espérait encore davantage dans son agonie, osant souhaiter qu'une union entre le royaume de France et l'Aquitaine serait une grâce qui permettrait à son âme de s'élever en paix vers Dieu.

— Bien, bien. Qu'en pense mon fidèle conseiller ?

Le roi se tourna vers Suger, ainsi qu'il en avait l'habitude. Plus que jamais il ressentait le besoin d'être conforté dans ses positions, tant il craignait que sa maladie n'affaiblisse son esprit. Suger, debout à sa gauche, droit comme un if, mains jointes sur sa robe en un geste de recueillement, marqua un temps d'hésitation protocolaire, puis affirma :

— Notre-Seigneur tout-puissant ne peut que bénir une union de cette nature. Aliénor d'Aquitaine fera, je le crois, une épouse à même de porter la charge d'un État, capable de seconder son époux en tous lieux et temps. L'Église consent.

Louis poussa un soupir soulagé. Puisque Suger approuvait, il aurait tort de refuser cette occasion de marier son benêt de fils à damoiselle aussi intelligente et bien constituée. Il se leva lourdement, n'en pouvant plus de retenir ses selles liquéfiées.

— Prenez le repos dont vous aurez besoin, messires, puis allez porter nos condoléances et notre résolution en Aquitaine. L'abbé Suger vous y accompagnera pour célébrer la mémoire de notre défunt ami et sujet. Les fiançailles seront rendues publiques sitôt que notre filleule en sera informée. Allez à présent, votre roi est fort las et peiné.

Satisfaits, les barons se retirèrent et se rendirent dans la chapelle pour s'y recueillir. Anselme le sournois s'éclipsa discrètement et se fit conduire dans le cabinet secret de Suger. Là, le saint homme lui remit la récompense promise, ainsi que l'absolution pour ce qui n'était somme toute qu'une mission divine.

Quelques instants plus tard, après avoir salué les compagnons de Guillaume afin de n'attirer aucun soupçon, il quitta Béthisy pour rejoindre Étienne de Blois et lui faire son rapport.

— Je me refuse à épouser cette femme !

Louis le Jeune était dans tous ses états. Il tournait en rond, tremblant comme une feuille dans sa longue bure de lin, l'esprit troublé par des images démoniaques.

— Apaisez-vous, mon fils, il y va de l'avenir du royaume, et Dieu Lui-même vous demande ce sacrifice.

— Mais enfin, père, c'est contraire à mes aspirations, on ne peut à la fois posséder une âme de prêtre et d'époux.

Le roi de France sentit la colère le gagner en même tant que la colique dans son ventre. Il répugnait à laisser le royaume entre ces mains féminines, quand il aurait dû être tenu par la poigne et l'esprit ferme de son aîné, tragiquement mort dans un accident quelques années plus tôt.

« Louis ne sera pas un bon roi, pensa-t-il. Pourtant, ai-je le choix ? Cette Aliénor pourra-t-elle transformer ce prêtre en souverain ? Je me la souviens belle et désirable, apte à donner des héritiers à la couronne, mais cela sera-t-il suffisant ? »

Il soupira longuement, puis sa voix ferme et sans appel résonna sous les voûtes de la chapelle :

— Je t'ordonne d'épouser la duchesse Aliénor d'Aquitaine, mon fils, et de la faire reine de France. Je t'ordonne d'aimer cette femme, de lui plaire, de combler ses désirs et ses exigences, afin qu'elle mette au monde des fils pour cette terre. Si ton père te le demande, ton roi l'exige, entends-tu ?

Louis sentit un sanglot de révolte lui nouer la gorge ; pourtant, il s'agenouilla devant son souverain et posa en signe de soumission ses lèvres tremblantes sur l'émeraude sertie de diamants que Louis le Gros portait à l'annulaire gauche. Incapable de bouger ou de proférer un son, il demeura les yeux rivés au sol. Le roi s'écarta d'un pas, déçu autant qu'apitoyé par cette forme voûtée qui cependant était la chair de sa chair. La douleur devenant de nouveau pressante dans ses viscères malades, il tourna les talons et sortit en prenant soin de refermer la porte derrière lui.

Lorsque l'écho de ses pas cessa d'emplir la maison de Dieu, Louis le Jeune, saisi de dégoût et de peur, vomit au pied de la croix la bile acide et verdâtre de ses démons intérieurs. Puis, le corps en transe, il s'en fut se coller contre elle, dans cette position de crucifié qui ne libéra son âme que quelques heures plus tard, alors qu'épuisé il s'endormait recroquevillé en fœtus au pied du symbole divin.

J'avais obtenu d'Aliénor, dès mon arrivée au palais, l'autorisation d'installer mes pigeons dans un colombier désaffecté à l'aplomb de ma fenêtre. Ceux-ci, laissés en liberté, venaient ainsi se nourrir des graines et des miettes que je déposais sur le rebord. Mes messagers volants me rapportaient fréquemment des nouvelles d'Henri et de mère, et je pouvais à loisir échanger mes impressions avec cette dernière. Comme elle me l'avait conseillé en partant, j'évitais d'utiliser la magie à Bordeaux, quelqu'un risquant à tout instant de me surprendre en transe et de compromettre ma mission.

Après le départ de Guillaume, cette sensation glaciale ne cessa de me tourmenter. Consciente du danger que représenterait pour les plans de Mathilde la mort du duc, je ne mesurais pas ses conséquences. Je résolus d'en avertir mère, mais ma colombe ne revint pas.

Depuis quelques jours, un épervier tournait autour du château que les fauconniers ne parvenaient pas à attraper. Je l'avais vu fondre sur de petits moineaux mais n'osais penser qu'il s'attaquerait à proie plus grosse. Le doute persista, je ne savais que faire.

Je n'eus cependant pas besoin d'envoyer une nouvelle colombe, la nouvelle nous parvint sous la forme d'un messager, dépêché par le roi de France. Avant même l'arrivée des compagnons du duc, il vint s'entretenir avec Aliénor et Geoffroi du Lauroux.

L'un et l'autre reçurent l'abbé Suger dans la chapelle, ainsi qu'il en émit le souhait. Mes compagnes, imaginant que la nouvelle était d'importance, s'étaient agglutinées en chuchotant dans le corridor voûté qui cerclait le bâtiment et ouvrait ses arcades sur le jardin intérieur.

Pour ma part, je demeurai à l'écart. Cet homme sec et froid ne me plaisait pas. Dès l'instant où il posa pied à terre, je pressentis qu'il deviendrait mon ennemi. Peut-être à cause de cette croix somptueuse resplendissante de rubis qui pendait par une lourde chaîne d'or sur son mantel. J'avais toujours exécré ces prélats trop riches qui priaient pour la miséricorde d'un peuple mourant de faim, entre deux bouchées de mets surabondants dont un seul eût suffi pour nourrir une famille.

Quelques très longues minutes plus tard, Aliénor écarta les portes de la chapelle, et le silence se fit. Son sourire s'était éteint et son regard avait cette brillance métallique des rages sourdes que l'on ressasse pour ne pas pleurer. Elle était ainsi, s'abandonnant aux larmes pour attendrir, mais interdisant à sa fierté de s'oublier là où d'autres pourraient utiliser sa véritable faiblesse. Elle n'était pas une victime.

Elle semblait pour l'heure ne voir personne et, d'une voix monocorde que je reconnus à peine, elle annonça :

— Le duc d'Aquitaine, mon père, n'est plus.

Puis, marchant tel un pantin, elle passa devant nos révérences recueillies et s'en fut dans sa chambre annoncer à Pernelle la sombre nouvelle.

En me relevant, je croisai le regard froid de Suger, et un frisson me parcourut. Le duc n'était pas défunt d'une mort naturelle, telle fut à l'instant ma certitude. Je baissai les yeux et me dirigeai vers le pigeonnier. Épervier ou pas, Mathilde devait savoir.

Aliénor prit en main toutes les formalités d'usage, exigeant de recevoir elle-même, sans compter sa peine et son temps, les condoléances de ses vassaux et amis, refusant le soutien de ses compagnes, rejetant d'un geste las les paroles d'encouragement des troubadours, qui se retirèrent pour chanter la nouvelle en d'autres lieux. Appelé par les affaires de son comté, Jaufré avait regagné Blaye peu de temps après le départ du duc en pèlerinage. Pourtant, avide de ma présence, il nous rendait visite fréquemment, séjournant au palais de l'Ombrière deux ou trois jours par semaine.

En ces heures douloureuses, sa chaleur me manquait. Je me sentais plus solitaire que jamais, portant tout le poids du chagrin d'Aliénor. J'étais la seule à le partager, lorsque les chandelles mouchées dissimulaient ses larmes aux regards. Lors, je les recueillais sur mon épaule, m'étonnant du courage dont elle faisait preuve.

« Tutelle du roi de France », avait dit Suger. Deux termes qui mettaient un frein à nos projets pour Henri, car ce dernier, trop jeune pour gouverner, pris dans la bataille de sa mère pour le trône d'Angleterre, ne pouvait en aucune façon revendiquer sa promise. Ce que le roi de France ferait du duché d'Aquitaine, je ne l'imaginais que trop, malgré ma fragile expérience des raisons d'État. Que pouvais-je y faire ? Mes pouvoirs n'admettaient pas d'user de la sorcellerie et de sa panoplie de poisons. Ma conscience refusait ce jeu de mort qui était le leur. Plus que jamais, je guettais des nouvelles de mère.

La nuit qui suivit la messe en mémoire du défunt duc, je ne pus trouver le sommeil. Aliénor était apparue, tenant Pernelle par la main, dans la cathédrale Saint-André où les attendaient Geoffroi du Lauroux, l'abbé Suger et une foule silencieuse en deuil. Son visage était fier et noble, et, à son contact protecteur, sa cadette paraissait plus forte malgré ses yeux rougis. Suger avait entrepris les louanges de l'homme pour les vassaux assemblés, marquant d'un sceau monastique la vie d'exemple et de souffrance de Guillaume. Puis vint ce que je redoutais. Il nomma les barons qui l'avaient accompagné au long de son périple, et ceux-ci vinrent s'aligner devant la duchesse, répétant d'une même voix les dernières volontés de leur ami, et leur serment devant sa dépouille.

Un murmure passa dans l'assistance. Je vis les épaules d'Aliénor se voûter lorsque Suger, s'avançant vers elle, mit un genou à terre et déclara à l'intention de tous :

— Que votre père soit béni, mon enfant, de vous donner en héritage le trône de France en espérant vos épousailles avec Louis le Jeune, auxquelles le roi donne sa bénédiction !

Puis, se relevant, il ajouta en ouvrant ses bras dans un geste de communion :

— Recueillons-nous, mes frères, devant l'amour de cet homme pour sa terre et ses enfants.

Tout était dit, magistralement orchestré. Légitimé par le témoignage et consenti par la foule rassurée sur son devenir. Car, en effet, quel honneur plus grand pouvait recevoir mon amie ?

Un frisson de rage me parcourut. Fini l'heureux temps de l'insouciance à laisser se dérouler le destin. Suger était un homme redoutable, il tirait les ficelles du pouvoir et servait des intérêts opposés à ceux de Mathilde et d'Henri. Il aurait fallu être stupide pour ne pas s'en rendre compte. J'allais devoir user désormais de ruse autant que d'intuition pour intriguer à la cour de France.

Aliénor s'était retirée dans sa chambre pour prier dès la cérémonie achevée… Je ne l'avais pas revue depuis.

Je frissonnais. Ne parvenant à échapper à ma colère et à une angoissante pression, je me glissai au-dehors dans une nuit sans lune. Les parfums des seringas se mêlaient à ceux des roses et des lilas, entêtant l'obscurité alourdie par l'orage proche.

Je descendis jusqu'au colombier sous ma fenêtre. Un petit sentier serpentait à travers les broussailles pour rejoindre cet endroit étroit qui n'intéressait plus personne parce qu'à l'écart des jardins luxuriants. Ma colombe n'était toujours pas rentrée ; sans doute ces événements avaient-ils amené mère et Mathilde à revoir leurs plans. Je m'assis un instant sur un banc de pierre oublié. Au pied de la coursive, l'eau clapotait doucement. Une atmosphère malsaine planait sur le palais de l'Ombrière ; j'en sentais la menace autour de moi comme une vapeur indistincte, imprécise, mais qui entourait les lieux, les choses et les gens. Peut-être n'était-ce dû qu'à l'orage ? Peut-être était-ce ma propre peur de l'inconnu ?

Un bruit dans les broussailles me fit tressaillir. Je voulus pencher pour quelque animal, mais mon rythme cardiaque s'accéléra, m'indiquant qu'une présence humaine en était l'origine. Une ombre s'avançait en effet, me barrant toute retraite. Je n'osais bouger, prête à me défendre contre l'imprévisible, lorsque le parfum de lys qui se dégageait d'elle apaisa mes craintes. Au même moment, la lune complice apparut, dévoilée par une trouée dans les nuages. Le regard du troubadour s'éclaira d'un pâle rayon.

— Jaufré, vous rendez-vous compte que vous auriez pu me faire mourir de terreur pour la seconde fois ?

Il s'approcha et me prit la main pour la porter à ses lèvres.

— Pardonnez-moi. Je ne pensais pas vous surprendre ici.

— Qui donc espériez-vous ?

— Une muse peut-être, qui se serait enfuie trop vite, ou simplement un rai de lumière à vos fenêtres pour que quelque chanson vous atteigne. Je vous ai vue dans la cathédrale songeuse et distante, au point que vous ne m'avez pas remarqué. Ici, je me trouvais proche de vous. Je n'osais espérer que ce fût à ce point.

Il était si près que je pouvais percevoir le froissement de son mantel contre mon ventre. Cette solitude soudain si pesante ! N'avoir personne à qui confier mon angoisse ! Son parfum me troublait l'âme, j'eus envie de ses lèvres sur les miennes, de ses mains courant sur mon corps. Pouvoir poser ma tête sur son épaule et oublier, oublier qui j'étais, juste un instant !

Il promena son souffle sur mon visage, jouant à me sentir vibrer de le respirer, prolongeant mon supplice, devinant sans doute avec son savoir d'homme combien l'attente de ses bras aiguisait ce trouble délicieux au creux de mes reins.

Il posa sa paume chaude et douce contre ma joue, et je m'y frottai comme une jeune chatte appelant la caresse. Il murmura :

— Marchons un peu, voulez-vous ? La nuit est belle sur la Garonne, l'orage qui gronde semble l'aspirer tout entière dans son tourbillon de bronze. Venez !

J'acquiesçai d'un signe de tête, la gorge nouée de larmes et de désir.

Nous nous avançâmes jusqu'aux remparts. À leur pied, le fleuve à marée haute clapotait en un murmure sur les quais. Quelques gabares et nefs espagnoles étaient amarrées dans le port, ombres vacillantes sous le vent léger. Au loin, des éclairs zébraient le ciel.

Jaufré pointa son index vers la tête de l'orage et me confia à mi-voix :

— Là-bas est ma terre. Mon comté. Je voudrais vous y emmener, Loanna, vous montrer les îles, les marais. Là-bas, ils n'ont pas la même couleur que ceux d'ici. La terre est plus rousse ou plus noire, l'eau plus vivante. À Blaye, le fleuve ouvre ses bras à l'océan. Venez avec moi, je vous ferai aimer ses gens, ses vignes, ses champs, comme je les aime. Comme je vous aime.

Il me fit face et cueillit mon visage à deux mains, emprisonnant mon regard dans le sien, le fouillant de tendresse. J'aurais tant voulu à cet instant n'être qu'une de ces dames de compagnie frivoles. Pouvoir pleinement l'aimer de toutes mes forces et de tout mon cœur. Mais mon destin était ailleurs. Je secouai la tête tristement. Si seulement je pouvais lui dire… Ses lèvres s'emparèrent des miennes, noyant mon refus dans leur refuge humide.

Soudain, les baisers d'Aliénor m'apparurent fades, face à cette langue qui caressait les mots que je ne lui dirais jamais, consumant mon corps alangui d'un feu inconnu. Le tourbillon de sa bouche gourmande dévorait la mienne puis mon menton, mon cou. Mon souffle s'égara dans un gémissement, enlisant ma volonté dans un désir qui me rendait femme.

Incapable de résister plus longtemps, je le laissai me cambrer sur la pierre des remparts. Je sentais l'appel du vide sous ma nuque, grisée par l'idée qu'il suffirait d'un rien pour y basculer. Avoir confiance en quelqu'un une fois, juste une fois. Il dénoua mes cheveux et s'attarda dans leur soie, son doigt mutin s'aventurant sur mes épaules, derrière mon oreille. Il souriait comme un enfant. J'étais bien, bien de son corps contre le mien. J'enlaçai sa nuque pour l'attirer plus près encore et cherchai sa bouche avec douceur. Au diable mes résolutions ! Demain, il me faudrait partir vers une raison d'État qui n'admettrait aucune faiblesse. Ce soir, cela n'avait plus d'importance. J'avais besoin de lui, de son plaisir puissant au creux de mon ventre. Je guidai sa main sur les liens de soie qui retenaient mon corsage. J'étais nue sous l'étoffe. Jaufré promena ses doigts dans l'échancrure béante. Ses caresses ressemblaient à des ailes de papillon. Même Aliénor avec ses mains adoucies par les onguents n'avait pas cette légèreté à fleur de peau qui me fit frémir. Il s'empara d'un sein et y posa ses lèvres avec passion. Il s'attarda sur ma gorge palpitante, et je savourai avec agacement son insistance à me faire languir.

La nuit devenait de plus en plus métallique au-dessus de mon visage. Je fermai les yeux en sentant sa bouche descendre sur mon nombril. Lentement, ses mains remontèrent l'étoffe le long de mes jambes, ponctuant de baisers ma peau qu'elles dénudaient.

Il s'était agenouillé. Ses lèvres musardaient maintenant à l'intérieur de mes cuisses, agrandissant mon impatience. Je pris encore conscience de mes paumes enserrant ses tempes à les broyer et de la moiteur de mon pubis qui appelait la caresse, mais déjà je ne contrôlais plus rien. Un sanglot d'abandon et de désir me noua la gorge. Mes reins me brûlaient. Je jouis dans un cri qui libéra des larmes dans mes yeux et mon ventre avec la même violence.

Il se redressa et moula son corps au mien contre le mur de moellons. La froidure des pierres pénétrait l'étoffe contre mes reins. Il lécha mes larmes en caressant mes cheveux. Je ne pouvais plus désormais me contenter de sa tendresse, j'avais besoin qu'il me possède, qu'il s'empare de ma virginité sans me laisser plus rien de l'enfance.

J'implorai d'une voix que je ne reconnus pas :

— Aime-moi.

Mais il secoua la tête avec un sourire tendre et pathétique à la fois qui me désempara.

— Non, mon aimée, non.

Je ne comprenais pas. Des larmes jaillirent de nouveau que je ne pus contrôler et ruisselèrent sur mes joues, lui demandant pourquoi sans oser le dire. J'avais mal de son refus, mal de son membre viril sous l'étoffe, dressé contre mon ventre offert qu'il s'interdisait de prendre.

— Ne pleurez pas, je vous en prie, murmura-t-il. Je vous aime plus que tout au monde, Loanna, mais vous ne m'appartenez pas, comprenez-vous ? Plus que votre plaisir, c'est vous tout entière que je veux. Je vous sais vierge d'un corps d'homme, mais je ne peux vous ouvrir au mien que dans ma maison, et uniquement si votre cœur et votre âme sont à moi. Si le désir me brûle, qu'il soit plus violent encore, qu'il me dise le bonheur d'être votre vassal ; parce que j'ai plus de respect pour vous que je n'en ai jamais eu pour aucune autre !

J'aurais voulu crier, le gifler, le maudire, mais mes forces m'avaient abandonnée. Seule ma pluie s'écoulait, emportant dans ses ruisseaux celle qui tombait à présent des nuages gorgés au-dessus de nos têtes. Il me berça doucement, et je sentis son désir s'apaiser, résigné.

— Il faut rentrer à présent, décida-t-il. L'orage approche, je ne veux pas que ses eaux trop violentes abîment le sel de votre peau. J'aime son parfum et son goût. Je vous attendrai aussi longtemps qu'il le faudra.

Loanna de Grimwald n'existait plus. Je n'étais plus à cet instant qu'une toute petite fille qui ignorait encore qu'elle était la descendante de Merlin l'Enchanteur. Il rajusta la capeline sur mes épaules et, s'éloignant de quelques pas, m'entraîna vers le sentier. Je l'y suivis en titubant. Je ne sais comment je parvins à regagner ma chambre. Mes pensées étaient à l'image du déluge qui plombait l'Aquitaine : une course sans fin dans l'anéantissement.

6

La réponse de mère me parvint au matin de cette même nuit, mais non sous la forme d'un de mes messagers volants.

Un baiser léger comme l'air m'éveilla d'un sommeil sans rêve, et je la vis à mon chevet, flottant dans la lumière du jour naissant. Elle me sourit affectueusement, et, s'il ne s'était agi de son image emportée par un vent de magie, je me serais jetée dans ses bras comme je le faisais enfant. Je l'admirais avec bonheur.

— Mère, que je suis heureuse de vous revoir !

— Tu m'as manqué aussi, Canillette, même si je te suis pas à pas depuis que tu m'as quittée.

Elle posa sa main de lumière sur la mienne, et sa chaleur m'envahit en même temps que me revenait une profonde tristesse :

— Ô Mère, je me sens tellement perdue par moments. J'ai l'impression de détenir tout le savoir du monde et cependant d'être incapable de m'en servir.

— Allons, les événements se placent en leur temps, ma toute petite. Tu as toujours voulu aller plus vite que les courants sur lesquels nous flottons. Certaines forces nous égarent parfois, retardent le cours de nos prévisions, et c'est en cela que nous trouvons notre raison d'être. Henri grandit, devient fort. Il sera bel homme et plaira le moment venu à ta fougueuse amie. Pour l'heure, les Templiers mettent tout en œuvre pour que l'Aquitaine devienne terre de France. Étienne de Blois est avec eux. Il leur a cédé une partie de ses biens contre leur soutien. Pourtant, sa couardise et sa fourberie le rendent impopulaire. Bientôt, Mathilde reprendra le trône d'Angleterre et lors, sois-en certaine, leurs projets seront compromis.

— Quels sont ces projets, mère ?

— Posséder, ma fille. L'Église veut le pouvoir absolu. Elle manœuvre les rois, fait tomber les têtes, asservit le peuple, le sanctifie par le feu d'une croisade et se frotte les mains sur ses richesses qu'elle qualifie de spirituelles. L'Angleterre était jusqu'à ce jour protégée par les druides. Nous défendons une connaissance et une équité qui font ombrage à ce Dieu dont l'Église a besoin pour servir ses intérêts.

— On ne peut se rendre maître du monde !

— L'esprit est faible. Lorsque le peuple a faim, il lui est facile de croire. Aliénor va épouser Louis. Nous n'y pouvons rien changer. Cela nous sert d'une certaine manière. Elle apprendra davantage à devenir une reine sur le trône de France que dans l'ombre d'un couvent. Ce mariage ne durera pas.

— Comment pouvez-vous en être aussi sûre ?

— Allons, Canillette ! Merlin ne t'a donc rien enseigné à Brocéliande ? Tu vas suivre Aliénor et conseiller habilement ses caprices et maniganances. Laissons-la grandir. Méfie-toi seulement de Suger. Cet homme est capable du meilleur autant que du pire. Il est l'ami de Bertrand de Blanquefort, le grand maître du Temple qui a œuvré pour le rattachement de l'Aquitaine au royaume de France. Ainsi Suger pourrait conseiller à Aliénor d'abandonner au profit du Temple une grande part de ses biens pour le salut de son âme. Tu dois empêcher cela. Cette milice du Christ est dangereuse. Elle est bien loin de l'idéal de pureté et de pauvreté du Fils de Dieu. Elle conduira ses chevaliers à commettre d'immondes crimes. La mort de Guillaume est un de leurs faits, commandé par Étienne de Blois qui les a couverts de largesses. Prends garde à toi !

— Et Jaufré, mère ?

— Suis ton cœur, tant qu'il ne fait pas obstacle à ta mission. Nous ne sommes pas comme les autres, Loanna. Lorsque Aliénor sera l'épouse d'Henri, alors tu décideras de ta vie de femme, s'il accepte de partager ton destin. Mais dis-toi que ce ne sera pas facile et qu'alors peut-être, il aura peur de ce que tu es vraiment. Ton père me manque souvent ; pourtant, j'ai respecté son choix, autant que son amour.

— Quel était-il, mère ? Jamais vous ne m'en avez parlé.

— Le moment n'était pas venu. Cette révélation t'aurait sans doute empêchée d'agir ainsi que tu l'as fait.

Elle souriait, mais ses yeux semblaient tristes de tout ce qu'elle n'avait pu vivre, et mon cœur se serra.

— Guillaume de Poitiers dit le troubadour était ton père et le grand-père paternel d'Aliénor. Elle et toi êtes du même sang. Voilà pourquoi je sais que rien, tu entends, rien ne changera la marche de votre destin.

— Mathilde savait, n'est-ce pas ?

— Oui. Ton père était un bel homme, fier, trop sans doute. Il aimait les femmes, et je m'y suis attachée, malgré ses cheveux grisonnants. J'étais pucelle alors, mais je n'ai rien regretté. C'était un de ces feux passionnés qui dévastent et ne laissent ensuite que des cendres. Il n'a jamais su que je portais son enfant ; d'ailleurs, cela n'aurait rien changé. Le duc n'était pas l'homme d'une seule femme. Après que je fus sortie de sa vie, il fit enfermer son épouse dans l'abbaye de Fontevrault pour s'afficher avec la Maubergeonne, une autre de ses maîtresses.

— Pourtant, il vous aimait ?

— À sa façon… Mais tout cela est bien loin ! Il ne faut pas s'y attarder. Les souvenirs doivent rester ce qu'ils sont. Sois simplement assurée que je t'accompagne, que je comprends et approuve tes choix. Être la descendante de Merlin n'empêche en rien de devenir une femme. Bien plus, nous nous devons d'avoir des héritières. Même si tu es la dernière à accomplir cette tâche, notre race ne doit pas se perdre.

Je rougis malgré moi. Jamais auparavant je n'avais abordé ce sujet avec elle. Ces réponses me rassuraient et, en même temps, une angoisse me saisit. J'hésitai un instant, sachant qu'elle pouvait lire mes pensées, mais elle n'en parla pas. J'osai donc :

— Et pour Aliénor, mère ? Ce sentiment contre nature qui m'attire en sa couche. Notre lien de parenté si direct. Est-ce mal ?

— Le bien, le mal sont des notions qui varient selon l'interprétation que l'on en fait. Il est normal que tu éprouves tendresse et amour pour elle, normal aussi que ton corps cherche la caresse. Laisse-toi guider par ton instinct, mais que jamais il ne devienne ton maître. Sache où bat ton cœur et pourquoi tu agis. Tu as compris le besoin qu'avait ton amie de cette complicité, il est un lien véritable qui guidera ses décisions et l'aidera sans aucun doute dans les moments difficiles. Quoi que tu fasses, ton être t'appartient et tu es seule juge, au regard de tes actes, tant, encore une fois, qu'ils n'entravent pas ce pour quoi tu es sur cette terre.

— Merci, mère. Si vous saviez combien votre sagesse m'a fait défaut.

— Je ne serai pas toujours là, Canillette. Tu dois apprendre à avoir confiance en toi.

Elle posa délicatement sa main sur ma joue, et j'en pus percevoir toute la tendresse. J'aurais voulu que cela ne finisse pas, elle non plus sans doute, mais déjà son image se dissipait. Je murmurai encore :

— Reviendrez-vous ?

— Chaque fois que cela sera nécessaire, je serai là, et à tout instant mes pensées te suivront.

— Mère…

— Je sais, Canillette, moi aussi je t'aime.

Je fermai les yeux pour retenir quelques larmes. Lorsque je les rouvris, j'étais seule. Je secouai ma tristesse comme un oiseau s'ébroue, les plumes gorgées de rosée, et, forte de ses paroles, je m'apprêtai pour rejoindre Aliénor.

Je la trouvai ruminant une rage évidente dans le petit boudoir qui jouxtait sa chambre. Elle marchait de long en large en chemise de nuit, et se dirigea vers moi avec une telle colère dans le regard que je crus un instant être l'objet de son courroux. Mais elle ne me laissa pas longtemps dans le doute. Elle explosa à quelques mètres de moi :

— Un puceau clérical ! Tu entends ! Un puceau clérical ! Voilà ce que l'on veut que j'épouse ! Me faire cela ! À moi !

Et aussitôt un torrent de larmes vint la secouer tout entière et la projeter contre mon épaule. Ainsi donc c'était cela ! Trop prisonnière de ces derniers jours, Aliénor n'avait pas pris pleinement conscience de ce qui l'attendait. Sa nuit de prière et de recueillement semblait lui avoir rendu sa férocité avec sa lucidité. Je l'entraînai vers la chauffeuse qui habillait l'alcôve dans le renfoncement de la fenêtre.

— Allons, tout cela ne vaut pas que tu te mettes dans un état pareil, je te l'assure.

— Plutôt mourir qu'épouser ce falot !

— Là, calme-toi, tu vas devenir reine de France, ce n'est pas si mal.

— Reine de rien du tout ! Mon futur époux passe son temps entre les versets de la Bible et le crucifix, dans un endroit triste, sans soleil, sans musique ; le couvent me semblerait plus doux.

— Regarde-moi !

Je relevai son visage d'orage et déposai avec douceur un baiser sur ses lèvres, puis enchaînai d'une voix câline :

— S'il passe son temps à l'église, tu gouverneras à sa place ; s'il ne peut aimer que son Dieu, tu prendras des amants, l'amour n'a point de maître, tu le sais bien.

Je ponctuai ma litanie de baisers sur ses joues, léchant avec lenteur l'eau de ses yeux. Elle gémit, féline. Je glissai avec impertinence une main sur ses seins, que je sentis durcir sous mes caresses, et la renversai sur le velours. Pour la première fois, je ne me posai aucune question. Mère avait répondu à toutes, libérant à la fois mon esprit et mon corps de leurs doutes. De plus, le souvenir de mon désir avorté de la veille avait aiguisé mes sens, et je pris un plaisir souverain à fouiller son ventre de mes doigts avides et à la voir se cabrer de bonheur et de reconnaissance.

Lorsque je la quittai un long moment plus tard, elle dormait, un sourire léger aux lèvres, dans un froissement de velours, de lin et de soie.

Aliénor virevoltait devant son miroir, arquant avec délice son corps de gazelle pour mieux juger du port et du tombé de sa robe de noces.

— As-tu remarqué comme il m'a détaillée ? Il est déjà éperdument épris, j'en suis sûre !

Le chagrin, d'il y a trois mois à peine, avait laissé place à une jubilation grandissante, et, en ce dimanche 25 juillet 1137, Aliénor savourait les préparatifs de son mariage. Il est vrai que Louis avait été séduit au premier regard, oubliant dans la beauté de sa promise ses résolutions de prêtre. Elle avait réussi avec sa science du comportement humain à échanger avec lui quelques tournures d'esprit qui l'avaient surprise. Un peu frêle, pâlot et tristounet, Louis n'était pas sot. Il était lettré autant qu'elle pouvait l'espérer. Même si sa culture sentait l'encens, ils trouveraient au moins sur ce sujet un terrain d'entente. Pour le reste, il me suffisait de voir ses mains frémissantes pour deviner que ce futur roi obéirait corps et âme aux caprices de son épouse. Ce qui était de bon augure !

Aliénor avait congédié chambrières, coiffeuses et autres dames pour me garder seule à ses côtés. Dans moins de deux heures, les cloches de la cathédrale Saint-André sonneraient à tout rompre. Déjà, on entendait gronder la foule massée autour du palais de l'Ombrière. Les gens étaient venus par centaines des quatre coins de l'Aquitaine, de la Gascogne, de la Saintonge, du Poitou, pour ne parler que des vassaux de la duchesse. Des acclamations de liesse se mêlaient aux odeurs de viande, de poisson, de pain, de caramel, de sauces et de fleurs.

— Cesse de rêvasser, Loanna de Grimwald ! Donne-moi ton sentiment, allons !

Elle me grondait avec des étincelles de bonheur dans les yeux. Je lui souris avec tendresse.

— Tu es irrésistiblement belle ! lui répondis-je sans mentir.

Elle battit des mains comme une enfant.

— Je le savais ! Vite ! Que cela arrive, je n'en puis plus d'attendre !

— À force de trépigner, tes mollets seront enflés. Que dira alors ton futur époux en découvrant pareils jambons ?

— Bah ! Ton eau de mélisse leur rendra leur finesse. Regarde plutôt tout ce monde ! J'ai reçu l'hommage des vicomtes de Thouars, des seigneurs de Lusignan et de Châtellerault, ceux-là mêmes dont père savourait l'importance. J'ai vu les barons de Mauléon et de Parthenay, ceux de Châteauroux et d'Issoudun, de Fezensac, d'Armagnac, il en vient même des Pyrénées, te rends-tu compte ?

Elle les énumérait sur ses doigts, étonnée de se souvenir de chacun.

— Tu oublies la délégation du roi de France avec Suger à sa tête, ajoutai-je, amusée.

— Oui, oui, mais leur équipage s'avère bien terne à côté de ceux de mes vassaux. Il est vrai que nous avons un train de vie bien plus fastueux que celui du roi lui-même ! Tant mieux, cela ranimera les vigueurs de ce cher Louis. Il n'est pas bien beau, mais il a quelque charme.

— Celui surtout d'être fou de toi et vulnérable de ce fait ! rétorquai-je, moqueuse.

— Comme tu me connais bien ! Comme je t'aime !

Elle s'élança vers moi et m'entraîna dans une folle danse pour finir par m'étreindre avec tendresse au creux de ses bras. Je glissai un baiser humide sur son épaule.

— C'est l'heure. Il faut y aller, duchesse. Reprenez donc un peu de dignité, le peuple attend de célébrer une reine.

Elle se redressa et acquiesça d'un signe de tête, domestiquant avec peine son excitation. Prise d'un doute, elle s'inquiéta pourtant :

— Tu seras près de moi, n'est-ce pas ?

— À chacun de tes mouvements.

— Ce n'est pas que j'aie peur, entendons-nous bien, c'est simplement que…

— Que tu as besoin de sentir mon parfum à portée de main, je sais. Même si tu ne peux me voir, je ne verrai que toi.

Lui prenant la main, je la guidai vers la porte. Elle inspira profondément.

Derrière les lourds battants de chêne, une vie nouvelle commençait.

Louis était recueilli, un chapelet entre les doigts. Tourmenté de questions, assailli de doutes, il ne trouvait le repos que dans la prière. Les recommandations de son père, haletant, le front en sueur, le ventre et l'estomac enflés, lui revenaient en mémoire :

— Protège les clercs, les pauvres et les orphelins en gardant à chacun son droit.

Alors, humblement, il s'était agenouillé pour recevoir ses paroles d'adieu :

— Que Dieu te protège des malandrins et des pillards, mon cher enfant. Qu'il accompagne ton voyage et te donne la force nécessaire pour accomplir ton destin. Seule cette pensée me rattache encore à la royauté et à cette vie qui me quitte. Sois digne de ma confiance. Sois digne de tes ancêtres. Sois digne de ce Dieu tout-puissant par qui règnent les rois.

Ces mots le hantaient, qui se superposaient aux prunelles d'étoiles de sa future. Il ne savait s'il devait se réjouir de l'amour qu'il lui portait déjà alors qu'il pressentait ne jamais revoir son père.

La veille de leur départ, il avait entendu Suger désigner à Hervé, son prieur (sur qui allait reposer la charge de l'abbaye Saint-Denis pendant son absence), l'endroit dans la crypte de la basilique où il devrait faire creuser la tombe du roi si l'inévitable venait à se produire avant leur retour. Il ne se sentait pas prêt, trop jeune, trop inexpérimenté. Suger avait tenté de le rassurer pourtant :

— N'ayez crainte. Les affaires d'État sont question de bon sens et de justice. Avec l'aide de

Dieu et les conseils de vos aînés, vous gouvernerez avec équité.

Suger ! Heureusement, sa fidélité préservait le royaume ! Louis le Gros lui avait accordé sa confiance et jamais il n'avait eu à s'en plaindre.

Il soupira. Ces gens sous ses fenêtres étaient bien différents de ceux qu'il écoutait vivre au cœur de Paris. Ils paraissaient tellement excessifs. Son épouse aurait-elle plaisir à partager ses journées de recueillement et de vertu ? Elle était si fraîche, si volubile, si délicieusement femme, alors qu'il ignorait tout d'elle.

« Au fond, pensa-t-il, sa lumière éclairera un peu la grisaille de nos murs. Le destin eût pu la choisir laide et éteinte, et m'enchaîner à bien pire ! »

Le mariage fut sobre malgré la foule imposante qui se massait aux abords de la cathédrale. Fidèle à mon serment, je n'eus d'yeux que pour Aliénor, tant elle était majestueuse et belle, effaçant par sa seule présence celle de son triste époux qui, malgré ses habits de brocart et d'or, ressemblait davantage à un moine qu'à un futur roi.

La cérémonie terminée, tous deux s'avancèrent d'un même pas vers le palais de l'Ombrière, sous les cris de joie et les souhaits de bonheur, de prospérité et de longue vie. La ville croulait sous les guirlandes de fleurs, tandis que, foulées par le lent cheminement du cortège, les jonchées de pétales de rose répandaient dans la chaleur étouffante de juillet leur lourd parfum. Et, l'espace d'un instant, je m'imaginai, une main posée sur la mienne, marchant au milieu des sous-bois de Brocéliande vers l'autel de pierre, baigné de la musique cristalline des plis de la tunique de Merlin. Le regard gris de Jaufré vint me poignarder le cœur, et un grand vide m'envahit.

Je l'aperçus plus tard, lors du gigantesque banquet qui fit suite à la cérémonie. Les invités étaient près d'un millier, sans compter le peuple qui avait installé tables et couvertures dans les basses-cours du château et aux alentours pour partager les victuailles distribuées au tout-venant.

Dans l'immense salle de réception, pages et écuyers s'activaient à trancher les viandes, à servir les vins de Bourg et de Blaye, les médocs aux parfums de myrtille et de chêne, dans une ambiance de musique et de fête. Car Aliénor n'avait pas oublié de convier jongleurs, danseurs, acrobates, cracheurs de feu, montreurs d'ours, de chevaux ou de chiens, et ses troubadours. Jaufré était parmi eux, accompagné de son comparse Marcabru, qu'on surnommait « Panperd'hu » et qui vouait une passion sans pareille à la duchesse.

Entrecoupant les plus célèbres gestes comme « La chanson de Gérard de Roussillon » ou « La belle aventure de Tristan et Iseult », leurs chansons vantaient les mérites et la beauté de leur muse, et la grandeur de son mariage. Jaufré rendit hommage à Guillaume le troubadour en interprétant quelques-uns de ses poèmes. Mon cœur s'emballa en l'écoutant, illuminant quelques étoiles de pluie dans mes yeux.

Mon voisin de droite, petit baron bien fait mais étonnamment prétentieux, les attribua au plaisir de sa brillante compagnie, ce à quoi je répondis d'une voix tranchante que certains avaient l'art d'attirer la convoitise et d'autres d'inciter à la solitude. J'ignore s'il voulut comprendre, mais il se montra moins imbu de sa personne pendant le reste du repas, réussissant même à plusieurs reprises à me faire rire.

Quelques heures plus tard, le vin avait fait son effet sur les convives, réduisant les distances entre ceux du Nord et ceux du Sud. Louis lui-même semblait moins prisonnier de ses coutumes et échangeait avec verve des propos plus légers. Le charme de l'Aquitaine avait opéré sur les cœurs ainsi que sur le mien lors de mon arrivée. La journée fut radieuse. Aliénor riait à gorge déployée, et je cherchais du regard celui qui, après m'avoir nourri de fougueuses œillades, s'était éclipsé de mon entourage, me laissant languir de son absence.

Vers la fin de la journée, j'eus besoin de m'isoler. Les vapeurs de l'alcool me serraient les tempes, bien que je n'eusse goûté ses délices qu'avec parcimonie. Prétextant quelque indisposition, je retournai vers mes appartements, enjambant les chiens qui se disputaient ossements et bons morceaux, et quelques festoyards endormis dans l'angle d'un mur ou sur des marches d'escalier.

Je longeais la coursive lorsqu'un accent de cithare me fit tressaillir. Je m'arrêtai, mais la musique s'était figée avec mon pas. Je devais rêver sans doute. Je repris mon chemin. Quelques notes accrochèrent de nouveau mes talons. Elles semblaient m'appeler, me guider. En face de moi, une chandelle brûlait, posée sur un des fenestrons de l'Arbalesteyre, non loin de ma chambre. Je me dirigeai vers elle, gravis l'escalier et me trouvai devant une porte entrebâillée. La musique m'attendait entre les doigts de Jaufré. La pièce n'était en réalité qu'un petit réduit parsemé d'étagères sur lesquelles étaient entreposés bougies de cire, brocs et bassines pour la toilette et mille autres ustensiles.

Je frémis de bonheur devant cet endroit insolite et son visage souriant, baigné du plaisir de ma visite.

— Le temps me comptait sans vous, murmura-t-il en posant son instrument pour m'attirer sur ses genoux comme une simple servante.

Je me laissai faire, prisonnière de l'envie de ses lèvres sur les miennes. Je ne l'avais pas revu depuis notre étreinte près du colombier. Il avait eu fort à faire en son comté à cause d'un seigneur voisin qui visait à s'approprier une partie de ses terres. Trois mois, trois mois sans le respirer, et enfin !

Nous nous embrassâmes éperdument. Tout en caressant ma nuque avec douceur, il m'annonça :

— Les jeunes époux vont séjourner une nuit à Blaye avant de gagner Poitiers. La duchesse m'a confirmé qu'elle acceptait mon invitation tantôt. Votre chambre est prête, j'aurai grand bonheur à vous la réserver quelques jours de plus.

— Je dois accompagner Aliénor à Paris.

— Certes, mais votre présence est-elle indispensable avant qu'elle y parvienne ? Prise dans le tourbillon des festivités et l'attachement de son époux, la duchesse n'aura que peu de liberté pour vous. Je vous en prie, Loanna, soyez mon invitée, le temps seulement de découvrir ma terre et ses gens, le temps d'apprendre mon désir de votre peau.

Je frissonnai sous ses caresses, tout en songeant combien il avait raison. Son absence l'avait rendu plus indispensable que jamais au moindre de mes souffles. L'heure était venue pour moi de devenir femme.

— Je resterai, murmurai-je sur ses lèvres.

Fou de joie, il m'enlaça à m'étouffer.

— Non, non et non ! Je refuse, entends-tu ?

Pour l'entendre, je l'entendais. À en avoir les tympans transpercés ! Aliénor hurlait dans mes oreilles depuis une dizaine de minutes sans me laisser la moindre possibilité de répondre.

C'était la première fois depuis mon arrivée à Bordeaux que j'étais la cause d'une de ses colères. Pis, de sa jalousie possessive. Partant de cet odieux principe que je lui appartenais comme toute chose dont elle avait envie et jouissait, il était hors de question que je puisse m'abandonner hors de sa présence. Qui plus est dans les bras d'un de ses vassaux.

Ce qu'elle redoutait le plus, en fait, était simplement que je lui échappe ! Je m'amusais donc de cette démesure, ce qui ne faisait qu'accentuer une rage qui lui mettait un fard aux joues et un regard d'incendie de forêt. Pour rien au monde, je n'aurais renoncé à la proposition de Jaufré. D'autant plus que ma certitude augmentait à mesure que sa colère empirait. Je n'aurais que plus d'influence à mon retour.

Elle gesticulait tel un animal en cage. Je m'étais alanguie sur le canapé bas de son boudoir et me tenais drapée dans un silence qui ne plaidait en rien ma cause.

Il fallait toutefois en finir. Cela ne tarda plus. Comme à son habitude, elle se mit en devoir de larmoyer sur l'injustice de son sort :

— Tu ne m'aimes pas !

Je soupirai avec tendresse.

— Allez-vous vous taire, duchesse ?

Elle éclata en sanglots démesurés. Si sa stratégie avait de fortes chances d'influencer son benêt de mari, il y avait pour ma part bien trop longtemps que j'en connaissais toutes les astuces.

— Tu avais promis de m'accompagner !

— De te suivre, plutôt. C'est ce que je vais faire. Allons, Aliénor, cesse de te comporter comme une enfant gâtée. Quelques semaines seulement, pendant lesquelles ta couche sera bien gardée par ton époux et l'Église. Qu'aurais-je à faire sinon languir de ne pouvoir t'approcher ? Tu feras le voyage au côté des dignitaires. Je n'ai d'autre titre que celui de dame de compagnie, l'oublies-tu ? Ma présence ne pourrait que troubler le semblant d'intimité qu'on te laissera.

— Tu m'oublieras !

— Ne sois pas sotte ! Tu possèdes le plus mauvais caractère de toute l'Aquitaine, duchesse, mais je n'en connais aucune qui possède ton intelligence.

Elle s'arqua sous l'insulte, piquée au vif :

— Je pourrais te faire battre pour ton impertinence !

— Et qu'invoquerais-tu pour motif ? Une raison dont tous ici peuvent vérifier l'évidence ? Paix, ma duchesse. Quelques semaines et je reviens, pour toi.

— Il va t'aimer !

— Je l'espère bien !

— Tu le désires donc ! Pourquoi lui ? Il est laid, sans envergure, sans...

— Sans royaume autre que celui des mots dont il chante les couleurs. Sa palette me plaît. Et ce qu'il est de même ; certains sentiments échappent à la raison.

— Tu avoues donc l'aimer !

— Désirer sa présence à mes côtés quelque temps. Et connaître ce pays dont il est si fier et que tu m'as dépeint tel un enchantement. Allons, suffit à présent. Je n'admettrai plus de querelle à ce sujet.

— Je te hais, Loanna de Grimwald !

— Autant que tu m'aimes !

— Je me donnerai à Louis !

130

— C'est ton devoir d'épouse !

— N'as-tu donc aucun orgueil ?

— Point de trop, damoiselle.

Vexée, elle tourna les talons et sortit en claquant la porte, ce qui relevait de l'exploit compte tenu de l'épaisseur de celle-ci.

J'allais devoir jouer finement. Je n'avais pas coutume de voir les rages d'Aliénor se prolonger au-delà de quelques heures. Toutefois, celle-ci dura jusqu'à notre départ de Bordeaux.

Suger était inquiet pour le roi de France dont il pressentait la fin proche. Il demanda l'autorisation à Aliénor d'abréger autant que possible les festivités. Ce qui n'était somme toute pas chose aisée. Le peuple et les seigneurs déplacés pour la circonstance attendaient du duché d'Aquitaine de somptueuses réjouissances, et l'on avait encore en mémoire le mariage du père d'Aliénor qui s'était étalé sur plusieurs mois. Que penser alors d'un hymen d'aussi pauvre apparat ?

Contre toute attente, cependant, Aliénor consentit. Nous ne demeurâmes à Bordeaux qu'une quinzaine.

Durant celle-ci, ce ne fut que plaisir pour les yeux tant la ville, illuminée du soir à l'aube par des milliers de chandelles, ressemblait à une jonchée d'étoiles. Sans compter le grouillement perpétuel de chaque côté des rives de la Garonne. Les barques, barges et bateaux ne cessaient de se relayer pour promener les manants et les notables d'un bord à l'autre quand ce n'étaient pas denrées et étoffes, vins ou spiritueux.

Aliénor m'évita soigneusement, ce qui ne veut pas dire qu'elle ne me provoqua pas. Au contraire, je devinais chacun de ses gestes et attitudes à l'égard de Louis comme une manière d'aiguiser ma propre jalousie. Je présumais qu'elle en tirait une vengeance qui lui faisait du bien. Au fond, c'était tout ce qui comptait.

Si cette guerre froide n'avait qu'une importance relative dans le cours des événements à venir, elle me posait toutefois un problème certain. Pendant mon absence, il était évident qu'Aliénor deviendrait l'amante de Louis. Pour être moine dans l'âme, ce jeunot n'en était pas moins homme, et je savais combien il était difficile de résister à cette tentatrice. Or, il était capital qu'Aliénor reste stérile ; si elle donnait un fils à Louis, elle demeurerait à jamais la mère d'un futur roi de France. Autant dire que cela serait désastreux ! Quant à lui faire prendre une potion à son insu, ce n'était possible que dans la mesure où je demeurais à ses côtés. Inutile de songer à m'allouer les services discrets d'une servante, voire de quelqu'un de son entourage. L'amitié dont elle me couvrait avait amené suffisamment de rancœur autour de nous pour que l'on contrefasse mes intentions ou pis encore.

À moins que…

— Que veux-tu ?

La question était formulée comme un reproche. Il ne m'avait pas été difficile d'obtenir un entretien avec mon « ennemie ». Je m'étais présentée devant elle en toute solennité, réclamant comme n'importe quel autre de ses vassaux une audience privée. Surprise par ma requête pour le moins inaccoutumée, elle consentit à me recevoir, supposant sans doute que quelque sujet primordial méritait tant d'artifice.

Sous son air hautain, je la devinais tremblante. Elle jouait avec moi un jeu qui était loin malgré tout de la satisfaire. Je lui manquais. Je m'en servis. Me drapant derrière ces nouvelles conventions entre nous, je mis un genou à terre devant elle, puis, le plus sérieusement du monde, lui annonçai l'objet de mon « tourment ».

— Vous m'avez fait l'honneur autrefois de me confier certaine échappée nocturne au monastère de Belin, en compagnie, si je me souviens bien, de votre oncle, ainsi que les conséquences qui en découlèrent...

— Où veux-tu en venir ?

Le ton était agacé, autant par mon discours que par sa forme protocolaire :

— J'en veux venir au fait qu'ayant fait appel alors au service d'une sorcière pour faire disparaître de votre ventre le fruit de cet amour illicite, vous vous trouvez sans doute aujourd'hui dans l'impossibilité de procréer de nouveau.

Elle blanchit, prête à défaillir. Je me relevai, et la soutins jusqu'à un fauteuil. Elle tremblait, livide, et me regardait telle une naufragée. J'insistai :

— Une future reine se doit de donner des héritiers au trône. Que fera Louis, selon vous, lorsqu'il s'apercevra au terme de longs mois d'attente que son épouse ne porte pas sa descendance ?

— Oh ! Loanna, que vais-je faire ? Je n'avais pas songé à pareille situation, je…

Elle éclata en sanglots, et ceux-ci étaient sincères. La tension qu'elle avait maintenue entre nous l'avait affaiblie. Je berçai avec tendresse son corps voûté, accablé par la détresse.

— Allons, ma duchesse, ne pleure pas. Crois bien que je ne t'aurais pas mise en tourment si je n'avais la solution à cette question.

Elle releva son visage de rivière, une lueur de confiance dans le regard :

— Tu… ?

J'extirpai de mon sein une fiole que j'avais attachée par un cordon de soie à mon cou.

— Trois gouttes seulement après chacun de tes hymens avec Louis. Pas davantage.

— Et tu es certaine que…

— C'est ce que m'a affirmé la sorcière que j'ai vue et à qui j'ai confié le secret d'une certaine dame.

— Comment l'as-tu connue ?

— Tout est possible à qui le souhaite. Que ne ferais-je pour toi ?

— Tu m'aimes donc toujours ?

— En doutais-tu vraiment ?

Je glissai ma bouche sur la sienne et la rassurai d'un baiser.

— Je serai près de toi à chaque instant, ne l'oublie jamais.

Elle hocha la tête. Je passai à son cou la cordelette et dissimulai d'un doigt sensuel la fiole dans sa gorge frémissante.

— Ce soir, oui... Je viendrai.

7

Jaufré n'avait pas menti.

Certes, j'avais eu l'occasion de descendre l'estuaire pour atteindre Bordeaux, mais je le voyais ce jourd'hui avec un regard nouveau. Peut-être était-ce tout ce que m'en avait confié mon troubadour, peut-être aussi m'étais-je suffisamment attachée à cette terre pour mieux en découvrir les recoins les plus secrets. Peu importait, au fond. Nous abordâmes à Blaye au soleil couchant, alors que l'eau brassée par la marée s'embrasait dans ses remous et rejoignait le ciel. Les îles en face se découpaient telles des montagnes d'ombre, et l'on distinguait dans une ondée de coquelicot et d'ambre l'horizon du Médoc.

Sur la butte, Blaye semblait nous appeler avec ses guirlandes de fleurs aux balustres et ses mains qui s'agitaient pour nous faire signe. Ici aussi, chacun guettait l'apparition de la future reine. Le château se devinait en haut de la falaise, à gauche de la ville, mais, pour le voir, il fallait longer l'estey plus amont.

Notre bateau s'ancra dans le fleuve en face de l'embouchure de la rivière qu'on appelait joliment « le Saugeron ». Jaufré nous attendait sur le ponton, vêtu non plus comme un modeste troubadour, mais comme le seigneur des lieux, avec un habit et des chausses de velours ainsi qu'un mantel bordé d'orfroi qui le faisait ressembler à un if. Ses longs cheveux clairsemés retenus par un lien de soie balayaient de quelques mèches rebelles ses joues creuses. Je fus subjuguée par cette vision tant Jaufré était majestueux dans sa simplicité, tandis que derrière lui le promontoire rocheux détaché par le contre-jour s'auréolait d'un brasier somptueux.

Il était entouré des notables et des abbés, d'enfants qui portaient des bouquets et des fruits, tous touchés par l'honneur que nous leur faisions de séjourner une nuit dans leur fief.

Aliénor s'en émut sincèrement, troublée sans doute aussi par la beauté du spectacle. Malgré le désaccord de Suger qui souhaitait hâter le voyage, le cortège s'était scindé en deux groupes. L'armée du roi constituée de plus de trois mille soldats était partie par les terres avec les chariots, la suite d'Aliénor et de Louis par le fleuve. Tout le monde devait se rejoindre le lendemain au lieu dit « Les quatre fourches » qui était l'un des points de rassemblement de l'ancienne voie romaine.

Toute la délégation, Jaufré, Aliénor et Louis à leur tête, suivis de Suger et des abbés de Saint-Sauveur et Saint-Romain, puis de chacun selon son titre et son rang, s'avança vers le château. Il était tel que je l'avais imaginé, bien moins gigantesque que le palais de l'Ombrière et même que celui dans lequel j'avais passé mon enfance, mais de proportions harmonieuses, disposé habilement sur le plateau en recul de l'estey, avec une esplanade qui courait jusqu'aux murailles ceinturant la butte. De sorte que l'on n'apercevait l'eau que depuis les tours qui lui faisaient face.

Le pont-levis était abaissé, et je fus surprise de constater qu'une douve contournait la bâtisse alors qu'il en existait autour du tertre. Jaufré nous expliqua qu'ils avaient détourné un bras du Saugeron et que, sans avoir de véritable utilité défensive, il apportait fraîcheur autour du château et plaisir aux enfants qui parfois venaient y faire quelque pêche miraculeuse.

Nous fûmes servis dans une salle de dimensions agréables, suffisante toutefois pour recevoir la centaine de convives que nous étions. Le repas fut arrosé des vins des abbayes, et il me sembla n'avoir rien bu auparavant de plus savoureux. Peut-être encore une fois était-ce cet endroit plus que le reste qui donnait tout son sens à mon plaisir. Quoi qu'il en fût, lorsque nous gagnâmes nos chambres, nos oreilles et nos yeux gardaient encore l'empreinte de l'hospitalité du maître de céans.

À son ordre, l'on me dirigea vers une des tours face à l'estey. Mes appartements étaient tout en haut, au terme d'un escalier circulaire qui desservait chaque étage. Pas très grande, les murs en pierre de taille et moellons revêtus de tapisseries et de tentures aux fenêtres, ma chambre me rappela celle d'Angers. Le lit était couvert d'un dessus de peau de bête, de même que le sol devant la cheminée qui lui faisait face. Une armoire qui touchait le plafond dégageait une odeur d'écorce d'orange, fruits rapportés lors de la première croisade et qu'Aliénor m'avait dit se plaire en Aquitaine, dans certains endroits ensoleillés. J'avais savouré le goût de ces fruits ronds et juteux, ainsi que leur parfum. Jaufré avait dû s'en souvenir.

Une coiffeuse en vergne surmontée d'un miroir accueillait des onguents et des parfums rares, ainsi que des brosses en poil de loutre et un bassin empli d'eau de mélisse et de rose.

Dans la lueur des chandelles, j'eus l'impression d'être chez moi.

Jaufré ne vint me rejoindre que plus tard. Mes effets m'avaient été apportés dans leurs malles, et Camille achevait de me passer ma chemise de nuit, lorsqu'il s'annonça à ma porte.

Mon cœur s'emballa, tant j'avais passé de minutes à guetter un pas dans l'escalier et espéré son souffle sur ma peau. Camille le fit entrer sur un signe et s'effaça aussitôt dans l'antichambre.

Je m'installai devant la coiffeuse et entrepris de brosser mes cheveux dénoués pour garder une contenance. Jaufré s'avança derrière moi, les souleva lentement et déposa un baiser tendre sur ma nuque. Un frisson glissa le long de mes reins ; lors, n'y tenant plus, je me jetai dans ses bras.

J'aurais aimé qu'il reste, mais il n'en fit rien. Il me dit combien ma présence le bouleversait, mais, encore une fois, celle d'Aliénor en ses murs l'exhortait à la patience. Il s'en fut sur la promesse d'un demain qui me laissa pantelante et incapable de trouver le sommeil. Quant à rejoindre Aliénor, dans ce dédale de couloirs il n'y fallait pas songer sans risquer de me perdre.

Pour la première fois depuis longtemps, je comptai les heures jusqu'au lever du jour.

Peu après matines, Aliénor et sa suite s'engagèrent sur la voie romaine pour rejoindre Taillebourg à la nuit et Poitiers ensuite. Elle me prit en aparté quelques minutes avant son départ, me faisant promettre de ne point trop tarder. Elle dut cependant sentir mon bonheur d'être en ces lieux, car elle s'éloigna en me lançant à la dérobée quelques œillades inquiètes.

Jaufré ne reparut pas avant prime. L'on m'entoura pourtant de mille soins, et une chambrière s'annonça à mon service pour enseigner à Camille comment préparer un bain de fleurs d'oranger. Les vertus de cet arbuste semblaient multiples. Les Arabes, selon Aliénor, l'utilisaient de mille manières dans leur pharmacopée, et je me promis d'en étudier les possibilités dès que l'on m'en laisserait le loisir, tant je sortis détendue et rafraîchie de cette trempette.

Depuis ma fenêtre, je pouvais découvrir l'esplanade du château et ses jardins découpés en massifs de fleurs et de rocaille, bordés de vergnes à l'entour de la douve. Il était curieux de voir que Blaye, ville défensive par excellence, moult fois assiégée au cours des précédents siècles, s'ornait de telles parures dans l'intérieur. Je me doutais que le goût certain de son seigneur pour les arts et les ornementations en était l'une des causes premières. À portée d'horizon, je distinguais le lent mouvement du fleuve et son mascaret, les échanges entre les îles et le continent, et le trafic des bateaux, incessant et varié. Tout n'était que ravissement. Même si Bordeaux possédait un charme opulent et certain, ici l'on avait la sensation d'être coupé du monde, vivant dans une paix à laquelle l'harmonie des lieux conservait une identité propre.

Nous prîmes notre matinel en tête à tête. Non point dans la salle à manger qui nous avait accueillis la veille, mais dans une sorte d'arrière-cuisine, meublée sommairement d'une table massive longue tout au plus de six pieds, de deux bancs, de quatre petits buffets en chêne patiné à la cire d'abeille, et d'une cheminée dans laquelle un chaudron fumant dégageait une odeur de soupe épaisse. Deux couverts avaient été dressés, mais point d'orfèvrerie. Un bouquet de roses d'un blanc laiteux avait été posé au centre de la table, juste à côté d'une miche de pain rond à peine sortie du four.

Je trouvai Jaufré en bottes, un pied négligemment posé sur une des marches de la cheminée, goûtant voluptueusement à la louche un fond de potage. Son bliaud de lin écru ceinturé d'une tresse de cuir et de corde sur ses braies sombres le faisait paraître un de ces manants qui cultivaient ses terres, et nul, entrant en ce lieu, n'aurait pu imaginer qu'il en était le maître.

La servante qui m'avait accompagnée referma la porte derrière moi, et l'impression que j'eus de ce tableau me bouleversa. Moi, la sauvageonne, à mi-chemin entre la terre, le ciel et la pierre, je voyais en cet endroit la douce chaumière que j'avais abandonnée à Brocéliande, pour entrer de plein cœur dans la magnificence du palais de l'Ombrière. Des larmes de bonheur me nouèrent la gorge. Se pouvait-il qu'il sache qui j'étais au plus secret de mes racines ?

Je n'osai faire un geste, pétrifiée par l'image, par cette chaleur qui respirait le modeste et la sérénité. Jaufré sourit de plaisir. Il s'approcha et me prit les mains pour me conduire à table. Il m'y installa sans mot dire, puis, saisissant mon assiette, comme n'importe lequel de ses pages, il me servit une grosse louche de soupe épaisse. Il en fit de même à son profit, puis remplit avec désinvolture nos gobelets de ce vin un peu aigrelet mais savoureux dont il avait privilège.

Je ne savais trop que dire. Tout cela était si…

— Mange, murmura-t-il tendrement, optant brusquement pour un tutoiement non conventionnel, tandis qu'il s'asseyait à son tour.

Il trancha le pain d'une lame agile et l'émietta dans son assiette, me tendant ensuite un morceau pour que j'en fasse autant. Je hochai la tête, mais je sentais des larmes couler sur mes joues. Depuis longtemps je n'avais éprouvé pareil bonheur.

— J'aime ta pluie. Elle abreuve ma terre trop vainement stérile. Ici rien n'existe sans cette eau. Ni ce vin, ni ce pain, ni ces roses. Je t'aime Loanna.

— Comment as-tu su ? parvins-je à bredouiller, éperdue de tendresse et de gratitude.

— Je ne sais rien. Je t'appartiens. Lorsque j'étais enfant, dans cette même pièce, je restais souvent au milieu des servantes qui préparaient tourtes et tartes, soupes et entremets, et je trempais mes doigts dans les pots de crèmes, savourant chaque odeur ; ou parfois, je m'installais sur cette pierre dans l'âtre, là où le feu venait lécher mes chausses, et je les écoutais se raconter leurs soucis quotidiens. Elles faisaient peu attention à moi, prisonnières de leurs besognes qu'elles accomplissaient toutefois sans rechigner, avec fidélité et honnêteté, tant il était vrai qu'au service de mon père elles étaient bien nourries et logées. Mais j'entendais leurs préoccupations, et ce qui se racontait dans le village sur la condition des serfs et des manants. Cela me distrayait, parfois me chagrinait. À certains moments, l'une d'elles me découvrait, alors elles faisaient silence, me donnaient un bout de gâteau et, le plus affectueusement du monde, me mettaient à la porte. Il ne fallait pas se plaindre devant le fils du seigneur.

J'ai souffert d'être séparé de cet endroit quand les ducs d'Aquitaine s'emparèrent de Blaye et détruisirent pour obtenir ce lieu une partie de ma petite enfance. Cette pièce, pourtant, je la retrouvai intacte, au terme de longues années de solitude à chercher à reprendre mon bien. Ce jourd'hui, j'en ai fait un pays où chacun puise dans la terre matière à nourrir sa famille. Les vilains n'ont plus peur de s'adresser directement à moi lorsque je me rends auprès d'eux, et je suis fier de recevoir leurs revendications, malheureux de ne pouvoir les satisfaire toutes, mais serein de tenter de leur venir en aide malgré tout. C'est ici, dans cette pièce, que je me sens le mieux. Les seigneurs ne sont les maîtres que dans leurs châtellenies. Ailleurs, ils ne sont rien. J'ai voulu ici n'être qu'un troubadour, apte à gérer ses domaines certes, mais aussi modeste que ses gens au fond du cœur. Je n'ai de fortune que cette terre, mais elle est déjà tienne tant tu lui ressembles.

— Que pourrais-je répondre, Jaufré ? Tout ici me parle un langage dont je sens la chaleur et la force. Et cependant tant de choses nous séparent, que tu ignores et qui me retiennent prisonnière d'un autre destin.

Il haussa les épaules d'un mouvement las, sans toutefois se départir de son sourire.

— Le temps n'est pas venu, simplement. J'ai confiance. Allons, mangeons, puis je t'emmène par-delà les chemins visiter mes terres.

Visiter ses terres !

Il avait dit cela le plus naturellement du monde, alors que chacun des lieux m'enchanta. Nous parcourûmes les sentiers qui conduisaient jusqu'à la châtellenie de Bourg, passant par des villages charmants du nom de Sainte-Luce, Plassac, Gauriac. Tous bordaient l'estey, auquel ils étaient rattachés par un petit appontement où des barques attendaient la marée, enlisées dans leurs îlots de vase. Des champs de céréales glissaient jusqu'aux bords, et, sur les coteaux les plus ensoleillés, des vignes portaient un raisin d'un grenat somptueux qu'entouraient des nuées d'abeilles. Jaufré m'expliqua que les vendanges seraient hâtives cette année, probablement début septembre tant la chaleur était lourde, sans être orageuse. Il me montra les fûts dans lesquels le vin attendait d'être bu, les pressoirs à leviers et à vis dont on se servait pour extraire le jus, et il me raconta avec bonheur les étapes successives de la vinification.

Les petites gens nous accueillaient avec de grands sourires, faisaient révérence mais ne s'y attardaient pas, tant la gentillesse de leur seigneur se reconnaissait partout. Je pus à loisir vérifier à quel point il était aimé.

Nous regagnâmes Blaye, alors que le soleil déclinait ses derniers hommages au fleuve. Là, Jaufré me reconduisit cérémonieusement devant ma porte et, sur un baiser léger du bout des lèvres, me quitta sans un mot. J'avais appris à cultiver l'attente à son contact, et ne demandai rien cette fois.

Je m'alanguis à ma toilette, savourant de laisser couler sur ma peau l'eau de rose que l'on avait renouvelée dans la bassine. Découvrant les senteurs subtiles des onguents préparés à mon intention, Camille m'en enduisit généreusement de la tête aux pieds. Elle dénoua mes cheveux et les brossa, puis je la congédiai. Camille était habile, généreuse et discrète. Je sentais qu'elle m'appréciait sincèrement autant que je l'appréciais, et cette complicité m'était fort agréable. Lorsque je fus seule, je froissai le vêtement étalé sur le lit, me refusant à le passer tant la nuit était chaude. Je m'accoudai à la fenêtre dont le vantail tendu de papier huilé était largement ouvert pour laisser entrer la brise marine, après avoir mouché les chandelles dont je n'avais nul besoin. La nuit était belle, chargée de mille parfums, et le souvenir d'une autre semblable me revint en mémoire. Ma tendresse émue revit une petite tête hurlante dans les bras de dame Mathilde.

J'entendis à peine la porte s'entrouvrir, bercée par les bruits nocturnes. Mais je devinai sa présence dans l'ombre et son parfum de lys à quelques pas derrière moi. Je n'osai bouger, délicieusement troublée par l'impudeur que ma nudité lui offrait. La lune dessinait mon corps en contre-jour, et le regard de Jaufré me brûla autant qu'une étreinte. Ici il était le maître, et je n'avais d'autre désir que d'être une servante soumise à ses caprices.

Lorsque instinctivement mes reins se cambrèrent, il s'approcha et moula son ventre à leur courbe. Il me redressa lentement contre son corps, emprisonnant mes seins durcis dans ses paumes. J'en frémis de plaisir. Il me caressa longuement, me laissant à peine le temps de reprendre un souffle que je ne contrôlais plus, épuisant ma chair d'un plaisir à fleur de peau. Puis la douleur vint, foudroyante au creux de mes reins, écartelant mes cuisses offertes sous la poussée de son sexe gonflé. Elle ne dura pas pourtant, se perdit dans un cri, puis, me faisant prisonnière de son va-et-vient incessant, m'immola tout entière à sa jouissance, tandis que tressautait contre mon cœur fou la pierre de lune sertie de lumière.

J'appris de son corps toutes mes audaces et, lorsque le coq chanta sous ma fenêtre, j'étais épuisée de plaisir et de tendresse. Nous nous endormîmes dans les bras l'un de l'autre jusqu'à prime, ivres de bonheur.

Je m'éveillai au parfum d'une rose posée avec délicatesse sur l'oreiller de plumes. J'étais seule. Le souvenir de ses mains sur mes courbes me grisa, accentuant d'un coup le manque de lui. Je me levai et appelai Camille. Elle m'habilla, un sourire coquin au coin des lèvres, sans toutefois oser la moindre remarque. Je me doutais bien que le bruit de ma nuit agitée avait dû parvenir jusqu'à sa couche, aussi me contentai-je d'un clin d'œil complice dans le miroir.

— Repose-toi pendant mon absence, lui suggérai-je lorsqu'elle eut achevé de me parer.

Sur ce, je descendis l'escalier de bois vers les cuisines où une odeur de poulardes rôties chatouillait mon appétit.

Jaufré, me dit-on, était occupé à régler une méchante affaire entre deux paysans. J'hésitai un instant à troubler sa justice, mais optai finalement pour les jardins du château qui s'alanguissaient jusqu'au bord de la falaise surplombant l'estey. Bercée par le reflux d'une marée brune, je m'enivrais de l'attendre, l'esprit frémissant au souvenir de cette nuit. Lorsque son pas accrocha les gravillons du sentier, je sus que, quoi qu'il advienne, je lui appartenais toute.

Il embrassa ma chevelure et murmura seulement :

— Viens.

Quelques instants plus tard, montée sur Granoë, je suivais sa silhouette gracile qui m'entraînait vers les palus, au pas tranquille de son palefroi. Encore une fois, je fus éblouie par la diversité des paysages qui constituaient sa terre. Cet endroit était extrêmement différent de ceux que j'avais visités la veille. Ici, point de vigne ou de culture de céréales. Seule la brande poussait. Des centaines d'oiseaux dont je n'avais même pas idée peuplaient l'endroit, de même que des rats et des chats sauvages, du gibier d'eau, des hérons, sans parler des anguilles au creux de la vase dont Jaufré m'assura qu'elles étaient un mets de choix. Jamais je n'avais vu autant d'animaux à la fois, qui se soulevaient sous les sabots des chevaux ou s'échappaient dans les herbes hautes.

Nous rencontrâmes des petites gens qui ramassaient du bois, ou relevaient des collets affectés au braconnage. Jaufré faisait mine de ne rien voir. Parfois, pris sur le fait, un de ceux-là tendait en suppliant clémence une grive ou une palombe. Jaufré jouait alors son rôle de seigneur. Il grondait, sourcil froncé, et promettait la bastonnade à la moindre récidive, mais refusait de prendre l'objet du délit. L'on s'éloignait sur un : « Ça ira pour cette fois, mais que je ne t'y reprenne pas ! »

Nous avions conscience l'un et l'autre qu'il n'y changerait rien. Jaufré n'avait pu abolir toutes les coutumes. Il souhaitait pourtant que chacun mange à sa faim et savait que nombre de vagabonds vivaient du fruit de la chasse ou de la pêche sans payer leur tribut. Il ne pouvait satisfaire chacun et trouvait injuste que certains n'aient rien quand il possédait tout. Lors, il fermait les yeux sur ces pratiques ancestrales. Le palus lui en offrait la possibilité sans rien voler à quiconque. Les abbés eux-mêmes, bien qu'habiles négociants, se débarrassaient de leurs pauvres en les dirigeant vers les « créatures que le Seigneur tout-puissant avait placées en abondance sur leur chemin ».

L'Église !

Il me fallut assister à chacun des offices, tant à l'abbaye de Saint-Sauveur qu'à son homologue de Saint-Romain, m'ennuyant à mourir de ces simagrées de prière vers un Dieu qui, comme auparavant, me laissait perplexe. Certes, j'avais coutume de me rendre aux différents offices au côté d'Aliénor, mais ici, cela me devenait une véritable torture tant j'avais à découvrir auprès de mon aimé. Je dus chaque fois me faire violence pour trouver des raisons de courber la tête quand l'envie me prenait de chercher d'un œil gai tel nid d'oiseau perché sur une colonne ou sur l'épaule d'un saint de pierre. Jaufré, lui, se recueillait avec ferveur, et j'étais touchée au plus secret de mon être, effleurant avec douceur son coude sur le prie-Dieu, tentant par ce simple geste de lui communiquer ma force et mon savoir.

Il disait souvent au sortir de l'abbaye qu'il tirait sa musique de ces moments de recueillement, mais je savais qu'il n'en était rien. Jaufré était un sensitif. Chaque événement aussi anodin soit-il emplissait son esprit et son cœur, et il en restituait l'émotion ou l'empreinte dans ses chansons. Dieu n'était qu'une excuse à son talent, moi je l'aimais pour sa faiblesse.

Il pleurait comme un enfant lorsque les notes s'égrenaient sous sa mandore. Sa voix alors s'élevait, transportant jusqu'aux nuages un chant d'amour qu'il ne maîtrisait pas, et moi, assise à ses pieds telle une humble servante, le regard en pluie, je notais ses paroles pour qu'il puisse s'en souvenir lorsque son chant se serait tu. Ensuite seulement, il réapprenait chaque mot oublié, chaque mélodie que je fredonnais. Ainsi composait Jaufré. Sans préméditation.

Et je buvais son souffle, ses larmes brûlantes qui noyaient les miennes et se perdaient dans nos baisers, enflammant nos corps et nos âmes d'une complicité dans laquelle nous n'étions plus qu'un. Jamais je n'avais connu telle plénitude. Les jours qui passaient m'enrichissaient de bonheur, de confiance, et j'aurais voulu qu'ils ne finissent pas.

— Le roi est trépassé.

La nouvelle me poignarda. Jaufré était assis au bord du fleuve, au pied de la falaise, à cet endroit où des enfants pêchaient des crevettes grises. Il jouait avec un bâton noueux à les torturer dans la nacelle d'osier à demi remplie de vase, les chausses enfoncées dans le limon.

J'étais venue le rejoindre après l'avoir cherché dans le château, avertie par un enfant qui m'avait indiqué le chemin. Cela faisait maintenant trois semaines que j'étais à Blaye, sans aucun souci du temps qui passe.

Il n'avait pas bougé à mon approche, pas même relevé la tête, le regard éteint fixé sur ses victimes. Il ne les voyait pas. Seuls ses mots me parvinrent, comme une sentence. Je me laissai tomber à ses côtés dans l'herbe maculée de boue et de vase.

La marée était basse, dénudant les îles en face, enfouissant jusqu'à la cale les embarcations dans sa visqueuse épaisseur. Quelques nappes d'un brouillard chaud frôlaient la surface.

Je lui pris la main qui écrasait le bâton. Il le lâcha à mon contact et agrippa mes doigts de toutes ses forces comme un naufragé pour ne pas sombrer. Il me fit mal, pourtant plus il serrait ma main, plus la douleur dans mon ventre s'amenuisait. Nous restâmes ainsi, immobiles, à fixer l'horizon.

— Épouse-moi, Loanna. Toi seule es digne de cette terre. Épouse-moi, gémit sa voix soudain désespérée.

Elle me bouleversa. Ma gorge s'inondait de cette vague qui remontait le long de mon cou, sans pouvoir atteindre mes yeux et déverser son trop-plein. C'était un peu comme si, de ne pas bouger, l'on pouvait arrêter l'instant, prolonger ce présent à l'infini.

— Je dois partir, murmurai-je malgré moi. Mais je te fais serment que nul autre jamais ne sera de ma chair. Je t'aime, Jaufré de Blaye.

— Je t'attendrai… je t'attendrai, répéta-t-il, le timbre assourdi par le chagrin.

Deux jours plus tard, je laissai derrière moi la ville haute et ses remparts, ses jardins et ses gens, sa musique et sa souffrance. Les cloches de l'église de Saint-Martin sonnaient à l'instant où je franchis la voie romaine en direction de Poitiers, comme un glas que je n'oublierais plus. Alors seulement, elles se mirent à couler, mes larmes de marée. Nous étions le 20 août 1137.

Aliénor était reine de France.

8

Le vicomte de Châtellerault était un homme courtois et avenant. Il m'avait accueillie avec effusion comme seuls savaient le faire ces gens du Midi que j'affectionnais de plus en plus, et son accent chantait avec douceur dans une voix de basse. Je l'écoutais avec plaisir raconter moult anecdotes sur ses terres et me parler de son amitié sans faille avec les comtes de Poitiers. Jaufré m'avait hautement recommandé de faire escale chez lui, et je m'en réjouissais depuis mon arrivée, tant l'homme était plaisant. Il avait une quarantaine d'années, les cheveux bouclés poivre et sel retenus par un lien de cuir sur les épaules, la barbe fournie dans laquelle dansaient, insoumis, de fins fils d'argent, et une taille alourdie par défaut d'activité. Le bonhomme dégageait une sorte de jovialité qui le baignait tout entier, sans doute à cause de son regard malicieux, et aussi de ce rire qui éclatait, sonore et vif comme un coup de tonnerre. De sorte que le repas me fut un enchantement après cette longue journée de route où mes pensées à tout bout de champ me ramenaient auprès de Jaufré.

La conversation dévia sur ses deux fils aînés qui avaient suivi Aliénor à Paris et devaient être sacrés chevaliers aux prochaines fêtes de Pentecôte, et sur cet heureux mariage, bien qu'il manifestât quelques craintes à savoir unis ces gens du Nord et du Sud, si différents par les us et coutumes. Plusieurs fois, en s'échauffant par l'ardeur d'un récit, le vicomte rougit jusqu'à la racine des tempes et sembla prêt à exploser, alors il levait son verre empli d'un vin acide et buvait à grandes goulées en faisant un gargouillis de glotte qu'imitait à perfection le plus jeune de ses fils, Thierrey.

Lorsque les entremets furent balayés d'un dernier sursaut d'appétit, le vicomte se leva de la longue table et s'installa cérémonieusement dans un fauteuil ouvragé au coin de l'âtre dans lequel flambait une bûche de chêne. Il m'invita à prendre place devant lui sur un banc et toute la joyeuse tablée s'assit à même le sol sur l'épais tapis qui recouvrait les carreaux de terre cuite, tandis que le jeune Thierrey se blottissait entre les jambes de Loriane, l'épouse du vicomte. Alors seulement, mon hôte saisit une harpe que je n'avais pas même remarquée. La calant avec habitude entre ses genoux, il se mit à faire courir ses doigts boudinés sur les cordes. Sa voix s'éleva, chaude et harmonieuse, et tous, en un instant, furent pendus à ces notes qui montaient comme montaient dans l'âtre noirci des étoiles de feu. Il chanta une chanson ancienne qui parlait d'un dragon et d'un chevalier à l'épée merveilleuse qui, pour conquérir sa belle, brava mille morts et ramena le cœur de l'animal. Puis sa voix se fit nostalgique, et il entonna une chanson qui pleurait les amours malheureuses d'un jeune homme et de sa belle, promise à un autre. Du fond de moi jaillirent des souvenirs si frais encore qu'ils effleuraient mes mains et mes lèvres : ce souffle sur ma peau, ces murmures emplis de promesses et jusqu'au parfum de la terre et de la marée, musqués comme nulle part ailleurs. J'eus soudain l'impression désespérée d'être seule au monde.

Lorsque la musique abandonna à l'air léger ses derniers accords, une voix retentit dans le silence, qui, d'un même élan, nous fit tourner la tête :

— Bonsoir, père.

Le jeune homme qui se tenait droit derrière nous, et qu'envoûtés par la mélodie nous n'avions point entendu arriver, avait fière allure avec son pourpoint de cuir et sa chevelure claire bouclée. Il avait le même front, les mêmes yeux rieurs que le vicomte, et je m'étonnai soudain qu'il fût là. Mon hôte ne m'avait-il point affirmé que ses deux fils étaient dans le sillage d'Aliénor ? Le vicomte se leva comme le jouvenceau s'avançait en saluant à la ronde, et le rejoignit pour l'embrasser avec empressement, le serrant dans ses bras.

— Denys ! lança-t-il avec bonheur. Quelle joie, mon fils !

De nouveau je tressaillis. Je n'avais pas entendu ce prénom dans l'éloge que le vicomte m'avait fait de ses enfants. Pourquoi ne m'avait-il pas parlé de celui-ci, et que signifiait ce regard douloureux de Loriane, qui fuyait cette étreinte ? Quel secret cachait donc cet inconnu, d'une beauté qui dépassait tout ce que j'avais pu rencontrer jusqu'alors ? Tant que, malgré toutes ces interrogations, je ne parvenais pas à me détourner de son visage aux traits fins et réguliers, à la bouche gourmande. Mais déjà le vicomte se tournait vers moi, prenant son fils par les épaules, et s'avançait pour me le présenter. L'impression qu'il faisait sur moi devait se lire sur mon visage, car le damoiseau sourit à fendre l'âme.

— Damoiselle de Grimwald, laissez-moi vous présenter Denys, mon fils.

— Si j'avais su découvrir au logis aussi délicieuse apparition, nul doute, père, que je me serais hâté davantage encore, lança-t-il d'une voix enjôleuse en déposant sur ma main un baiser léger comme une caresse.

Je me sentis rosir. Son regard insista sur les lacets de mon corsage tandis qu'il se redressait déjà et s'avançait vers Loriane pour la saluer d'un respectueux :

— Bonsoir, mère.

Mais, comme précédemment, Loriane détourna la tête et je crus percevoir dans les yeux du vicomte un voile de tristesse. Denys sembla ne rien remarquer et embrassa précautionneusement la joue de l'aïeule qui s'était assoupie contre la muraille, la bouche ouverte.

Le vicomte se réinstalla sur son siège et lança joyeusement :

— Allons, mon garçon, assieds-toi et conte-nous d'où tu reviens !

Denys s'assit, souple et félin, sur le tapis, et Thierrey, qui le regardait avec de grands yeux admiratifs, se détacha des jambes de sa mère pour venir se blottir contre celles de l'arrivant. Machinalement, Denys froissa la tignasse brune sous ses doigts. Le bambin soupira d'aise. Loriane avait en apparence retrouvé son sourire, mais ses longues mains blanches qu'elle tenait l'une dans l'autre tremblaient par intermittence. Déjà la voix chaleureuse de Denys captait l'attention :

— Notre jeune roi est un homme juste, père. Lorsqu'il a appris que les Orléanais s'étaient constitués en commune, il eût pu noyer ses féaux dans une mare de sang ! D'autant qu'il était fort fâché qu'ils lui fissent pareille insurrection à quelques semaines de son mariage et quelques jours seulement après la mort de feu notre roi Louis. Pourtant, il a maté ces rebelles par le verbe, il a même accepté d'écouter leurs revendications en soulignant qu'il les étudierait et veillerait à ce que justice soit rendue équitablement dans son royaume. Il a ajouté ensuite qu'il était le roi et entendait à ce titre unir ses féaux autour d'un même idéal : la paix de Dieu. « Car, a-t-il affirmé, c'est par lui que je règne et grâce à lui que j'entends. De sorte que sa justice sera mienne et que quiconque la bravera sera puni par elle comme par moi. »

— As-tu vu tes frères ? demanda le vicomte, l'air content.

— Non point, hélas. Notre bon roi a jugé plus prudent de faire partir sa jeune épousée en avant afin qu'elle n'ait pas à subir les désagréments d'une révolte aussi brutale qu'injustifiée. Lionel et Benoît avec ceux du Sud lui ont donc servi d'escorte jusqu'à l'île de la Cité, où la reine mère Adélaïde devait l'accueillir. Je les ai manqués de peu et ne me suis point attardé, car je savais que vous attendiez les teintures que l'on m'avait envoyé acheter. De plus, mon chargement eût pu attirer l'œil de quelque malandrin. La guède se fait rare ici depuis que le feu roi Louis en a refusé le commerce avec la Grande-Bretagne, et ses prix ont monté. Nul doute que l'on m'aurait détroussé si l'on avait su ce que je transportais.

— Mais aucun maraud ne peut te voler, puisque tu es le plus fort ! assura Thierrey en se redressant fièrement.

Me prenant à témoin, il lança d'une voix grave :

— Si vous l'aviez pu voir, dame Loanna, contre les vilains qui l'autre jour cherchaient querelle à l'Ernestine ! Il s'est battu à mains nues comme ça.

D'un bond il fut debout à singer une pluie de coups de poing contre des cibles imaginaires tandis que Denys se laissait aller à un rire sonore dans lequel je reconnus la vigueur de son père. Le vicomte, et tous d'ailleurs, n'étaient pas en reste d'amusement car, voyant que son jeu attirait vers lui les regards, notre jeune combattant en rajoutait. Jugeant pourtant qu'il avait assez bougé, le vicomte le souleva de terre par le col de son bliaud et il se retrouva les pieds battant le vide en se tortillant de surprise. Toute l'assemblée partit d'un rire gai, qu'il partagea sans vergogne tandis que, retombant sur ses pieds, il lançait un regard respectueux vers son père qui l'avait ainsi crocheté par-derrière.

— Allons, lança celui-ci, il est temps d'aller dormir, jeune fougueux. Tu auras tout loisir demain d'amuser dame Loanna, puisqu'elle nous fait la joie de séjourner quelques jours en notre compagnie.

Saisissant l'à-propos et mesurant ma fatigue, je glissai en me levant :

— Je vais me retirer aussi, si vous le permettez.

— Certes, damoiselle. Je vais vous conduire à votre chambre, annonça Loriane en se levant à son tour.

Après avoir salué l'assemblée, nous nous dirigeâmes tous trois vers le grand escalier qui se perdait dans les étages.

Les terres du vicomte étaient splendides, et je ne regrettai pas ma décision de passer quelques jours avec mes nouveaux amis. Si j'étais pressée de revoir Aliénor, je ne parvenais pas pourtant à détacher mes pensées de Jaufré, comme si son souffle continuait de me faire vivre. La rivière inondait les douves autour du château dont le pont-levis n'était levé que le soir, et sur ses rives la petite bourgade s'entourait d'un rempart de pierre qui depuis longtemps n'avait vu d'assaillant. Le vicomte était un pacifique. Il avait renoncé à guerroyer, autant qu'à courtiser les damoiselles, suite à une blessure de loup qui l'avait amputé d'un morceau de cuisse et d'une partie de ses attributs masculins. On racontait qu'il avait dû la vie à une sorcière, qui avait fait fuir les bêtes et l'avait soigné. Depuis, il lui assurait protection, et une servante du château se rendait une fois par semaine dans la forêt pour déposer dans un endroit précis un panier garni de victuailles. C'était peut-être pour cette raison que les bois m'attiraient, aussi sans doute à cause de ce besoin de solitude qui m'avait fait accepter l'hospitalité du vicomte. Jaufré était trop présent. Le vicomte m'avait demandé l'autorisation de renvoyer à Blaye l'escorte qui m'avait amenée jusqu'à lui, m'assurant qu'il me fournirait des hommes sûrs dès lors que je souhaiterais reprendre mon voyage. J'avais confiance en lui. Sa fidélité aux ducs d'Aquitaine n'était pas une légende, et il éprouvait une grande affection pour son cousin, le père d'Aliénor. Ici, je me sentais en sécurité. Prête à prendre assez de recul pour affronter mon destin.

Cela faisait trois jours que j'arpentais les jardins avec Loriane. Elle était de bonne compagnie et je l'assistais avec plaisir dans les tâches coutumières auxquelles mon enfance m'avait habituée. Je n'avais pas revu Denys qui s'était dépêché, dès le lendemain de son arrivée, de partir à une battue au loup avec quelques vaillants gars et traqueurs. Ce matin-là, je n'avais qu'une envie en m'éveillant, m'enfoncer au cœur de la forêt pour y ramasser des racines et des simples qui, je le savais, me feraient défaut à Paris. Il était bon de réapprovisionner mes médecines en vue des maladies que l'hiver ne manquerait pas d'amener. Donc, munie d'une besace de cuir et de ma serpette, je me glissai au-delà du pont-levis et enfilai le petit sentier. Il y faisait frais et c'était agréable, car, bien que nous avancions vers septembre, les journées étaient encore étouffantes.

Je passai un grand moment courbée dans les bosquets et taillis, faisant fuir par mes investigations quelques mulots ou lièvres qui détalaient à ras de terre et disparaissaient dans les ronces, décrochant du pied des vieux chênes certains champignons qui favorisaient le don de double vue. Lorsque ma besace fut remplie, je me dirigeai d'un pas satisfait vers un coude de la rivière. Le site était joli et l'on distinguait à travers les noisetiers et les aulnes piqués en bordure les tours crénelées du château. Avisant une pierre plate, je m'y assis avec bonheur, sans pouvoir m'empêcher de penser que Jaufré aurait aimé cet endroit. Mes jambes me semblèrent lourdes soudain. Je les étirai jusqu'à sentir à travers mes bottes mouillées de rosée la fraîcheur lancinante de l'onde. Croisant mes mains derrière ma nuque, je me laissai aller contre le tronc de l'arbre qui généreusement courbait sa ramure au-dessus de mon front. Puis, engourdie par la douceur du lieu autant que par celle du soleil, je fermai les paupières pour me laisser porter par l'instant.

Ce fut une sensation plus qu'un bruit qui me tira de ma rêverie. Une sensation étrange et brutale de danger. Le cœur battant la chamade, je restai sans bouger, les sens en alerte. Qu'avait-il pu se produire pour que je ressentisse pareille angoisse ? Autour de moi tout était serein. Me forçant au calme, je fis mine de m'étirer, le plus naturellement du monde, pour lancer un coup d'œil aux alentours. Rien. J'avais pourtant cette impression désagréable d'être épiée. Par qui ou par quoi ? Était-ce cette sorcière dont m'avait parlé le vicomte ? Non, ce ne pouvait être cette femme. Quelqu'un ou quelque chose était tapi là, dans l'ombre des sous-bois, et me voulait du mal. Je desserrai d'une main discrète ma serpette du lien de cuir qui la retenait à ma ceinture et, la gardant au creux de ma paume, je me relevai comme si de rien n'était. Le temps de percevoir un sifflement, une douleur aiguë me transperça le bras, m'arrachant un cri de souffrance et d'impuissance. Une flèche clouait ma chair au tronc de l'arbre, souillant la manche de mon bliaud d'un filet de sang écarlate. J'allais l'arracher pour me dégager, lorsqu'un rire cruel arrêta mon geste. Je tournai la tête. Je ne l'avais pas entendu venir, mais il était là. Il se détachait à peine dans la semi-obscurité du sous-bois, tout de noir vêtu jusqu'à la cagoule qui dissimulait ses traits, un carquois passé autour de son épaule.

En un bond, l'homme fut près de moi et, plantant un regard cruel dans le mien, il ricana :

— Tout doux, ma belle ! Laisse-moi ce plaisir.

D'un geste vif, il arracha la flèche. Ma serpette partit en direction de son visage, mais c'était compter sans son habileté. Il esquiva mon geste et me frappa. À demi assommée, je tombai à la renverse. Puis il y eut une grande douleur contre ma nuque, et il me sembla que la nuit emplissait d'un coup l'espace. Une nuit froide au goût âcre de sang.

Lorsque j'ouvris les yeux, je perçus seulement le contact de la terre ferme sous mes reins. Je ne parvenais pas à bouger. C'était comme si mon corps tout entier était attaché à cette mousse qu'il écrasait de son poids. Un cliquetis de ferraille résonnait dans ma tête, et je m'obligeai à chercher sa direction sans être sûre seulement qu'il ne venait pas de l'intérieur de mon crâne. Une brume opaque voilait mes yeux et les choses alentour m'apparaissaient déformées. Toutefois, je distinguai deux formes humaines et des épées qui s'entrechoquaient. Puis il y eut un grand cri, et une des formes s'écroula à genoux, tandis que l'autre s'approchait de moi, la lame dégoulinante de sang. Alors, je fermai les yeux et glissai de nouveau dans la nuit.

À mon réveil dans la jolie chambre aux tapisseries chatoyantes du castel de Châtellerault, j'appris que je n'avais dû la vie sauve qu'à la grande habileté de Denys. L'ombre penchée sur moi et dont je ne gardais que le souvenir d'une course qui martelait le sol et résonnait dans ma tête, c'était lui. Lui qui, étant rentré au château, avait su que je me trouvais dans les bois et s'était inquiété, mû par quelque sentiment qu'il ne s'expliquait encore pas ce jourd'hui. Lui qui avait surpris mon agresseur alors qu'il me déposait évanouie sur la berge après ma chute. Lui qui était arrivé à temps, guidé par une voix enjôleuse. Lorsqu'il raconta cela à son père, celui-ci répliqua qu'assurément il s'agissait de celle de la sorcière, qui les avait à sa façon remerciés de leurs présents. Trop faible encore, je me contentai de cette explication, bien qu'il m'eût semblé à un moment avoir entendu au creux de mes tympans chanter la voix de mère. Cela, au fond, n'avait nulle importance. Ce qui en avait, c'était Denys. Depuis deux jours qu'il m'avait ramenée, il s'évertuait à me veiller comme un chien de garde. Ma blessure au bras n'était pas foncièrement dangereuse, si ce n'était le fait que j'avais perdu beaucoup de sang. La véritable cause de mon étourdissement prolongé avait été cette chute contre un rocher acéré qui avait fait éclater mon crâne. J'avais déliré longtemps, dans une langue qu'ils ne connaissaient pas et dont moi-même j'eus beaucoup de mal à m'expliquer l'origine. Parfois, me dit-on, je parlais de choses terribles, de bêtes monstrueuses crachant feu et sang, de terres englouties par de gigantesques vagues. L'instant d'après, je crachais des torrents de phrases incohérentes. Par quels étranges chemins du temps avais-je erré dans cette course contre la mort, je ne saurais le dire. Lorsqu'on me narra tout cela, j'eus peur d'avoir parlé de la véritable raison de mon existence. Mais Denys n'en fit mention dans aucune de nos conversations. En désespoir de cause, effrayé par mon teint cireux, il s'en était retourné dans la forêt, avait déposé un panier garni de victuailles à l'endroit où d'ordinaire la sorcière se montrait et avait supplié qu'elle leur vienne en aide, comme autrefois elle avait sauvé son père. Le lendemain, à la place du panier, se trouvait une gourde emplie d'un liquide noirâtre avec cette seule indication : « Faites-lui boire par deux fois à l'instant où se montrera et s'éteindra la lune. »

Ainsi fut fait. Le matin suivant, j'ouvrais des yeux étonnés sur des visages ravagés d'inquiétude. Mais je ne pus articuler un mot. Mon corps n'était que courbatures. Lors, je me laissai distraire par le récit de mon aventure. J'appris ainsi, devant un bol de soupe, que mon agresseur avait disparu, profitant de ce que Denys s'approchait de moi. Par crainte devant le sang qui s'échappait de mon crâne, Denys ne s'était pas préoccupé de le poursuivre et m'avait emportée à vive allure vers le château. De sorte que nul ne savait ce qu'il était advenu de l'homme. On l'avait recherché ensuite en vain. Des traces de sabots découvertes dans une petite clairière firent supposer qu'il avait réussi à regagner sa monture et à s'enfuir. De mon côté, je ne pus fournir d'explication quant à ce que voulait cet homme, et ne me connaissais aucun ennemi. Peut-être n'était-ce qu'un malandrin qui avait saisi une occasion, mais Denys m'assura que les alentours du château étaient paisibles et que seuls quelques braconniers musardaient en ces lieux. Tout cela me laissa perplexe. Le vicomte m'expliqua qu'il s'était résolu à attendre quelques jours avant de prévenir Jaufré, confiant en la médecine de la sorcière. Je lui en fus reconnaissante. Il valait mieux qu'il n'en sache rien. La séparation avait été difficile, il était inutile que mon troubadour se sente coupable de n'avoir pas accompagné mes pas.

Il me fallut une semaine avant de pouvoir quitter le lit ; mon bras me faisait horriblement mal, et au moindre mouvement mon crâne semblait prêt à éclater. Denys venait me voir chaque jour, et nous devînmes amis. C'était un jeune homme cultivé et agréable, qui s'évertuait à me faire rire et s'éclipsait sitôt qu'il lisait sur mon visage quelque trace de fatigue. Le vicomte venait lui aussi et prenait toujours ma main de la même manière, entre les siennes si grosses que j'avais l'impression qu'elles m'enveloppaient tout entière. Il ne cessait de se dire navré. J'eus beau l'assurer qu'il n'était en rien responsable et qu'au contraire j'avais trouvé en sa demeure une seconde famille, rien n'y fit. Le pauvre homme ne se pardonnait pas mon aventure. Alors, je demandai qu'il joue de la harpe, et, bien que les voix au bout d'un moment me deviennent une véritable torture, la sienne me berçait doucement et apaisait mes douleurs jusqu'à m'endormir. Loriane était la plus empressée auprès de moi en sa qualité de maîtresse de maison, mais elle s'éclipsait sans mot dire dès lors que Denys s'annonçait.

Un jour, n'y tenant plus, alors que nous venions, lui et moi, d'échanger une longue conversation sur les nouvelles qui parvenaient de la cour de France, je lui demandai :

— Quel est donc, Denys, ce secret qui ronge les vôtres ? Bien que cela ne me concerne en rien, je suis peinée de voir tant de souffrance traverser vos regards chaque fois que vous êtes en compagnie de Loriane.

Il se renfonça dans son fauteuil en soupirant :

— Ainsi vous avez remarqué…

Je hochai la tête, mais n'osai en dire davantage. Il eut un sourire franc qu'il ponctua d'un geste désabusé de la main.

— Au fond, ce n'est un secret pour personne. Loriane n'est pas ma mère. Je suis né de l'infidélité de mon père avec une servante dont il fut éperdument amoureux. J'aurais dû être élevé comme n'importe quel bâtard, mais elle mourut en me mettant au monde. Malgré les suppliques de son épouse, père refusa que je sois confié à quelque autre servante. Loriane nourrissait Lionel à l'époque et avait bien assez de lait pour deux. Père lui imposa ma présence, demandant que je reçoive la même éducation que ses fils, même si jamais il ne me donnerait titre et nom. Voilà, damoiselle, vous savez tout. Bien que j'éprouve une réelle affection pour Loriane, elle ne m'a pas pardonné l'amour que mon père porta à ma mère.

Ce n'est pas une méchante femme et jamais elle ne me fit du mal ; cependant, chaque jour auprès d'elle lui rappelle ce que je représente et c'est une souffrance dont sa nature trop sensible ne peut guérir. D'autant plus que, de tous ses garçons, je suis celui qui ressemble le plus au vicomte. Alors je pars chaque fois que je le peux jusqu'aux frontières du domaine, pour qu'elle me voie le moins possible. J'ai bien pensé suivre mes deux frères dans le sillage de notre reine, mais qui suis-je pour revendiquer quelque place ? Ils ne m'aiment pas. Pour eux, je ne suis qu'un bâtard et je me doute qu'à la mort de père je serai chassé du domaine comme un vulgaire rat. Pour l'heure et par amour pour lui, je le sers au mieux de ma conscience, car il a fait de moi ce que je suis.

Son regard était d'une infinie tristesse, comme s'il portait soudain sur ses épaules le poids de tout cet amour dont il était empli et qui n'aurait demandé qu'à se répandre. Une profonde tendresse m'envahit. Je murmurai avec certitude :

— Il ne sera pas dit, Denys de Châtellerault, que je regarderai en ingrate tout ce que je vous dois moi-même. Accompagnez-moi à Paris, et je vous promets que vous ne serez ni valet ni bête curieuse. La reine est mon amie. Ma reconnaissance sera la sienne, et je vous assure que vos mérites gagneront un titre qui ce jourd'hui vous fait défaut.

Il leva vers moi de grands yeux ronds, puis, comprenant que je parlais le plus sérieusement du monde, il saisit ma main valide et la porta spontanément à ses lèvres.

— En ce cas, ma dame, sachez que vous n'aurez jamais serviteur plus fidèle.

J'éclatai d'un rire gai qui acheva de me guérir.

— Je vous dois bien plus que je ne pourrai jamais acquitter, mais votre amitié me sera un présent précieux, Denys.

— Puisse-t-elle, murmura-t-il dans un souffle en se levant, vous dire combien je vous aime.

Et, me plantant là médusée par cet aveu, il quitta la pièce.

Dès le lendemain de cette conversation, je faisais mes premiers pas au jardin et ne revis pas Denys, parti à la chasse aux loups. Je me doutais qu'après cette confidence il lui eût été difficile de me regarder de nouveau en face. Avait-il peur que je change d'avis le concernant ? Ce n'était pas dans mes habitudes, d'autant plus que j'éprouvais pour lui une réelle affection. Et ni le fait qu'il m'ait sauvé la vie ni sa grande beauté n'y étaient pour quelque chose. C'était plutôt comme si je le connaissais depuis toujours. Comme Jaufré. Étrangement pourtant, il n'y avait en moi aucun doute. Ce sentiment-là était différent de celui qui me liait à Jaufré. C'était autre chose. Autrement. Mon troubadour me manquait cruellement. Mais je ne pouvais nier que c'était à cause de lui que j'avais été vulnérable. Je n'avais cessé de penser à lui, tant que cela m'avait empêché de percevoir le danger assez tôt. Je me consumais d'amour au point de n'être plus moi-même. Je n'en avais pas le droit. J'étais venue en Aquitaine pour une seule raison et, bien que les événements me contraignissent à la patience, cette raison devait primer sur tout. J'avais voulu me convaincre l'espace d'un rêve que je n'étais qu'une femme comme les autres. La réalité me rappelait à ma vérité. Je devais accomplir ma destinée. Ne plus me laisser distraire, ni par Jaufré ni par personne. Quoi qu'il m'en coûte. Alors seulement, je pourrais gagner la cause de l'Angleterre.

Lorsque Denys revint trois jours plus tard, j'annonçai que je me sentais prête à reprendre la route et qu'il ne tenait qu'à lui de m'accompagner. Le vicomte fut heureux d'apprendre que j'appuierais son fils auprès de la reine, et Loriane me lança un regard de reconnaissance. Bien que je n'aie jamais abordé le sujet avec elle, elle avait dû comprendre que je savais et lui enlevais ainsi un grand poids. Denys avait raison, ce n'était pas une méchante femme. Pouvait-on lui reprocher d'aimer son mari et d'avoir souffert de le voir se pâmer pour une autre au point de préférer aux siens le fils qu'elle lui avait donné ? Quelque trois semaines après mon arrivée, je quittai Châtellerault, le bras et la tête encore un peu douloureux, Denys dans le pas tranquille de ma jument, en tête d'une solide escorte d'hommes d'armes.

9

Aliénor arriva en vue de Paris au milieu de ce mois de septembre 1137, épuisée par cet interminable voyage. La chaleur avait accablé son escorte, et les étapes s'étaient rallongées depuis Orléans où elle s'était séparée de Louis, occupé à mater ses féaux. Ses dames de compagnie geignaient sans cesse, impatientes de parvenir enfin dans l'île de la Cité pour retrouver l'humeur festive qu'elles avaient abandonnée à Bordeaux. Aliénor redressait fièrement son front pour ne rien laisser paraître de ce même désir. La première partie du trajet l'avait amusée grâce à la présence de son époux, empressé, enjôleur et rougissant à la fois de ses audaces, courtois et habile à manier les textes latins. Mais, depuis qu'il l'avait contrainte de poursuivre sans lui, elle avait compté les jours. Que n'aurait-elle donné pour galoper jusqu'à son nouvel univers, épuisant quelques chevaux dans sa hâte, au lieu de se contenter de franchir une trentaine de lieues par jour et de faire bonne figure devant les vassaux de Louis !

Aussi, lorsqu'elle vit la boucle de la Seine refermer ses bras autour de l'île de la Cité, fut-elle prise d'une joie d'enfant. Enfin ! Enfin, elle allait pouvoir donner pleine mesure à son tempérament. Enfin, elle allait faire de cette terre sa terre.

C'était compter sans la mère de Louis : Adélaïde de Savoie. Elle l'accueillit aussi froidement que le pouvait son visage dur, comme taillé dans un bloc de granit. Aliénor sentit son enthousiasme s'effriter. Le ton pincé, jaugeant ses atours aux couleurs vives, la reine mère lança, mauvaise :

— Ma bru, ce ne sont point à la cour de France des mises respectables. Il vous faut oublier ce luxe tapageur et de fort mauvais goût. Dès demain, votre garde-robe sera remplacée, de même, Dieu les garde, que celles de vos dames de compagnie. Nous ne sommes pas ici pour nous donner en spectacle !

— Oui, mère, avait répondu Aliénor, faisant contre mauvaise fortune bon cœur.

Elle ne savait rien des mœurs de la cour. Certes, elle avait entendu dire qu'elles étaient austères, mais elle avait cru pouvoir les adoucir. Louis était toujours à Orléans, elle n'était dès lors ici qu'une étrangère. Malgré toute la rancœur et la haine que lui inspira sur-le-champ cette marâtre, Aliénor n'eut d'autre recours que la soumission. Elle s'y plia en se disant qu'elle avait échappé aux voiles du couvent et pouvait se permettre un peu de patience.

Dès le lendemain de son arrivée, elle troqua donc ses robes rehaussées d'or et d'argent, de dentelle et de pierreries pour des atours ternes aux teintes de beige, de blanc ou de bleu pâle.

Hélas, la vie dans l'antique Lutèce était ennuyeuse à mourir, et les lamentations de ses dames de compagnie n'apaisèrent en rien son désespoir. Du soir au matin, du matin au soir, Adélaïde de Savoie sur ses traces tel un chien de garde, il lui fallut filer, tisser, repriser, piquer au canevas, visiter les différents hospices pour laver les pieds des miséreux, s'aventurer même aux portes de la léproserie sur une des îles de la Seine pour y porter des fruits frais. Les chairs décomposées des bras et des visages entr'aperçus au travers des fenêtres grillagées hantèrent ses cauchemars la nuit suivante.

Quant à l'abbé Suger dont elle s'était imaginé qu'il l'avait prise en affection, elle dut constater amèrement qu'il ne songeait qu'à lui-même. Lui aussi posa ses interdits. Si on lui permettait de lire Cicéron et Platon entre les œuvres des Pères de l'Église, elle dut bannir Plaute, Ovide, Juvénal ou Stace dont on raffolait en Aquitaine mais jugés d'essence diabolique à Paris.

Suger condamna aussi les cours d'amour et les rires badins des troubadours. Il n'y fallut plus songer qu'en rêve. Seuls quelques trouvères et acrobates étaient invités lors des fêtes liturgiques ou pour les grandes occasions. Le reste du temps, s'il s'en égarait un à la cour de France, c'était pour donner des gestes sinistres ou qu'elle avait entendues cent fois. Sans parler de cette langue d'oïl qu'elle comprenait à peine.

Pour couronner le tout, Paris puait ! Dès que l'on ouvrait les fenêtres tendues de papier huilé, une odeur de crotte, d'urine, de graisse et de poissonnaille vous chavirait. S'il ne s'était agi que du dehors encore, mais le vieux palais austère et froid était sale, poussiéreux, crotté jusqu'en ses moindres recoins. Autant qu'il lui était possible, elle tentait de s'évader de ce décor, mais la cité ne valait guère mieux. Rue Boueuse, rue Merdeuse, rue des Rats, tels étaient les noms accrochés aux angles des bâtisses sombres à force d'être éclaboussées, frôlées par manque de place. Lorsqu'elle les traversait, elle pensait tristement aux fenêtres fleuries de Bordeaux ou Poitiers, aux balustres de bois d'où croulaient des chèvrefeuilles, des seringas ou des gonfanons aux couleurs vives, et au nom des rues : rue de la Font, rue des Bourdeliers, rue des Carrières, rue de la Chesnaie, rue du Lavoir, rue Jolie…

Comme son pays brusquement lui semblait loin !

Sa seule consolation était de savoir qu'à Paris se tenait la plus brillante des universités de ce temps, celle de l'illustre Abélard. Depuis son enfance, elle avait entendu à maintes reprises conter la triste aventure de ce professeur aux idées nouvelles, qui s'était heurté à Bernard de Clairvaux et au pape même. On avait brûlé ses écrits, et pourtant il continuait d'attirer par ses doctrines une foule d'étudiants de plus en plus nombreux.

Héloïse, son élève qu'il aima et à cause de laquelle il fut châtré, vivait retirée au couvent du Paraclet, qu'Abélard avait fait naître d'un rondin de bois. Était-ce au nom de ces amours interdites par la religion qu'Abélard faisait toujours recette ? Aliénor refusait de le croire. Elle s'était promis de rencontrer ses disciples et, chaque fois qu'elle passait devant l'église Sainte-Geneviève où se donnaient ses enseignements, elle tentait d'accrocher quelques bribes de conversation. Adélaïde de Savoie n'aurait pas toléré qu'elle mette pied à terre.

Aliénor rongea son frein jusqu'à l'arrivée de Louis, deux semaines plus tard. Il ne lui fallut que quelques jours pour comprendre que son époux n'avait de roi que le titre. Suger et Adélaïde de Savoie, soutenue par Raoul de Crécy, comte de Vermandois et conseiller du feu roi, se partageaient le pouvoir. Tiraillé entre sa mère et son confesseur, Louis, inexpérimenté, jeune et vulnérable, se laissait ballotter. Mais Aliénor n'avait pas quitté la rieuse Aquitaine et tout ce qu'elle aimait pour faire figure de potiche ! Qu'Adélaïde de Savoie impose sa loi lui était intolérable, quant à Suger, il devait rester ce qu'il était : l'abbé de Saint-Denis.

Agacée d'être tenue à l'écart, agacée d'être délaissée par son époux qui passait de nouveau plus de temps en prière qu'en sa compagnie, agacée de mon silence qui s'éternisait et des jérémiades de ses dames de compagnie, Aliénor explosa.

Par pure provocation, elle fit irruption un matin dans une robe somptueuse d'un bordeaux moiré brodé de fils d'argent, les cheveux retenus dans une coiffe de perles disposée en damier autour de son chignon. Le scandale avait commencé devant la porte à deux vantaux qui ouvrait sur le cabinet des ministres. Louis les avait réunis avec Suger pour s'entendre sur des questions de politique avec les vassaux d'Aliénor. Ceux-ci craignaient que l'Aquitaine ne tombe aux mains du royaume de France et perde une grande partie de son indépendance.

Les deux gardes placés de part et d'autre de l'entrée avaient interdit l'accès à la jeune épousée, croisant leurs guisarmes devant la porte sculptée de fleurs de lys. Aliénor avait saisi une pointe dans chaque main et les avait écartées violemment après avoir tempêté contre ces personnages impassibles qui osaient s'opposer à leur reine. Alertée par les vociférations, l'assemblée penchée au-dessus d'une carte avait fait silence. Suger accourut vers l'entrée. Il s'en fallut de peu qu'il se fît heurter par les lourds battants que, dans la force de sa colère, Aliénor avait ouverts à pleines mains. Elle tomba nez à nez avec l'abbé qui secoua la tête en signe de réprobation, l'œil sévère.

Mais la jeune femme l'ignora, passa près de lui sans le saluer et, dans un mouvement de jupe très digne, s'avança au milieu des ministres, courbés en une révérence contrite. Louis était livide, ses yeux égarés cherchaient dans l'attitude posée de

Suger un refuge qu'il ne trouva pas. Aliénor lui fit face, le regard plein de défi, puis, se tournant vers ses sujets :

— Relevez-vous, messires, et poursuivons, voulez-vous ? Je ne saurais me contenter de vos grimaces, l'abbé…

Le ton ne laissait place à aucune réplique. Louis se plia, Suger finit par conclure au terme des quatre heures que dura l'assemblée que cette petite ne manquait ni d'aplomb ni d'à-propos et encore moins de jugeote. Elle avait émis plusieurs remarques pertinentes sur un sujet qui lui était cher, et certains de ses conseils n'avaient pas manqué de le surprendre favorablement. Lui-même n'eût pas mieux fait. Aliénor apprenait vite, elle devait devenir son alliée. Ce ne serait pas si simple. Il convenait tout d'abord de lui faire entendre raison. L'on ne pouvait heurter de front la reine mère qui n'avait que très occasionnellement le droit de présider un conseil et qui reçut d'un spasme rageur l'initiative de sa belle-fille. Il faudrait donc qu'Aliénor tempère ses mouvements d'humeur et accepte d'attendre d'être invitée. Quant à prendre part au débat, c'était contraire aux bonnes mœurs d'Île-de-France.

Aliénor se buta. Jamais en Aquitaine les femmes n'avaient été exclues de la politique. Puisqu'il en devait être ainsi, elle se réservait le gouvernement de sa province et le droit de régler les litiges avec ses vassaux. Pour être reine de France, elle n'en restait pas moins duchesse d'Aquitaine. Quant au palais, si royal fût-il titré, il n'était plus question qu'elle s'en accommode. Il serait nettoyé de fond en comble, rafraîchi et jonché de frais chaque jour. Les troubadours, les jongleurs, les danseurs et tout amuseur y recevraient hospitalité. Aliénor était la vie. Elle voulait la vie.

Bouleversé par l'attitude offensive de son épouse, Louis se retira plusieurs jours en méditation à Saint-Denis, à genoux sur la tombe de son père. Il ne savait trop que faire, découvrant avec égarement qu'il n'entendait rien à sa femme, que son caractère instable et capricieux lui faisait horreur et que, somme toute, il ne tirait de véritable plénitude que de la prière. Afin de protéger son âme, il décida qu'il valait mieux pour lui n'approcher Aliénor que lorsque le besoin de son corps brouillerait le latin de son missel. Ce qui ne fit rien, bien au contraire, pour apaiser la soif de pouvoir et de justice d'une jeune reine frustrée.

Agacé, l'abbé Suger chiffonna le parchemin qu'il tenait en main. Étienne de Blois voulait davantage : l'appui total du roi de France pour soutenir son action contre la maison d'Anjou. Quelques semaines plus tôt, les espions du roi d'Angleterre avaient intercepté une missive provenant d'Angers à l'intention de Loanna de Grimwald. Le message était clair : on lui demandait de redoubler de vigilance auprès d'Aliénor à la cour de France. Étienne de Blois avait pris peur. Une espionne aux côtés d'Aliénor ! Suger l'avait rassuré, mais, plus le temps passait, plus il méprisait cet homme. Comme si une femme pouvait contre-carrer leurs projets ! Toutefois, il n'était pas assez sot pour ne pas se tenir sur ses gardes. Il valait mieux que cette damoiselle ne revienne jamais. Il ne manquait pas de couvents où elle serait bien gardée, et, si cela permettait de calmer cet indi-vidu aux humeurs primaires, ce ne serait que mieux pour sa tranquillité.

Apprenant par ses espions qu'elle se trouvait à Châtellerault, il avait chargé Anselme le sournois de l'enlever. Depuis la mort du duc d'Aquitaine, qu'il avait si habilement organisée, ce dernier par-tageait ses talents entre Étienne de Blois et l'abbé de Saint-Denis. Pourtant, cette fois, l'homme était revenu bredouille, blessé méchamment par une lame dont il ignorait le bras. Mieux encore, il n'avait dû son salut qu'à l'intérêt de son agresseur pour la damoiselle. Suger ne pouvait pas recom-mencer pareil attentat. Il lui fallait trouver autre chose. La volonté de Dieu l'y aida.

Un toussotement le tira de sa réflexion. L'abbé se retourna. Une pucelle aussi jolie qu'un bouton de rose s'épanouissait dans une robe fluide vert pomme. Courbée en une gracieuse révérence, elle tendait vers sa vieille silhouette un regard droit et pur d'un bleu-gris plein de charme.

— Relevez-vous, mon enfant. Vous me voyez ravi de votre présence ici. Vous voici bien chan-gée depuis la dernière fois que je vous vis. Votre oncle fabrique-t-il toujours cette délicieuse eau-de-vie de noyau dont il a le secret ?

— Il m'a chargée de vous en porter un flacon, mon père, de même que ses amitiés et ses remerciements pour votre affection.

— Le cher homme ! De ma vie je n'ai goûté pareil breuvage. Allons, asseyez-vous et donnez-moi donc ce trésor, que nous partagions le plaisir de ces retrouvailles.

Béatrice de Campan sortit un flacon de verre d'une petite bourse de soie, puis s'approcha d'un buffet bas. Elle saisit gracieusement deux gobelets d'argent et les remplit. Revenant vers Suger, elle lui en tendit un en souriant avec simplicité.

— Je vois, s'exclama celui-ci, que vous n'avez pas oublié notre dernière entrevue ! Que Dieu vous garde, mon enfant.

Face à face et d'un même geste, ils avalèrent l'un et l'autre sans sourciller l'élixir du vieil oncle. Il y avait fort longtemps que le baron de Campan avait donné à sa nièce l'habitude de vider d'un trait, à la montagnarde, cet alcool fort qui rosissait ses joues et vivifiait son jeune corps. Suger partit d'un rire frais. Béatrice passait, avec un geste de chatte, un revers de main sur ses lèvres gourmandes.

— Eh bien, vous voilà digne des plus grands de votre vallée, damoiselle ! À présent, racontez-moi tout.

Il lui désigna un fauteuil ouvragé qui faisait face au sien.

— Que vous dire, mon père, si ce n'est mon bonheur d'être à Paris. J'ai pleuré de joie en apprenant que vous me réclamiez à vos côtés pour parfaire mon éducation. Vous avez fait tant déjà en me prenant sous votre tutelle à la mort de ma famille.

— Allons, vous savez combien votre mère et moi étions unis. Mes parents étaient au service des siens, lors nous avons grandi ensemble, ne l'oubliez pas ! Comment aurais-je pu vous abandonner après le drame qui vous rendit orpheline et sans un sou quand j'avais, moi, élevé ma charge à la cour de France ? Ce n'est pas votre oncle et ses faibles biens qui eussent pu vous donner l'éducation que vous méritez et que souhaitait votre mère.

— Certes, toutefois il a rempli d'amour le vide que leur mort me laissa. Et je doute fort avoir eu une enfance plus heureuse dans quelque autre maison. Grâce à vous, mon père.

Suger s'appuya pesamment contre le dosseret du fauteuil, laissant le verre vide s'alourdir dans sa main molle. Il ne pouvait détacher ses yeux de sa protégée.

Elle n'avait que six ans lorsque le château de ses parents s'était embrasé à Sainte-Marie, qui était leur fief. Ils avaient péri tous deux, asphyxiés par les fumées, pris au piège des flammes qui, en peu de temps, avaient calciné la construction en bois. Béatrice était absente, en visite à Campan chez son oncle, petit baron lettré qui lui apprenait le latin et possédait un furet apprivoisé avec lequel elle aimait jouer. Elle y était demeurée.

En souvenir de sa propre enfance sobre mais heureuse, Suger avait versé une dot conséquente et exigé que la fillette reçoive la meilleure des éducations. Il n'imaginait pas que cette petite gagnerait en beauté ce qu'elle avait alors en manigance. Habile et rusée, l'enfant obtenait tout sans vergogne, exploitant sans aucun remords toute situation à son avantage, jouant même de chantage pour appuyer ses revendications.

Interrompant le fil de ses souvenirs en remarquant que Béatrice l'examinait d'un regard mi-amusé, mi-interrogateur, il lança, en tapotant ses doigts libres sur l'accoudoir :

— Aimeriez-vous rester à la cour, Béatrice ?

Le regard pétilla de malice, ponctuant un oui franc. Suger s'attendrit :

— Je m'en doutais. J'ai touché un mot de votre esprit à la reine, vous n'avez que deux ans de plus qu'elle et elle s'ennuie fort de ne point trouver quelqu'un de son envergure. Je crois que vous pouvez être celle-là.

Béatrice laissa planer sur son visage un voile de satisfaction qui dénotait assez combien ce rôle lui convenait. Elle s'empara du blanc laissé en fin de phrase par son tuteur pour ajouter, d'un air entendu :

— Il va de soi, mon père, qu'ainsi placée je pourrai être à même de vous raconter ces petits potins de cour qui ne manquent jamais d'intéresser quelques grands du royaume...

— Je ne doutais pas un seul instant, ma chère enfant, que vous en devineriez l'importance, la remercia Suger d'un signe de tête complice.

Puis il enchaîna, en lui tendant son verre :

— Reservez-vous donc une rasade avant que je vous informe des convenances de votre nouvelle vie.

Le tantôt, Béatrice de Campan était présentée à Aliénor comme recommandée par un petit baron d'Aquitaine. La jeune reine sauta de joie. Depuis le temps qu'elle entendait parler des Pyrénées, à l'autre bout de son duché ! De plus, cette damoiselle avait un minois à faire pâmer plus d'un. Puisque je l'oubliais, elle m'envoya au diable ! Suger l'accommodait d'un ange.

L'ange s'infiltra très vite au milieu du va-et-vient de la cour. Elle s'attira même la sympathie de la comtesse d'Angoulême, qui avait suivi Aliénor au palais de la Cité, et qui me détestait comme elle détestait chacun. Cette petite peste sans aucun charme n'aimait qu'elle et jalousait tout le monde. Béatrice décida donc de l'apprivoiser pour mieux s'en servir et, habilement, y parvint. Son air ingénu n'attirait aucune méfiance ; mieux, il paraissait susciter protection. Aliénor, quant à elle, la trouvait fort à son goût, bien que trop pieuse et prude. Frustrée de caresses depuis mon départ et ne pouvant espérer de Louis que des étreintes brutales, sauvages et coupables, qui la laissaient sur sa faim, il ne lui aurait point déplu de convertir sa nouvelle amie à des jeux plus tendres. Ce n'était pas si simple. Si Béatrice avait de l'esprit à revendre, une culture appréciable, elle n'éprouvait aucune attirance pour les femmes. En outre, elle tremblait et bafouillait en présence de Louis, signe qu'il ne lui était pas indifférent.

Ce dernier y avait d'ailleurs été sensible. Béatrice avait cette beauté douce des icônes, et ses cheveux d'un blond doré lui faisaient à contre-jour une auréole autour du visage. Louis avait été saisi par tant de pureté, d'autant plus que Suger lui avait assuré que cette petite avait reçu une éducation en tout point semblable à la sienne. Et pour cause.

Aliénor, pour sa part, ne s'en émut nullement. Certes, Louis l'aimait, la désirait et ne pouvait se soustraire à ses caresses, mais aussitôt après il la quittait pour rejoindre la chapelle. Aliénor avait posé des questions, leurs étreintes auraient pu trouver un prolongement bien plus tendre, proche de celui qui avait suivi leur hymen. Louis avait répondu évasivement que les tracasseries du royaume troublaient son sommeil et qu'il avait besoin de solitude et de recueillement. Elle ne l'entendait pas rentrer, et au matin, seuls la place et l'oreiller encore chauds à ses côtés trahissaient sa présence. Pire, elle avait remarqué à plusieurs reprises des stries violacées sur ses épaules et ses omoplates. Certaines rumeurs prétendaient que Louis se flagellait pour se punir d'avoir éprouvé du plaisir en sa chair. Aliénor ne savait qu'en penser.

Cela faisait à présent trois semaines que Béatrice était intégrée au sein des proches d'Aliénor, et la jeune reine ne songeait plus à s'enivrer de politique. Avoir écarté Adélaïde de Savoie qui boudait sur ses terres suffisait à son orgueil. Elle était désormais bien trop occupée à redécorer ses appartements, à broder des tapisseries et à faire visiter à sa nouvelle amie une ville qu'elle n'avait jamais eu vraiment jusqu'alors l'envie de découvrir. Nous étions en octobre 1137, et les premiers frimas se faisaient rudement sentir. Les rues de la Cité s'ornaient de crevasses profondes que la pluie avait ravinées. La Seine avait pris une couleur métallique, mais, avec le froid, ne charriait plus ces odeurs infectes qui avaient saisi Aliénor à la gorge lorsqu'elle avait franchi pour la première fois le Grand Châtelet, ce large pont qui devait son nom à la forteresse qui barrait son extrémité.

Son plus grand plaisir, depuis que Béatrice était à ses côtés, était de se rendre sur la butte de Montmartre. On y achevait la construction d'une chapelle au milieu des frênes et des marronniers aux branches givrées. Chaudement couvertes, les deux jeunes femmes escortées de leur suite appréciaient d'un même œil ce spectacle grandiose. De là, on pouvait voir la colline de Chaillot et le paysage parsemé de vignobles. On suivait les méandres du fleuve égayé d'îles verdoyantes. On apercevait les clochers des villages sur ses rives à l'orée des forêts. Béatrice disait en plaisantant qu'elles étaient comme à la montagne.

Pendant ce temps, l'abbé Suger se frottait les mains. Son stratagème pour écarter la reine de la politique du royaume fonctionnait au-delà de ses espérances. Il ne se passait pas un jour sans que

Béatrice de Campan lui rende compte par le menu des faits et dires de la reine. Adélaïde de Savoie de son côté ruminait sa vengeance, aidée dans son jeu par Raoul de Crécy, comte de Vermandois. Raoul était un homme agréable de figure et d'allure, mais marié à une sorte d'échalas rougeaud aux yeux de poisson globuleux, qu'il n'arrivait à satisfaire que les chandelles mouchées. De sorte qu'il papillonnait dans la couche des dames de compagnie d'Aliénor, lesquelles, souvent mal mariées, trouvaient l'amant fort plaisant. Ce manège agaçait l'oncle de son épouse légitime, Thibault, comte de Champagne, chevalier de l'ordre du Temple, d'autant qu'il aurait bien voulu s'emparer de sa place de conseiller auprès du roi.

Suger trouvait la situation délicate, pourtant il laissait faire. Tant que ces gens s'occupaient entre eux, Louis était facile à manœuvrer et suivait ses conseils sans sourciller. La cause de Dieu était pour le jeune roi la seule à défendre, aussi dispensait-il sans compter ses largesses à l'ordre du Temple, lui cédant plusieurs terrains et bâtiments dans Paris et ses faubourgs. À travers l'importance que la milice du Christ prenait, Suger voyait grandir la sienne. Qu'aurait-il pu demander de plus qu'œuvrer à sa propre gloire ?

C'est dans cette atmosphère curieuse que je fis mon entrée sur l'île de la Cité avec Denys et une solide escorte.

Au pied de la montagne Sainte-Geneviève, nichées dans le coude de la Seine, et sous une pluie battante qui collait une boue noire aux sabots des chevaux, les ruelles se renvoyaient le grincement des chaînes retenant les enseignes des tavernes et des échoppes. Le mauvais temps, qui depuis plus de dix jours nous contraignait à des étapes courtes, semblait atteindre ici son paroxysme.

Denys et moi avions effectué le trajet depuis Chartres en silence, tant la tempête empêchait tout échange. Les volets de cuir de la voiture se relevaient sous la poussée de la bourrasque, inondant nos capelines de voyage de grosses gouttes froides. Aveuglés par la pluie et freinés par les ornières, les chevaux avançaient au pas malgré les encouragements musclés d'un cocher trempé jusqu'aux os. Denys avait insisté pour retarder encore notre dernière étape, mais j'étais de plus en plus inquiète. Depuis cette agression à Châtellerault, je ne cessais de penser que, si l'on avait tenté de m'écarter, c'était pour mieux me perdre auprès d'Aliénor. Je n'avais que trop tardé. Chien de temps. J'étais glacée. Denys me regardait par instants d'un air de pitié, mais je répondais par un sourire. Il ne comprenait pas mon entêtement, davantage habitué à ces damoiselles qui s'enferment dans leur chambre au moindre coup de tonnerre. Nous nous étions querellés à ce propos, et je n'avais pas cédé.

— Vous êtes, sauf le respect que je vous dois, la petite personne la plus entêtée et inconsciente que je connaisse, m'avait-il lancé en dernier recours.

Loin de me vexer, cela n'avait eu d'autre effet que de me faire éclater de rire.

— C'est sans nul doute que vous ne connaissez pas la reine de France, mon jeune ami !

Ajoutant qu'il saurait en son temps les raisons de ma hâte, j'étais montée dans la voiture, le bas des jupes maculé de boue.

— Une dame demande à être reçue. Elle est… très sale, Majesté.

Aliénor venait de lancer les dés et de perdre une nouvelle fois face à la chance insolente de Béatrice. On avait allumé les torches tant la tempête à l'extérieur du palais avait réduit la luminosité, et un feu crépitait dans la cheminée de la pièce où, entourée de ses suivantes, la jeune reine occupait ses journées maussades. Ce jourd'hui, l'on jouait aux osselets ou aux dés selon les groupes. Le roi était malade, il avait attrapé la fièvre et toussait depuis l'avant-veille. Son état n'était pas inquiétant, mais il était contraint au lit et l'apothicaire du palais interdisait toute visite. Le roi migraineux, fort mauvais patient, était d'une humeur exécrable.

Aliénor regarda le page en se demandant s'il ne se moquait pas d'elle. Que venait donc faire au palais une ribaude ? Pourquoi l'avait-on laissée entrer ? Elle l'apostropha sur un ton agacé :

— Que nous veut cette souillon ?

— Rendre hommage à cette flambée bienvenue !

Je n'avais pas attendu d'être invitée, soucieuse de marquer dès l'instant mon territoire. Denys m'avait suivie timidement. Il faut dire que nos tenues crottées n'incitaient guère à nous laisser approcher. Il y eut un murmure au milieu des tables, certaines personnes me croyant ou m'espérant perdue corps et biens, d'autres se demandant qui osait.

Le page s'écarta en tremblant de la tête aux pieds, craignant l'esclandre. Mais Aliénor avait reconnu le timbre de ma voix. Elle se leva d'un bond, bousculant la table, manquant de renverser sur les genoux de Béatrice le plateau de jeu. Elle se précipita en criant mon nom et, sans se soucier de mon aspect, m'étreignit devant une assemblée médusée. Son bonheur me fit du bien. Ainsi, elle ne m'avait pas oubliée. Je lançai dans un rire, n'osant poser mes mains sur ses atours :

— Votre Majesté devrait prendre garde, je ruisselle d'une eau écœurante.

— Que m'importe donc ton allure, mon amie, quand tu me fais la joie d'être ici !

Elle s'écarta pour mieux me contempler, tenant à bout de bras mes épaules mouillées. Soucieuse malgré tout des regards fixés sur nous, je m'agenouillai en une profonde révérence, tendant vers ses yeux pleins d'étoiles de bonheur les miens avides de sa présence. Elle me releva.

— Point de cela aujourd'hui, Loanna de Grimwald.

Elle frappa des mains, et le page qui m'avait introduite, à présent rassuré, s'avança.

— Fais conduire dame de Grimwald dans la chambre du soleil couchant et monter ses malles pour qu'elle puisse se changer, et allumer un feu, et mander ma chambrière Bernice. Comment, tu es encore là ? Allons !

— Un instant seulement, Majesté. Toutes vos bontés me touchent, mais je ne suis point arrivée seule. Voici Denys de Châtellerault qui, par la finesse de sa lame, me sauva la vie sur le chemin. De sorte que je lui suis redevable devant Dieu. J'ai eu l'audace d'espérer que vous trouveriez ici moyen de mettre à profit pareil talent.

Aliénor détailla Denys. Elle avait tiqué au début de ma phrase, alors que je m'étais effacée pour révéler mon protégé, mais ne se laissa pas aller à l'inquiétude. Je lui étais revenue, c'était l'essentiel.

Denys mit un genou à terre, tenant son chapeau d'une main ferme, l'autre écartant sa cape pour se poser avec respect sur le pommeau ouvragé d'une épée qu'il portait à la ceinture.

— Levez-vous, messire de Châtellerault. Soyez assuré de ma reconnaissance pour votre geste. On va vous conduire auprès de messire de Crécy qui vous prendra en charge sur ma recommandation. Allez, tous deux, à présent. Ce ne sont point des tenues pour paraître à la cour. Ces damoiselles ont le cœur au bord des lèvres, ajouta Aliénor, amusée par les mines dégoûtées de ses amies.

Nous échangeâmes un sourire complice, puis, très digne, je suivis le page qui m'attendait, escortée de Denys, troublé par la beauté hautaine de la jeune reine.

Je n'avais pas eu le cœur d'ennuyer Camille, aussi crottée que nous, et la laissai se délasser dans l'antichambre tandis que je me pliais aux soins de Bernice. C'était une petite Bordelaise à peine plus âgée que moi, au minois rieur bien que sans grâce, à laquelle je racontai mon séjour en pays de Blaye, sachant que sa famille en était originaire. Bernice en fut émue aux larmes. Elle n'aimait pas l'île de la Cité, elle ne s'adaptait pas à la tristesse de la vieille ville. Elle se fit toutefois un plaisir, mise en confiance par mes propres confidences, de me raconter tout ce qui avait été le quotidien de sa maîtresse pendant mon absence. Cela me rassura, jusqu'à ce que j'apprenne le nom de Béatrice de Campan. Bernice la trouvait merveilleuse et la reine aussi, et damoiselle d'Angoulême qui gloussait à ses plaisanteries, et...

Et cela m'agaça. J'avais eu raison de me hâter. Mon regard avait accroché celui de ladite personne lorsque Aliénor m'avait étreinte et j'avais pressenti la menace. Restait à savoir si cette trop jolie dame m'avait remplacée en tout point.

J'eus la réponse peu de temps après. La porte de ma chambre s'ouvrit à l'instant où je m'apprêtais à descendre, et Aliénor congédia Bernice.

Elle ne me laissa pas loisir de lancer la conversation. Elle se jeta sur moi avec une voracité de louve, m'enlaçant à m'étouffer, et ne s'apaisa que quelques heures plus tard alors que none sonnait. Aliénor avait manqué d'amour. Et j'avais manqué d'elle.

Ensuite seulement vinrent les reproches. Je l'avais abandonnée sans nouvelles, elle m'en voulait d'avoir pris du plaisir quand elle se démenait à se faire une place ici. Heureusement, il y avait eu Béatrice, si généreuse et attentive, si cultivée, si charmeuse, si jolie…

Je coupai court à son éloge. Aliénor était blottie de côté contre mon épaule, sa jambe droite posée avec négligence sur mon ventre.

— Suffit. Pourquoi avoir quitté une telle perle pour te perdre au creux de mes reins si vite ? Permets-moi de ne pas comprendre, ma reine.

Aliénor se redressa et détailla mon visage agacé. Elle poussa un soupir de plaisir, puis se pelotonna de nouveau contre moi.

— Jalouse. Tu es jalouse de Béatrice. Tant mieux !

Je ne pus m'empêcher de sourire. Pour toute réponse, je caressai ses boucles rebelles. Quelques secondes plus tard, Aliénor dormait en ronronnant comme un jeune chat.

Les jours qui suivirent me permirent de me faire ma propre opinion. Béatrice était, en apparence tout au moins, gaie, enjouée, aussi agréable de compagnie qu'il était possible, mais elle n'était que fourberie. Ses oreilles traînaient partout avec indiscrétion. Elle était d'une intelligence vive, finissait souvent les phrases d'une conversation saisie au vol, apprenait avec une grande facilité les défauts d'autrui pour les mieux tourner et flattait avec une habileté sans égale qui pouvait lui être hostile.

Je l'avais surprise plus d'une fois se dirigeant vers le cabinet de Suger, ou acceptant le bras du vieil homme avec un plaisir évident et échangeant avec lui quelques propos à l'écart. Cela m'avait suffi pour comprendre. Elle ravissait les femmes, auxquelles elle contait, à la demande, la triste histoire d'Abélard et Héloïse, et se refusait aux hommes.

Le roi s'était remis au bout d'une semaine de lit de sa maladie mais gardait encore le teint laiteux, de sorte que, sur les ordres de son apothicaire, il demeurait enfermé, confiant à Suger les questions politiques autant que religieuses.

Mon retour laissa Louis dans une indifférence totale. M'avait-il seulement remarquée à Bordeaux, tant il ne voyait qu'Aliénor ? Suger, en revanche, m'accueillit trop plaisamment à mon goût, me confortant dans l'idée que, pour être ainsi amical, il aurait sans doute eu grand intérêt à ma perte.

Béatrice ? Elle paraissait s'accommoder avec générosité de notre jeu à trois, mais je n'étais pas dupe. Pas plus, contrairement à ce que pensait Aliénor, que je n'en étais jalouse.

Raoul de Crécy s'était plié de mauvaise grâce aux ordres d'Aliénor et avait promu Denys au titre de connétable de la reine. Il avait argué qu'il n'y avait qu'un seul connétable à la cour, que c'était celui du roi et qu'il était déjà pourvu. Aliénor s'indigna : de quel droit lui enlevait-on le privilège de se sentir protégée par une garde personnelle ? S'il lui seyait d'avoir son connétable, elle se moquait bien de ce qui était établi avant son arrivée à Paris. Elle avait suffisamment œuvré pour que cela change, elle n'allait pas s'arrêter en si grand chemin. Denys n'avait pas de titre ? Qu'à cela ne tienne, il en gagnerait un dès les prochains tournois. Et gare à celui ou celle qui trouverait à redire à son choix ! Louis s'en garda bien. Au fond, si cela amusait la reine, il n'y avait pas lieu de la contrarier sur un point aussi insignifiant.

Ainsi, Denys fut nommé aux ordres d'Aliénor, trop heureux d'être dans le sillage d'une aussi jolie reine, duchesse d'Aquitaine de surcroît, pour laquelle son père aurait donné sa vie sur l'heure. Pour lui qui n'avait d'autre espoir que de grandir dans l'ombre d'un nom qu'il ne porterait jamais, c'était beaucoup. Trop même, au regard de ses deux demi-frères que le roi devait faire chevaliers lors des fêtes du couronnement à Bourges, au moment de Noël. Denys ne s'attarda pas à leur rancune. Il se contenta de les éviter, cherchant à mériter cette place que ma reconnaissance lui avait offerte.

Je n'avais pas eu de nouvelles de Jaufré. Il me manquait désespérément, bien que je décidasse de ne pas en tenir compte. Il me fallait du temps pour accepter l'idée que je ne pouvais l'aimer sans me perdre. Aliénor et Denys m'y aidaient sans le savoir. Les intrigues de la cour aussi, aiguisant ma vigilance.

En Anjou et en Angleterre, c'était le point mort, rien n'évoluait. Henri grandissait, solide et têtu. C'était là l'essentiel.

L'hiver passa ainsi, dans la grisaille et un froid inhabituel, laissant enfler, sous la neige qui recouvrait les toits, les bouillonnements de haine sourde. Il fallait qu'elle jaillisse. Elle s'insinua avec le dégel comme une eau noire.

10

— Regardez celui-ci !

— Quel panache ! C'est le mien, j'en suis sûre.

— Non pas, il est bien trop beau ! Oh, mais voyez celui-là.

— Allons ! Allons, que d'excitation, mesdames. Tenez-vous, on vous regarde !

Aliénor grondait d'un doigt levé ses bavardes de compagnes. L'agitation était à son comble. Installées dans les tribunes à gauche de la reine, celles-ci n'en pouvaient plus d'admirer les cavaliers aux armures scintillantes.

La plaine de Saint-Denis se colorait de pavillons et d'oriflammes aux couleurs des combattants. Mars avait levé ses quartiers, et une tiédeur printanière amenait sous les tentures des parfums de lilas. L'abbaye laissée sur la gauche découpait ses flancs de pierre sur un ciel sans nuage. Ces fêtes de Pentecôte de l'année 1138 s'annonçaient bien.

Assise entre Aliénor et Béatrice, je me sentais tout aussi excitée que ces diablesses, sans toutefois m'épandre ainsi qu'elles le faisaient. Chacune d'elles avait son favori parmi les jeunes seigneurs bien tournés qui venaient les saluer en paradant sur leur monture.

Louis demeurait de marbre. Il était soucieux. Les barons aquitains avaient décliné son invitation à prendre part aux joutes. Les relations avec le duché étaient tendues, et Aliénor refusait d'entendre raison. Le roi aurait voulu mater avec une armée ces esprits rebelles, les plier à la vassalité du royaume de France. La jeune reine, elle, pensait que l'Aquitaine devait rester sous sa seule juridiction et soutenait leur cause. Cela ne plaisait pas davantage à Louis qu'à Suger, qui tentait vainement depuis quelques semaines de contraindre Aliénor à se rendre aux injonctions de son époux. L'abbé, à la droite du roi, pesait lourdement sur le dossier de son fauteuil, un cerne de fatigue sous les yeux.

Un héraut, salué par une envolée de trompettes, déclara le tournoi ouvert. Commença alors, sous la salve musicale, un défilé de cavaliers qui, l'un après l'autre, vinrent saluer la dame pour laquelle ils combattaient, puis repartirent en accrochant à leur lance la manche qu'elle leur avait donnée.

Béatrice reçut l'hommage du comte de Flandres qui, depuis quelque temps, lui faisait la cour, la comtesse du Berry celui du jeune et impétueux baron de Casteljaloux, et, pour ma part, je découvris avec plaisir le visage rieur de Denys dans l'échancrure du heaume relevé. La reine avait tenu à ce qu'il se batte pour moi et non pour elle, comme elle l'avait précédemment décidé. Son connétable avait très vite su trouver sa place au palais et s'y rendre indispensable, de sorte que pas un ne songeait désormais à remettre en question ses attributions.

Parvenu devant moi, Denys décrocha de son armure un bouton de rose blanche et me le lança en guise de promesse. Je le saisis au vol et y déposai un baiser. Aliénor lança d'une voix tranquille :

— Décidément, ce Denys de Châtellerault ne manque pas de panache ! Voyons s'il sait aussi se battre !

— N'en doutez pas, ma reine, répondis-je en piquant la rose dans mes cheveux. J'ai le souvenir d'un embarras dont son épée me tira et, récemment, on rapporte qu'il a défendu avec aisance un jeune étudiant qui s'était heurté à quelques malandrins après avoir bu plus que de raison.

— Vous ne pouviez choisir meilleur ami, susurra la voix de Béatrice, qui, sans m'adresser un seul regard, ajouta d'un ton entendu : Quel dommage qu'il ne soit pas autre chose qu'un enfant naturel.

Je repartis sur le même ton :

— Il est des cas où la nature fait sainement les choses.

Elle n'eut pas le temps de renvoyer la balle. Un cavalier sans armoiries s'avançait vers Aliénor. Son armure d'un noir d'encre ornée d'un plumeau rouge se découpait de façon massive sur le fond bleu du ciel.

Un murmure frémit dans l'assistance lorsqu'il s'arrêta devant la reine et hocha la tête pour la saluer. À l'inverse de tous les autres, il garda la visière de son heaume abaissée, masquant ses traits à l'assemblée. Amusée, Aliénor décrocha de sa manche un cendal blanc et le lui lança. Il le laissa se dérouler sous la brise, puis sortit son épée du fourreau. La soie s'enfila avec grâce autour de la lame. D'un geste souple du poignet, il la ramena à lui et récupéra son trophée pour le nouer à sa lance. Sous le regard ravi de la reine, il tourna bride et rejoignit son rang.

Quelques secondes plus tard, les lances émoussées heurtaient les poitrines et nombre de cavaliers mordaient la poussière. Certains seigneurs hardis venaient s'incliner devant la tribune à la fin de chaque joute, soulevant un mouvement d'admiration ou d'indignation selon qu'ils étaient bien ou mal vus. Florine de Bourgogne s'évanouit à la vue du sang qui rougissait la pointe d'une lance, et l'on dut lui administrer les sels.

Moi, je n'avais d'yeux que pour cet inconnu. Qui pouvait-il être pour avoir méprisé ainsi le roi de France et salué son épouse ? Louis avait tiqué et glissé quelques mots à Suger, qui avait secoué la tête négativement.

À l'issue du tournoi, seuls quatre cavaliers restaient en lice : Denys, bien que blessé par un coup qui lui avait démis l'épaule, le chevalier inconnu, le comte de Beaufort et le baron de Casteljaloux qui venait d'envoyer à terre le comte de Flandres sous les yeux noirs de Béatrice et pour mon plus grand plaisir. Cela piquait son orgueil et satisfaisait le mien.

Denys chuta à la deuxième attaque du cavalier noir, son bras atteint de nouveau par la lance, de même que le comte de Beaufort sous les coups du baron de Casteljaloux. D'un même élan, soulevant la poussière sous les sabots de leurs chevaux ruisselants de sueur, les combattants se firent face et chargèrent. Le bruit sourd du métal entrechoqué résonna dans nos tempes. L'assistance retint son souffle. Emportés par la violence du choc, les deux hommes furent désarçonnés et se relevèrent en faisant grincer leurs armures poussiéreuses. Le cavalier noir arracha son épée du fourreau et fonça sur le baron qui rétablissait son équilibre. Celui-ci, habile, esquiva l'attaque et dégaina à son tour. Les deux hommes tournèrent en cercle face à face, jouant de leur épée à deux mains comme d'une brindille entre leurs poings gantés.

Aliénor avait planté ses ongles dans les accoudoirs et se dressait à demi sur son siège, ne perdant aucun des mouvements des deux hommes. L'on devinait à ses traits tirés qu'elle redoutait l'issue du combat. À présent, il n'était plus question de jeu mais d'orgueil bafoué. Il fallait un vainqueur, peu importait que le vaincu périsse.

Le baron de Casteljaloux se battait bien, mais la carrure impressionnante de son adversaire faisait compter double chaque coup qu'il croisait contre son fer. Il se fatigua vite, ne réussissant, grâce à sa rapidité, qu'à feinter les coups mortels.

Un instant il trébucha, et le chevalier fut sur lui. Posant un pied sur le ventre palpitant, il pointa l'épée au-dessus de la gorge. Le roi se leva d'un bond.

— Il suffit, messire. Vous nous avez montré votre bravoure et votre talent.

Le paladin garda un instant la position, le buste tourné vers le roi, puis planta la lame à quelques centimètres du souffle du baron, arrachant un cri parmi les dames. Aliénor interpella l'inconnu :

— Approchez, messire.

L'homme s'approcha, désarmé. L'écharpe de soie blanche s'ornait de sang et de poussière. Il la détacha, le regard tourné vers le roi, noir sous le heaume noir. Sans un mot.

Aliénor se racla la gorge :

— Vous êtes le vainqueur de ce tournoi. Nous ferez-vous l'honneur de dire qui vous êtes ? Un chevalier tel que vous se doit de rester dans les mémoires.

L'homme releva son heaume, et Aliénor reconnut les yeux de braise.

— Vous ! hoqueta-t-elle.

Louis l'interrogea du regard, mais l'homme se présenta lui-même.

— Guy de Verdeuil, vicomte de Thouars, pour vous servir, duchesse.

Louis frémit :

— Il me semblait, messire, que vous aviez refusé notre invitation. Je suis ravi de voir qu'il n'en est rien. Encore que j'eusse préféré découvrir plus tôt votre véritable bannière.

Arrogant, Guy de Verdeuil tendit l'écharpe à Louis, un rictus de haine barrant ses traits durs.

— La voici, messire ! J'ai défendu les couleurs de l'Aquitaine au nom des miens.

Louis s'étrangla. Aliénor, livide, se retint de glisser vers l'asile confortable du fauteuil. L'insulte était de taille. Le roi se força pourtant à sourire.

— Soit. Nous ferez-vous l'honneur, messire, de séjourner chez nous ?

Pour toute réponse, le vicomte s'inclina devant Aliénor, puis, le regard fier dans celui de Louis, lui cracha au visage. Suger bondit. Il lui suffit d'un signe que je devinai. Aussitôt, l'homme se retrouva cerné de soldats. Il éclata d'un rire féroce et se laissa emmener.

L'incident ne resta pas sans suite, la colère grondait, les vassaux d'Aliénor voyaient en l'arrestation du vicomte de Thouars une atteinte à leurs droits. La querelle éclata entre ses partisans et ceux qui condamnaient son attitude. Aliénor refusait encore d'intervenir, se contentant d'exiger de Louis la libération du vicomte. Mais Louis ne l'entendait pas ainsi.

Or il fallait agir. Je le fis. Il était nécessaire d'écarter le roi de la cour quelque temps, nécessaire de reprendre en main l'Aquitaine et de vaincre Suger dans l'importance qu'il prenait chaque jour. Aliénor céda à mes supplices, se laissa guider et accepta que Louis mate la révolte. Quelques semaines plus tard, il partait pour Poitiers avec l'ost royal et Suger regagnait l'abbaye de Saint-Denis où il projetait la construction d'une abbatiale grandiose. Privée de son fils et d'une quelconque autorité, Adélaïde de Savoie se retira une fois de plus sur ses terres.

Avec le dégel, j'avais reçu des nouvelles de Blaye. Là-bas aussi l'hiver avait été rigoureux. De gros glaçons flottaient sur l'estey et nombre de canaux avaient gelé. Les pauvres gens qui vivaient sur les richesses de la Comtau avaient eu maigre pitance et, plus encore que les hivers précédents, enfants en bas âge et vieillards étaient morts de faim et de froid. Jaufré avait agi de son mieux, ouvrant les portes du château, distribuant pain et nourriture. L'ampleur de sa tâche ne lui avait laissé que peu de temps pour m'écrire. De plus, beaucoup de chemins étaient devenus impraticables. À la neige et au froid avaient succédé de véritables déluges de grêle et de pluie. Personne n'avait pu circuler. Ni homme, ni bête, ni courrier.

Il avait pensé à moi autant que j'avais pensé à lui et sans doute même davantage.

À présent que je serrais entre mes mains le parchemin à l'odeur de lys, un manque aigu me déchirait le ventre. Que n'aurais-je donné en cet instant pour ses mains sur mes seins, mes hanches, et sa chair dans la mienne. Je dus m'appuyer au mur pour ne pas vaciller de désir et de douleur à la fois. Je n'en pouvais plus soudain de son absence.

Jaufré me disait son intention de venir à Paris avec son ami Panperd'hu. Je savais qu'Aliénor ne verrait pas d'un œil ravi ces retrouvailles. Je devais la convaincre sans la froisser. Denys m'y aida. Je lui avais avoué mon attachement à Jaufré pour le décourager d'un amour sincère et, curieusement, ma franchise nous avait rapprochés encore. Pour se consoler, Denys s'était tourné vers la reine, qui le subjuguait par sa beauté autant que par son impertinence. Les regards dont celle-ci enveloppait son connétable me donnaient à penser qu'elle nourrissait à son égard les mêmes sentiments. Comme je la comprenais ! Louis était un amant fantôme tout juste bon à aiguiser sa faim et la laisser pantelante d'un désir frustré. Je la comblais autant qu'il m'était possible dès que nous trouvions quelque intimité, mais cela ne suffisait plus à son ventre.

Aliénor avait besoin d'un sexe d'homme. Je le lui offris un soir.

Selon nos nouvelles habitudes, elle m'avait rejointe dans ma chambre, sitôt les chandelles mouchées dans le palais. Nue contre mon corps, elle s'était aussitôt abandonnée à mes caresses sur sa nuque et ses épaules, qui l'apaisaient et l'excitaient tout à la fois. J'en usais parfois comme d'un jeu pour faire grandir son impatience. Pas cette nuit. J'attendais autre chose. Il m'était facile de prévoir ses réactions. Je n'eus qu'à me laisser guider par son souffle qui, du ronronnement à l'agacement, puis à l'inquiétude, traduisit l'instant que j'espérais. Voyant que je me satisfaisais de ces attouchements trop sages, sa main s'enhardit sur mon pubis. Je ne réagis pas. Ce soir, il m'était facile de me contrôler. Elle insista quelques minutes, retenant son souffle pour guetter le mien. Je feignis un soupir résigné et promenais d'une main molle mes doigts au creux de ses reins. Elle se redressa d'un bond, comme brûlée à mon contact.

— Tu ne m'aimes plus ! frissonna sa voix entre la consternation et la panique.

— Bien sûr que si ! répondis-je tristement.

— Et cependant tu es lointaine, à peine sens-tu mon désir de toi. De quelle langueur souffres-tu si ce n'est de moins d'amour ?

— Oser seulement te le dire déclencherait des foudres sur ce baldaquin.

— N'as-tu point confiance en moi ? Qu'ai-je donc fait pour que tu me craignes et me rejettes ?

— Rien, ma reine. Rien.

Et pour preuve, je l'attirai contre moi. Elle se pelotonna dans le creux de mon épaule. Un sourire m'échappa que l'obscurité lui voila. Elle était prête. J'attendis encore pourtant. Je voulais qu'elle m'arrache ce secret, comme une victoire qu'elle aimerait s'octroyer plus tard. Le feu crépitait dans la cheminée au pied du lit, arrondissant des ombres fantasques sur les murs blanchis.

— Parle-moi, je t'en prie, gémit-elle. Je ne puis supporter de te perdre.

— La compagnie de certain troubadour me manque, voilà tout.

Elle se redressa, furieusement blessée.

— C'est donc cela ! Je m'étonnais que tu l'aies oublié si facilement.

Elle s'écarta de moi et me tourna le dos, boudeuse, pour me dissimuler ses yeux scintillants de larmes. Afin de lui laisser le temps de digérer mon aveu, je me glissai hors du lit et remis une bûche dans l'âtre.

Un long moment s'écoula, peuplé de gerbes d'étincelles crépitantes qu'activait la pique sur les braises. Un instant, je perçus la course folle d'une souris en quelque coin de la pièce. Aliénor ne bougea pas. Puis ce fut un soupir, suivi d'un autre plus prononcé. Tous deux signifiaient la même chose : pourquoi ?

Alors seulement j'eus la certitude que sa colère était tombée, qu'elle voulait que je la rassure et tout à la fois que je lui fasse mal, comme on peut avoir mal de la peur de perdre ceux que l'on aime.

— Oublierais-tu un corps d'homme au creux du tien s'il n'était que tendresse ?

Il y eut un temps de pause. Aliénor se retourna lentement et se cala contre un volumineux oreiller de plumes d'oie. Son visage était calme. Elle soupira de nouveau, d'incompréhension cette fois, qu'elle ponctua d'une de ses évidences :

— Un homme ne peut être tendresse.

— Lui, si.

— Je ne vois vraiment pas ce qui fait la différence !

Elle semblait si vulnérable, si délicieusement oubliée, qu'une vague de pitié me submergea. Comment pouvait-elle savoir ? Comment pouvait-elle comprendre ? Je m'entendis répondre d'une voix désolée :

— Tout. Que sais-tu de l'amour ? Louis t'embroche mais ne t'aime pas.

Ses yeux s'écarquillèrent, tandis que sa bouche s'arrondissait en une moue songeuse. Pourtant, cela ne dura qu'un instant, car brusquement ce fut comme si un rayon de soleil venait de déchirer le papier huilé de la fenêtre. Aliénor avait éclaté d'un rire sonore. Elle repartit sur ce ton léger que j'adorais :

— Ai-je donc l'air d'une poularde pour mériter d'être embrochée ?

Ce fut à mon tour d'éclater de rire. Dieu que je l'aimais ! Je la rejoignis sur le lit et caressai du doigt ses lèvres fines.

— Donne-moi Jaufré ! Tu ne le regretteras pas. Je te le promets. J'ai besoin de sa présence.

Ses yeux se voilèrent de tristesse.

— Pour que tu ailles la nuit dans sa couche plutôt que dans la mienne, se plaignit-elle.

— Quelques nuits seulement.

— Pendant lesquelles je brûlerai d'envie de vous passer tous deux par l'épée.

Je l'embrassai sur le front. Ma petite reine avait mûri pendant mon absence, c'était incontestable. Mais pas encore assez pour avoir pleinement confiance en moi. Pour ce faire, je devais m'employer à la seconde partie de mon plan. Lui faire l'amour était un bon remède contre sa peur. Lentement je descendis mes lèvres sur sa bouche, sans m'y attarder toutefois, pas davantage qu'au long de son cou et à la naissance de sa gorge. Alié-nor renversa la tête en arrière, le souffle court dans lequel se perdit un « oui » chargé d'espoir. Remontant vers son oreille, je murmurai pour clore la discussion :

— Et je suis sûre, moi, que tu n'y penseras même pas.

Sur cette promesse, je me levai pour moucher les chandelles, plongeant la pièce dans l'obscurité. J'ajoutai :

— Allonge-toi.

Elle obéit sans mot dire, le corps pantelant à l'idée d'un nouveau jeu. Je m'enveloppai dans un châle et me glissai dans l'antichambre. Denys m'y attendait, assis sur le lit qu'occupait d'ordinaire Camille, ma chambrière, reléguée pour l'heure à l'étage au-dessus, chez une de ses camarades. Le connétable avait troqué sa cotte de mailles contre un bliaud de laine et j'eus soudain la vision de ce jouvenceau charmeur qui m'était apparu pour la première fois à Châtellerault. Il se leva à mon approche, l'air interrogateur. On l'avait conduit ici sur mes ordres, sans qu'il sache la raison de ma requête. Son regard plongea dans mon décolleté que mon vêtement sommaire dissimulait à peine, et je pris conscience de l'indécence de ma tenue. Pour ne point lui laisser loisir d'extrapoler, je resserrai plus encore les pans du châle sur mon ventre et chuchotai :

— Je t'ai promis un jour de te montrer ma reconnaissance, pas mon corps.

Il sourit et répliqua :

— Ce serait offense de ne pas regarder.

— Garde-toi pour celle que tu aimes, le taquinai-je mystérieusement.

Denys connaissait les liens charnels qui m'unissaient à la reine, pourtant il me fixa sans comprendre.

— Que veux-tu dire, Loanna de Grimwald ?

— Ne le sais-tu donc pas ? Il est vrai que, chez le vicomte, on ne t'a point appris à écouter aux portes. Laisse-moi la rejoindre, puis entre. Je vous quitterai dès lors que tu seras en sa couche.

— Mais elle… bredouilla-t-il, en proie à une vive émotion qui colora ses joues d'un carmin brûlant.

— Ne t'inquiète pas. Aliénor est une chatte. Elle t'aime autant que tu l'aimes. Promets-moi seulement de rester fidèle à ta réputation. On m'a rapporté que tu étais un bon amant, je ne veux point que ma reine soit déçue.

Denys me lança un regard étrange fait à la fois d'admiration, de désir et de fascination. Il savait que je n'étais pas comme les autres, et, au fil des jours, nous devenions complices au-delà de ce qu'il imaginait possible entre une femme et un homme qui ne sont pas des amants. Il se demanda sans doute, cette nuit-là, jusqu'où je pouvais aller !

Il se contenta de bredouiller un merci que je feignis de ne pas entendre. Aliénor s'impatientait de mon absence, je le devinais au froissement des draps de l'autre côté. Soulevant de nouveau la tenture, je la rejoignis. Le plancher grinça sous mes pas, et un soupir me parvint. J'écartai délicatement les couvertures et, m'agenouillant au-dessus de son ventre, ponctuai de baisers son buste impatient.

— Que faisais-tu donc ? murmura-t-elle.

— Rien qui te déplaise, ma reine.

Lorsque ma bouche écarta ses cuisses, toutes les questions qu'elle pouvait se poser se noyèrent dans un flot de plaisir. Elle n'entendit pas Denys approcher ni ne se choqua de sentir d'autres mains sur elle.

Denys me remplaça habilement. À un moment, ses doigts effleurèrent ma peau et me brûlèrent. Ce fut pour moi le signal du départ. Ma chair trop longtemps oubliée réclamait ce sexe dressé que je devinais dans l'ombre. Je m'écartai de lui, d'eux, ramassai le châle qu'Aliénor avait fait glisser de mes épaules. J'avais le ventre en feu. Mais ma place n'était plus là. J'appartenais à Jaufré. L'oublier même pour une heure revenait à me perdre. J'aimais bien trop Denys et Aliénor pour participer à leurs ébats. J'attendais autre chose de leur communion, autre chose qui ne devait en rien m'inclure. Je m'éclipsai vers l'antichambre où je m'enroulai dans une couverture et, bercée par les gémissements d'Aliénor, je m'endormis à même le sol devant l'âtre flamboyant. Dans ma tête chantait une voix dont je ne connaissais que trop bien le timbre.

Jamais je n'avais vu Aliénor aussi épanouie. Dès le lendemain de cette nuit mémorable, elle me confia qu'il n'y avait aucune commune mesure entre Denys et Louis, et que je lui avais fait un présent royal. Je ne renouvelai pas ma requête à propos de Jaufré. C'était inutile. Ces simples mots m'avaient suffi à comprendre qu'elle était accordée. Un messager de Blaye débula à bride abattue la semaine suivante. Jaufré se disait honoré d'accepter l'invitation de la reine et annonçait son arrivée. Jamais nouvelle ne me bouleversa autant. C'était comme si chaque fibre de mon corps se nourrissait soudain du moindre souffle de vent qui nous rapprochait ! Pour ajouter à cela, Denys affichait au fond des yeux une étoile pétillante que je ne lui connaissais pas. Il m'avait gratifiée d'un baiser sur le front la première fois que nous nous étions retrouvés seuls, quelques heures seulement après ses ébats royaux. « Je t'aime, petite fée ! » avait-il dit avant de s'enfuir en riant comme un enfant. J'étais restée les bras ballants. Il y avait tant de façons d'aimer, m'avaient appris Merlin et mère. Tant de façons qui généraient tant de joie ! J'étais heureuse.

Deux semaines plus tard, Jaufré arrivait au palais de la Cité avec Panperd'hu et un jeune troubadour de notre âge, Bernard de Ventadour, qui passait pour avoir séduit la comtesse pour laquelle ses parents travaillaient et dont la réputation avait amusé Aliénor. Le mari jaloux n'était aucunement fâché que son protégé aille chanter sous d'autres cieux. Ce qu'il comptait faire céans.

Mes retrouvailles avec mon aimé furent encore plus douces que je ne l'espérais. Je lui appris tout ce qui s'était passé depuis mon départ de Blaye et lui me raconta combien il lui avait été difficile de vivre chaque instant sans mon parfum sur l'oreiller. Il avait composé de nouvelles chansons, nostalgiques et lointaines, et je ne pouvais m'empêcher de frémir chaque fois que ses longs doigts osseux faisaient chanter les cordes de sa cithare. Oui, j'étais heureuse. Délicieusement, éperdument heureuse !

À quelque temps de là, un courrier annonça que l'Aquitaine était calmée et la paix revenue. Suger, chargé de l'intendance pendant l'absence de Louis, faisait de fréquentes visites au palais. À chacune d'elles, il se montrait souriant et affable. Béatrice, émoustillée à l'idée du retour du roi, avait retrouvé son éclat auprès des dames de compagnie que la longueur des jours ramenait vers les jardins. Même si elle avait perdu de son charme auprès de la reine, il lui restait suffisamment de charisme pour enjôler la cour et nombre de ces bécasses assorties de beaux damoiseaux s'y laissaient prendre. Je me réjouissais en secret du fait que, las d'espérer d'elle autre chose que du mépris, le comte de Flandres avait jeté son dévolu sur la demi-sœur de Geoffroi le Bel, Sibylle d'Anjou. C'était une compagne agréable de figure et d'allant, bien qu'un peu effacée et craintive. Je l'avais vue à plusieurs reprises en Anjou, et la retrouver à la cour où elle nous avait rejoints depuis Pentecôte m'avait rapprochée un peu de mon enfance et des miens. Nous nous entendions à merveille. Et si l'on raillait souvent ses petits cris apeurés, beaucoup parmi ces dames et ces damoiseaux la considéraient comme la meilleure amie du monde, tant elle se coupait en quatre pour être aimable et agréable avec tous. Qu'elle ait par ces attraits volé à Béatrice son chevalier le plus servant m'amusait d'autant plus que cette dernière en était verte de jalousie. C'était pour sa petite personne prétentieuse et maligne un retour de bâton divinement savoureux !

Cette période de clémence et d'euphorie cessa avec le retour du roi. Aliénor dut prendre garde à masquer sa liaison. Elle joua finement, assurant le roi que ses yeux pétillants et ses joues rosées étaient dus à sa présence, tant elle avait souffert d'être séparée de lui. Louis sembla s'y laisser prendre. Dans le même temps, un messager de mère m'annonça de mauvaises nouvelles : les chevaliers du Christ étendaient leurs possessions en Aquitaine et Étienne de Blois s'en faisait des alliés fidèles. J'avais du mal à comprendre comment il y parvenait. Ce sot dévoré d'ambition et de lucre trahissait, pour satisfaire ses alliés, les prélats et barons anglais qui servaient sa cause.

Sous le prétexte de bénéficier d'une armée divine, il leur arrachait des domaines et n'hésitait pas à les faire s'opposer pour récupérer leurs terres. Mathilde comptait les points, renforçait ses alliances en Normandie et, poussée par mère, tentait de son mieux de barrer la route à l'ordre sur ses deux duchés. Plusieurs de ses messages avaient été interceptés et l'on savait à présent que mon rôle n'allait pas dans le sens des intérêts du

Temple. Je devais redoubler de vigilance. Ce n'était pas chose facile, car Jaufré me remplissait le cœur et m'attendrissait.

Depuis le retour de Louis, je veillais à ce qu'Aliénor se montre de plus en plus capricieuse et autoritaire. Ce n'était pas difficile compte tenu de ses aptitudes naturelles ! Son appétit charnel apaisé par Denys dès lors que Louis sortait de sa couche, elle entendait de nouveau prendre part aux décisions royales, s'opposait de ce fait à Suger et continuait d'exiger la libération du vicomte de Thouars que le roi s'obstinait à garder pour conforter son autorité en Aquitaine. Elle ne pouvait admettre que l'un des siens soit privé de sa terre, d'autant plus que le vieux vicomte de Vertheuil était un proche de son père et que son fils avait agi par défi et par peur davantage que par haine. Louis, cependant, n'aimait pas qu'on le provoque, pas plus qu'il n'aimait ce qu'Aliénor avait fait du palais de la Cité. Chaque jour, jongleurs, troubadours, bateleurs de toute espèce emplissaient les rues de la vieille ville, ainsi que les cours et les salles du palais redécorées de couleurs chatoyantes.

Béatrice voyait tout cela d'un œil mauvais. Aliénor ne s'intéressait plus à sa personne malgré les efforts visibles qu'elle faisait pour s'infiltrer dans notre intimité, et, plus elle me détestait d'être revenue, plus elle se heurtait au fait que beaucoup m'appréciaient. J'avais su me rendre indispensable grâce à ma connaissance des simples et des pigments pour les teintures. J'écoutais avec application ce qu'on me confiait sans divulguer rien alentour ; souvent même, ces dames suivaient mes conseils et s'en félicitaient. Béatrice n'avait d'autre talent que sa fourberie et sa trop grande, trop éclatante beauté. L'attention dont me couvait Jaufré la rendait malade, je le devinais à chacun de ses regards incendiaires, au ton de sa voix qui cherchait à blesser sous des dehors mielleux. Cette damoiselle était un véritable poison. Pour comble à son malheur, malgré l'amour qu'elle portait au roi, celui-ci la voyait à peine, et, si l'on sentait que son visage de madone attirait son regard, c'était le plus souvent un de ces regards vides dont on ignorait véritablement le fondement. Pour donner un sens à son existence désespérément creuse, elle décida qu'il était temps pour elle de se frayer une place en son cœur, si près de Dieu qu'elle en deviendrait l'image.

Les beaux jours s'allongeant, tout ce petit monde se déplaça à Saint-Germain pour de grands pique-niques sur une herbe tendre. Les dames ramassaient à tour de bras les fleurs d'acacia, si savoureuses en beignets, et des plantes aromatiques qu'elles frottaient à même leur peau pour se parfumer.

Loin du bruit, de la musique et des rires, le jeune roi, qui n'avait jusqu'alors goûté que le paisible roulement de la Seine et quelques divertissements de bon ton, voyait dans tout ce luxe dispensé par la reine une sorte de provocation à ses vêtements et son allure de moine. Tout cela lui déplaisait. Les fêtes des îles et des saints patrons n'avaient jamais été aussi somptueuses et faisaient penser davantage à des festivités païennes, malgré les processions, qu'à des cérémonies religieuses.

Louis se réfugiait donc dans *sa* chapelle dès qu'il revenait de la chasse au faucon ou à courre avec les chiens qu'on lui avait offerts selon cette toute nouvelle mode. Les dames faisaient partie de l'équipage lors de la battue au renard, donnant une allure de désordre joyeux à ce qui était d'ordinaire une affaire d'hommes.

Bref, ce tapage ne cessait que dans la lumière feutrée des vitraux cloisonnés d'étain de la maison de Dieu. Il y croisait de plus en plus souvent Béatrice de Campan, qu'il se prenait à regarder à la dérobée. Le visage souriant de la Vierge à l'Enfant rayonnait de toute sa sainteté dans sa niche de marbre à quelques pas de la jeune femme, et Louis trouvait une certaine similitude à la douceur de leur expression. Parfois, Béatrice tournait son charmant sourire vers le regard admiratif du roi et il se troublait de la voir paisible et sereine. Il aimait sa compagnie si reposante.

Peu à peu, il commença de regretter les jours marqués de son absence. D'autant plus que, lorsqu'il avait l'occasion d'échanger quelques propos avec elle, il s'étonnait toujours de l'entendre reprocher à Aliénor son attitude hautaine vis-à-vis de lui et son goût du luxe. Pour autant que Béatrice brillât par ses toilettes, celles-ci conservaient une certaine sobriété, sa beauté et sa grâce naturelle suffisant amplement à faire se retourner sur son passage les regards des plus exigeants.

Finement, Béatrice dénigrait Aliénor tout en feignant de l'aimer, ce qui déconcertait Louis autant que cela le rassurait. Comme il était réconfortant de trouver quelqu'un qui le comprenait ! Quant à cette contradiction, il l'attribuait à son peu d'expérience des femmes et n'y voyait aucune malice. Une seule chose prévalait : grâce à la présence de Béatrice, il se sentait bien moins seul.

Quan lo rius de la fontana
S'esclarzis, si com far sol
E par la flors aiglentina
E'l rossinholetz el ram
Volf e refranh et aplana
Son dous chantar et afina,
Dreitz es qu'ieu lo mieu refranha.

« Quand l'eau de la fontaine
Devient plus limpide, comme cela arrive
Quand naît la fleur de l'églantier
Et que le rossignol sur la branche répète,
Module, roule et affine sa douce chanson,
Il est bien juste que je reprenne la mienne. »

— Encore, messire Rudel, encore ! implora Sibylle d'Anjou en battant des mains.

Mais Aliénor, qui régissait la cour d'amour, décida du contraire. Un jeune troubadour nommé

Bertrand de Born se pliait aux caprices de ces dames et s'apprêtait à subir la dernière épreuve.

Les yeux bandés, on le fit tourner sur lui-même, pour le laisser enfin à genoux au milieu de la pièce dans le plus grand silence. Lors, tour à tour, les dames s'approchèrent et frôlèrent du bas de leur jupe les mains tendues du jeune homme. À ce simple contact, il devait reconnaître les atours de son aimée ; s'il réussissait, celle-ci acceptait d'être sa « dame » et qu'il se meure d'amour pour elle comme elle se mourait d'amour pour lui.

Chacune retint son souffle lorsque, majestueuse, Mélissinde de Bourgogne s'avança, le cœur battant. C'était elle qui recevait les faveurs du troubadour, malgré son mariage avec le vieux duc de Bourgogne. Le trouble qu'elle affichait suffit-il à capturer l'âme sensible de Bertrand ? Aussitôt après son passage, il lança d'une voix émue :

— Je n'en veux point d'autre que celle-ci, à mon cœur et pour toujours.

Mélissinde de Bourgogne manqua s'évanouir de bonheur. Aliénor laissa retomber le murmure qui avait couru dans l'assistance, puis s'exclama :

— Qu'on libère messire Bertrand !

Immédiatement, un page lui ôta son bandeau des yeux, et il chercha l'élue de son cœur qui, assise auprès d'Aliénor, regardait le bas de sa jupe, un fard haut placé sur les pommettes saillantes.

— Approchez.

Le jeune homme s'avança devant Aliénor. Je le devinai tremblant sous son apparente tranquillité.

— Tendez votre main gauche, mon ami, susurra la reine.

Elle déposa dans la paume ouverte celle frémissante de Mélissinde :

— Voici celle que vous avez choisie.

Bertrand de Born se prosterna devant sa belle. Puis récita d'une voix vibrante :

— Je jure par Dieu de vous être fidèle, ma dame, jusqu'à ma mort ou jusqu'à ce triste moment où vous me retirerez votre serment. Que jamais aucune autre ne sera ma muse et que désormais seuls vos moindres désirs seront ma quête et mon bonheur.

Mélissinde de Bourgogne, tremblante telle une feuille d'automne, murmura à son tour :

— Et moi je fais serment, messire, de vous aimer pour votre mérite jusqu'à ce que la mort nous sépare.

Les dames alentour, émues, essuyèrent d'un revers de mouchoir une larme au coin de leurs paupières. Aliénor posa avec tendresse sa main sur celle des amants, puis s'adressa à Jaufré, amoureusement assis à mes pieds sur un coussin de velours :

— À présent, faites-nous le plaisir d'une chanson, messire.

Jaufré pinça quelques cordes de sa mandore, se racla la gorge et annonça :

— Oyez, oyez, gentes damoiselles et beaux damoiseaux, cette chanson qui célèbre celle dont mon cœur est épris…

Il allait entamer sa complainte lorsque la voix d'Aliénor l'interrompit.

— Un instant.

Un page venait d'entrer et murmurait quelques phrases à l'oreille de la reine. Il tenait un bref de parchemin dans sa main gauche. Aliénor acquiesça du menton et l'homme présenta le courrier à Jaufré, tandis qu'Aliénor commentait déjà :

— De sombres nouvelles de Blaye viennent d'arriver, mon ami. Il semble que vos terres soient menacées.

Jaufré blêmit. Il posa sa mandore à terre et décacheta le parchemin : le seigneur du Vitrezais voulait s'approprier la Comtau et assiégeait la ville haute. Le message était de son administrateur, qui comptait sur son prompt retour pour des négociations.

Jaufré laissa s'enrouler le papier sur son poing, puis, triste et rageur à la fois, déclara d'une voix éteinte :

— Je dois partir sur l'heure, Votre Majesté.

— Faites, mon ami. Et revenez sitôt que vous le pourrez.

Je n'osai parler, un étau m'enserrait la poitrine. Que pouvais-je face à son devoir quand je savais le poids du mien ?

Quelques heures plus tard, j'accompagnai Jaufré aux berges du Grand Châtelet. Nous n'avions pas échangé un mot. Il m'avait prise dans un angle de mur au sortir de la salle de musique, tel un animal qui dévore sa proie, puis, par honte et crainte sans doute de sa faiblesse, m'avait laissée me rajuster seule. J'avais le cœur et le ventre écartelés entre mes larmes et le plaisir.

Il m'embrassa goulûment, l'esprit déjà là-bas, puis tourna la bride de son cheval et partit au galop. Les mains en porte-voix, gonflant le souffle du vent dans ma poitrine d'orage, je hurlai : « Je t'aime ! » sur ses traces.

Un mois plus tard, le 20 juin 1138, Mélissinde de Bourgogne libérait Bertrand de Born de son serment, lors d'une battue au sanglier. Apeuré par la bête énorme que les chiens avaient talonnée, son cheval se cabra, la précipitant à terre. Le temps d'intervenir et de piquer à l'arbalète les flancs lourds de l'animal, Mélissinde gisait sans vie, le visage déchiqueté par la bête. J'en frémis de la tête aux pieds, un goût de sang dans la bouche, comme un mauvais présage pour demain.

11

— M'aimez-vous, Louis ?

— Comme un sot, comme un fou.

Aliénor poussa un soupir de satisfaction et, roulant ses mains sous sa nuque, laissa courir ses yeux sur le plafond orné de fleurs de lys bleues rehaussées de feuilles d'or. Louis passa tendrement une main blanche sur les seins fermes, admirant le visage de son épouse dans la lueur blafarde du jour qui pointait au travers du papier huilé de la fenêtre de la chambre.

Il était heureux. Depuis quelques mois, Aliénor avait changé à son égard, elle était douce, enjouée, radieuse, paraissait mieux comprendre ses besoins et peu à peu l'avait ramené vers sa couche, où il découvrait l'amour, non comme aux premiers émois de leur mariage mais comme une communion sensuelle, puissante.

La raison en était qu'en cet automne 1138 Aliénor ne portait toujours pas d'enfant et qu'elle craignait, malgré la potion que je lui fournissais, d'être devenue stérile. Et puis elle avait trouvé un nouveau jeu.

J'avais fini par lui faire entendre raison. Aliénor cognait de front contre les obstacles quand il suffisait pour passer de les contourner. L'expérience de cette dernière année lui avait montré qu'il ne naissait rien de bon de ses sautes d'humeur et que, chaque fois, elle trouvait en face d'elle Suger, derrière lequel Louis se réfugiait.

Bien que prodigieusement têtue, Aliénor était intelligente, et c'était sur cette intelligence que je comptais. J'entrepris tout d'abord de lui montrer les manigances de Béatrice, m'arrangeant pour qu'au cours de nos promenades ou de nos jeux nous la croisions en compagnie de Suger ou de Louis à plusieurs reprises. Au début, Aliénor ne soupçonna rien, encore sous le charme de la « sainte » ; puis, à mes allusions, elle commença de se poser des questions. Comment se faisait-il que l'abbé connaisse toujours ses intentions ? Des indiscrétions m'apprirent leurs liens anciens. J'en fis aussitôt état à la reine. Dès lors, Béatrice fut écartée gentiment de ses faveurs. Adélaïde de Savoie intriguait auprès du roi contre sa belle-fille ? Qu'à cela ne tienne. Je fis intercepter un bref à l'attention du conseiller Raoul de Crécy dans lequel elle lui dictait ses directives à propos de certaine affaire. Aliénor la fit venir dans son cabinet et lui recommanda de se retirer sur ses terres et d'épouser ce petit seigneur de Montmorency, bel homme fort courtois qui était épris d'elle, sous peine de voir certain billet arriver entre les mains d'un roi peu enclin à admettre que sa propre mère lui soit hostile. Adélaïde n'insista pas. L'on conseilla de même à Raoul de Crécy d'aller pour quelque temps visiter ses terres.

On prit pour excuse un incident mineur : Adélaïde comme Raoul avaient refusé d'acquitter leur écot pour les dépenses royales. Avec toutes les transformations du palais qu'Aliénor avait effectuées, du remplacement des cheminées à l'agrandissement des fenêtres, la facture était lourde et, ainsi qu'il était de coutume, les grands du royaume devaient payer. Et encore, Aliénor voulait des vitres comme en Aquitaine, mais elles lui furent refusées par Suger.

À nouveau, elle m'écouta. S'il ne restait que Suger pour lui faire des misères, il fallait le moucher. Mieux, le remplacer. Louis ne demandait au fond qu'à se laisser aller à l'amour qu'il portait à son épouse depuis leur rencontre. Et Aliénor aimait le pouvoir. Elle l'obtint.

Il lui fallut moins d'une année pour que le roi redevienne soumis et docile comme un agneau. Aliénor n'intervenait plus dans le cabinet des ministres, elle lançait sur l'oreiller des questions pour « causer et montrer son intérêt ». Louis parlait, confiait à son oreille attentive ses craintes et ses doutes, et Aliénor suggérait sans en avoir l'air, ponctuant d'un « je vous dis cela, mais sans doute ai-je tort », qui laissait Louis songeur. Au matin, il défendait pourtant l'avis de son épouse comme étant le sien. Au fil des mois, Suger fut de moins en moins souvent appelé au palais pour ses précieux conseils. L'abbé ne s'en offusqua pas, mais il commit une erreur de tactique, celle de croire qu'Aliénor faisait cela dans le but de garder Louis et donc de sa propre initiative. S'il savait désormais, j'en étais convaincue, que ma mission était de contrarier le couple royal, il n'imaginait en aucun cas que je puisse être aussi influente auprès de la reine. Moi aussi, j'avais appris à dissimuler !

Il restait cependant Thierry Galeran, déjà fidèle serviteur de Louis le Gros. S'il s'était jusqu'alors fait tout petit, il avait acquis ces derniers mois une place redoutable auprès du roi. Je n'étais pas loin de penser que, ne pouvant plus utiliser véritablement Béatrice, Suger avait fait pression sur ce vieil homme pour qu'il devienne son oreille à la cour. Il était facile de comprendre combien il leur était profitable de lutter ensemble contre la reine. S'unir pour mieux diviser était un usage vieux comme le monde ! Pourtant, lui aussi avait une faiblesse. Je fis remarquer à Aliénor que l'on pouvait difficilement faire confiance à un eunuque. Cruel certes, mais une fois encore je n'avais pas le choix. Après une petite enquête, Aliénor se fit un plaisir de moucher à l'envi le vieil homme, par des plaisanteries fines qui répandirent à la vitesse d'un éclair son triste état et le déconsidérèrent auprès de nombreuses personnes. S'il s'opposait aux suggestions d'Aliénor, c'était par pure méconnaissance des femmes ! Voire par muflerie et jalousie, Aliénor et Louis s'aimaient tant !

En vérité, Aliénor aimait surtout Denys, qui lui apportait quelques compensations aux déficiences du roi.

Somme toute, tout allait pour le mieux. J'envoyai une colombe à mère, qui conforta mon initiative. Mathilde reprenait du terrain sur Étienne de Blois, et il était bon que Suger soit écarté.

Il me restait une chose à faire à présent. Jouer avec la susceptibilité d'Aliénor. Elle n'avait soutenu les barons aquitains que pour tenir tête à Suger et au roi dans un temps où on l'empêchait de donner son mot. Elle demanda la libération du vicomte de Thouars comme une faveur à Louis et, devant leur nouvelle entente, Louis l'accorda. En échange, Aliénor réduisit les dépenses du royaume en limitant les festivités.

— Quand me ferez-vous le bonheur d'un enfant ?

La question était venue naturellement, tandis que Louis jouait avec la pointe du sein durci par ses caresses. Aliénor blêmit. Un instant, la vision d'une tête grosse comme son poing tétant ce même bout passa devant ses yeux.

Elle répondit cependant d'une voix enjouée :

— Bientôt, sans doute. Notre amour ne saurait à présent nous priver de cette joie.

— Il me faut un fils, Aliénor.

— Demandez à Dieu de nous le donner, Louis. Les fêtes de Noël approchent. Je voudrais pouvoir porter mon ventre comme un présent.

— Je vais prier pour cela, mais avant…

Il glissa sa main dans l'échancrure des cuisses pour les ouvrir davantage et, appuyant son corps frêle sur celui d'Aliénor, la fit sienne pour la seconde fois de la nuit.

— Que te dire ? On m'avait assuré de son efficacité. Peut-être est-ce trop tard déjà.

— Il me faut un enfant, Loanna !

Elle tapa d'un poing rageur sur le bureau, puis explosa en colère contre elle-même :

— Quelle sotte ! Pourquoi n'ai-je pas mis au monde cet enfant de Raymond au lieu de le faire mourir dans mon ventre. Il aurait suffi de le confier à quelque institution et aujourd'hui je porterais un futur roi !

— Allons, calme-toi !

Aliénor se tordait les mains, soucieuse. Je les lui pris et l'attirai contre ma poitrine. Il fallait changer ma stratégie. Au terme de dix-huit mois de mariage, Aliénor n'avait encore porté aucun enfant, cela commençait à attirer les soupçons. Or, si Aliénor ne devait pas mettre au monde de garçon, cela ne devait pas l'empêcher dans un premier temps d'avoir le gros ventre. Il suffisait que ses grossesses n'arrivent pas à terme. Je l'écartai doucement en la prenant par les épaules. Ses yeux étaient rougis de larmes.

— Écoute. Peut-être cet élixir ne vaut-il rien. Il est sur la rive droite, dans les bois, une vieille femme qu'on prétend sorcière. Je m'en irai la visiter et lui demander conseil, veux-tu ?

— Je t'accompagne.

— Grand Dieu, non ! Que penserait-on si l'on te reconnaissait ? Tu as des ennemis, Aliénor, qui auraient tôt fait d'acheter cette femme pour savoir les raisons de ta visite. Laisse-moi faire. T'ai-je déjà trahie ?

— Non, non, tu as raison. Mais va ! Je dois porter un enfant pour Noël.

— Je te le promets, ma reine.

La sorcière me donna une décoction qui avait, ma foi, quelques propriétés et je profitai de mon passage dans les bois alentour pour ramasser de l'*artemis vulgaris* que je savais trouver au creux des chemins. Bien au secret de ma chambre, je confectionnai à mon tour une poudre que, le moment venu, j'ajouterais au mélange pour provoquer une fausse couche. Jusque-là, Aliénor porterait l'enfant de Louis…

Cela se passa ainsi. Le ventre tendu sous sa robe, chacun put voir la jeune reine sourire avec bonheur au bras de son époux radieux pour la veillée de Noël 1138 à Bourges.

Aliénor était folle de rage. Louis venait d'entrer dans sa chambre pour lui apprendre que les Poitevins, à l'exemple des Orléanais, s'étaient, quelques semaines plus tôt, constitués en commune et soulevaient d'autres places fortes autour de Poitiers.

— Ils occupent le palais, dites-vous ?

— En effet, ma dame.

— Quelle insolence ! Je ne puis l'admettre, Louis, vous m'entendez !

— Simple querelle, ma mie, que nous réglerons vite.

— Vous ne comprenez pas, Louis, on ne touche pas impunément à la demeure des ducs d'Aquitaine ! De plus, c'est une atteinte à votre prestige autant qu'au mien.

L'œil de Louis s'alluma. Il n'avait pas envisagé la question de la sorte. Pourtant, à l'évidence, c'était son autorité qu'on bravait.

— J'enverrai quelques troupes.

Aliénor cogna violemment de son poing fermé le plateau de sa coiffeuse.

— Que les gens de Thibault de Champagne vous accompagnent !

— Est-ce nécessaire ? s'enquit prudemment le roi, que ce geste de colère avait surpris.

— Je vous veux à la tête d'une armée, Louis, et je veux celle de ces fomentateurs de révolte.

Louis écarquilla les yeux. Jamais encore, il n'avait vu Aliénor éprouver pareille haine, surtout envers ses gens. C'était décidé, il lui offrirait sa victoire.

Thibault de Champagne, duquel le roi s'était rapproché depuis le départ de Raoul de Crécy, ne se laissa pas convaincre. Louis pouvait fort bien se passer de ses hommes. Il n'y avait à son sentiment aucune raison de provoquer pareil déménagement. Ce n'est qu'en avril 1139 que Louis, avec une troupe de deux cents cavaliers, partit pour Poitiers, tandis qu'Aliénor, rongée par la rage, se faisait un allié en la personne d'un jeune clerc berrichon nommé Cadurc, fort savant et bel homme, qui avait l'avantage certain de la trouver parfaite.

Devant la colère de Louis, les Poitevins n'opposèrent aucune révolte et le palais fut libéré sans que la moindre goutte de sang fût versée. Ce n'était pas suffisant pour la reine. Louis obtempéra. À contrecœur, il désigna de jeunes otages parmi les familles les plus importantes et les exila de part et d'autre du royaume, soulevant une clameur réprobatrice à travers le royaume. C'est alors que Suger intervint. Sans prévenir. Lui qui s'était jusque-là abstenu de participer au débat fronça le sourcil en apprenant la nouvelle. Bien qu'occupé à préparer les fêtes de Pâques, il fonça vers Poitiers.

Autant dire que cela agaça Aliénor. Suger n'eut qu'à sermonner en brandissant la volonté de Dieu, et Louis l'enfant de l'Église, Louis le prêtre-roi, s'agenouilla devant son confesseur et demanda pardon. Dès le lendemain de l'arrivée de Suger, la sentence était levée et les jeunes gens réintégraient leurs familles. Non seulement Louis matait la révolte, mais il attirait soudain une sympathie que sa clémence auréolait de panache. Blotti dans le sillage de Suger, comme un jouvenceau cachant sa faiblesse, il revint vers Aliénor la tête basse.

Son épouse le reçut dans une mare de sang. Elle venait de perdre son enfant. Un fils.

Elle était livide et accusatrice. Louis l'avait contrariée. Louis n'avait pas vengé son honneur. Louis avait menti. Et, plus encore, Louis s'était trompé ! Dieu avait rejeté sa clémence. Sinon comment expliquer cette fausse couche ? Bouleversé, le roi ne trouva rien à répondre. Le doute était en lui. Il n'était pas responsable. C'était Suger qui avait été l'instrument de Dieu. Suger s'était trompé. Il l'avait trompé. Mais ne l'avait-il pas fait de bonne foi ? Dieu n'est que pardon, disent les saintes Écritures. Où était la vérité de Dieu ? Chaque fois qu'il en arrivait à cette question, il avait devant les yeux l'image de ce fœtus ensanglanté.

Il ne sut que pleurer au chevet de sa reine. Mais Aliénor ne lui accorda aucun regard de pitié. Pour la première fois de sa vie, elle avait au cœur une haine qui eût noyé Paris dans le même sang que celui de sa propre chair.

Quelque temps plus tard, sans doute pour tenter d'éclairer un peu le visage fermé de son épouse, Louis écarta Suger de la cour, et Cadurc fut promu à de hauts titres et prébendes afférentes.

Lors de plusieurs débats théologiques dans les vergers du palais, je me liai d'amitié avec un jeune clerc nommé Thomas Becket, qui, venu d'Angleterre pour étudier en l'île de la Cité, me donnait des nouvelles régulières : Mathilde gagnait du terrain de jour en jour et, à son avis, ne tarderait pas à reprendre la couronne. Il était l'allié de la maison d'Anjou et me servit de relais avec la Normandie, où ma marraine s'était implantée pour mieux diriger les opérations. J'appris donc de vive voix qu'Henri n'avait rien perdu de son mauvais caractère, bien au contraire. Âgé maintenant de six ans, il épouvantait frère Briscaut, qui avait manqué faire un coup de sang à la suite d'une de ses espiègleries. Pour se venger d'une punition méritée qui l'avait laissé en pénitence plusieurs heures agenouillé sur le froid des pierres de l'église, le chérubin en avait ouvert les portes à une escouade de cochons agacés par les flammes d'une torche. Attiré par le vacarme, l'abbé avait trouvé son église souillée et ravagée par les animaux aux hurlements stridents. Henri avait reçu une abondante bastonnade sans même froncer les sourcils, son regard noir dans celui de l'abbé qui s'en signa d'effroi.

Cette anecdote me fit rire aux éclats tant j'imaginais la face cramoisie de ce bon vieux frère Briscaut aux prises avec ce petit monstre. Thomas Becket avec son accent merveilleux me gronda. Henri avait bravé l'Église ! Un pressentiment me donna envie de lui dire que ce ne serait sans doute pas la dernière fois mais je m'abstins. Un jour, ces deux hommes s'affronteraient, je le sentais, mais pour l'heure Henri était tel que je l'avais deviné, un enfanteau plein de vie et d'imagination. Plus têtu encore que son père. Son union avec Aliénor ne manquerait pas de me donner du fil à retordre !

La compagnie de Thomas Becket me plaisait et me faisait du bien. Outre ce sujet, nous parlions souvent philosophie, et la mienne, tirée de l'enseignement de mère et de Merlin, lui faisait hocher la tête. Si Thomas Becket était un prêtre, sa foi pure et vraie rendait à l'homme une dignité indiscutable. Il n'était pas d'accord avec certains us de son Église, refusant pour lui-même toute richesse. Ses sandales étaient usées jusqu'à la corde et sa bure simple laissait voir quelques trous aux manches et aux chevilles. Il m'appelait débonnairement et sans malice sa « petite païenne », ce à quoi je répliquais que j'étais aussi catholique que lui-même. S'il n'avait aucune raison d'en douter, certaines de mes réponses concernant mon éducation le laissaient songeur. Depuis qu'il connaissait le frère Briscaut, il avait peine à croire qu'il ait pu m'inculquer tout ce que je savais. Pour éviter les oreilles indiscrètes de Béatrice qui sans relâche traînait aux alentours, nous échangions souvent en gallois, que j'avais appris de mère, et je retrouvais un peu de mon enfance pendant ces moments partagés.

Je recevais fréquemment des nouvelles de Blaye. Jaufré me manquait, et cependant j'étais soulagée qu'il ne fût pas à mes côtés. C'était une de ces contradictions qui bouillonnaient dans ma tête. Je me nourrissais de son absence, de la certitude de son amour. Cela aiguisait mes sens, les laissant en alerte. Lorsqu'il était près de moi, je baignais dans une torpeur béate qui me rendait vulnérable. Je l'avais déjà appris à mes dépens. Amour et devoir ne faisaient point bon ménage. Mon esprit était bien trop occupé à déjouer les manigances qui planaient à la cour pour s'abandonner.

Je me contentais de ses courriers. Ils m'apportaient une bouffée de large, de lys et d'orangers. Une bouffée de bonheur. Rétablir la paix dans ses terres n'avait pas été chose facile. Limitrophe du pays vitrezais, la Comtau attisait la convoitise de son jeune seigneur impétueux, héritier récent d'un bonhomme pacifique. Jaufré s'entendait bien avec le vieillard et, de fait, laissait souvent les riverains s'aventurer sur ses terres. La Comtau était d'une telle richesse qu'on pouvait y vivre en nombre sans qu'aucun y perde. Son fils n'était pas du même avis. Il voulait tout. Pour lui seul. Il était de ces jeunes fougueux qui ne songeaient qu'à brûler, piller et massacrer, user du vice comme d'une vertu et travailler à leur seule gloire. À son arrivée, Jaufré avait trouvé la ville haute assiégée par une centaine d'hommes, les abbayes pillées et les gens réfugiés à l'intérieur de l'enceinte fortifiée. Lui-même n'avait dû son salut qu'à l'existence d'un souterrain qui partait de l'hospice des pèlerins de Compostelle à Saint-Martin et menait droit au château.

Jaufré ne voulait pas la guerre, mais non plus renoncer à son bien. Le siège dura huit mois, pendant lesquels la ville haute fut ravitaillée par le fleuve, grâce à un autre souterrain, invisible depuis la terre, qui s'ouvrait à marée basse au pied de la falaise. Le seigneur du Vitrezais ne pouvait y avoir accès. Jaufré se félicitait chaque jour que son assaillant fût si sot ! Grâce à ce stratagème, la ville pouvait tenir. Le seigneur du Vitrezais menaça de raser les faubourgs, embrasa le quartier Saint-Sauveur dont les gens avaient fui, mais Jaufré ne céda pas. La ville haute était imprenable.

Finalement, Jaufré se résigna à l'offensive. Il informa son suzerain et cousin Guilhem IV d'Angoulême, afin qu'il lui donne toute légitimité. Jaufré avait un jeune frère, Gérard, avec lequel il était brouillé et qui séjournait depuis quelques années à la cour d'Angoulême. À plusieurs reprises, Jaufré avait souhaité qu'il revienne à Blaye et le seconde tandis qu'il serait en route et en chemin. Cette fois encore, il l'appela à oublier leurs différends pour s'unir et préserver leur terre. Guilhem IV donna tout pouvoir à Jaufré pour régler ses affaires, mais Gérard ne vint pas. Lors, Jaufré se résolut à faire appel à son ami de toujours : Uc le Brun, seigneur de Lusignan.

Belliqueux et sans pitié, son compère régla vite la question. Il reconduisit les assiégeants à leurs frontières, non sans avoir décousu par l'épée ce bruyant voisin. Son cadet se montra plus raisonnable, s'arrangea des accords passés, mais Jaufré sentait bien que la menace persisterait. Ce sang bouillonnant ne rêvait que de conquêtes.

Rien ne put disperser sa tristesse devant les amas de pierres et de cendres. Blaye de nouveau était détruite, souillée, salie. Il fallait reconstruire. Dans un même élan, chacun se mit à l'ouvrage. Jaufré veilla à ce que tout rentrât dans l'ordre. Il était comme sa terre : meurtri. D'autant plus que, Gérard ayant refusé de revenir, il ne pouvait quitter ses gens pour me rejoindre. Malgré ses occupations, il se languissait de moi.

Nous entrions dans les premières chaleurs de ce mois de juin 1139. Depuis sa fausse couche, Aliénor demeurait fiévreuse au lever et avait perdu l'appétit. Elle ruminait sa rancœur comme un poison et cherchait à se venger de Suger qu'elle tenait pour responsable de l'accident. Pis, elle refusait toute caresse et avait congédié Denys, qui traînait sa peine comme un fardeau et passait ses journées en des entraînements épuisants à l'épée ou à la lance pour ensuite s'opposer aux tournois. Même à ceux-ci — il y en avait eu deux depuis Pâques —, la reine ne venait pas.

Louis ne savait que faire pour se racheter et craignait d'avoir perdu l'estime de son épouse avec le fils qu'elle avait porté.

Je passais donc une grande part de mes journées à essayer de la distraire tandis que Thomas Becket suivait avec intérêt les cours de ses maîtres. Comment en l'occurrence, occupée que j'étais à lui rendre le goût des choses et surtout de l'amour dont elle avait grand besoin, aurais-je pu m'inquiéter de ne plus recevoir de nouvelles de Blaye ?

Cela dura quelques mois. Aliénor ne décolérait pas. Seul Cadurc était autorisé à la voir. L'abbé lui conseillait la prière et lui lisait quelques passages de la Bible.

Ce matin-là, il s'annonça après l'office. Aliénor, victime d'un malaise, n'avait pu y assister. Je l'avais laissée depuis Pâques aux soins de l'apothicaire du palais mais, sa santé ne s'améliorant pas, j'avais décidé la veille au soir de prendre les choses en main et d'avoir recours à mes propres médecines. Dès que Cadurc fut dans la place, je descendis aux écuries. Il y avait, non loin de Sainte-Geneviève, un apothicaire qui faisait venir toutes sortes de poudres et de plantes des quatre coins du royaume et même d'Orient. Je trouverais chez lui les ingrédients qui m'étaient nécessaires pour le rétablissement de ma protégée. J'attendais que le palefrenier selle Granoë, appuyée négligemment contre un des piliers de la cour, lorsque mon regard fut attiré par un homme crotté qui tendait un rouleau de parchemin à un page de Béatrice. Les deux hommes ne m'avaient pas remarquée et parlaient librement :

— Remettez ceci à damoiselle de Grimwald. Aurai-je une réponse cette fois ?

— Non. Vous pouvez aller.

Je faillis bondir pour m'interposer mais je me retins. Abandonnant tous mes projets, je suivis le page à quelque distance. Comme je le pressentais, il se dirigea droit vers les appartements de Béatrice. Je le laissai ressortir, cachée dans une encoignure, puis forçai la porte de la belle. Mon irruption la fit pâlir. Elle tenait en main le parchemin. Sans lui laisser le temps de se reprendre, je fonçai droit sur elle et m'emparai du document, l'œil mauvais.

— Vous permettez ?

Un coup d'œil sur la signature me renseigna. Jaufré ! Mon cœur bondit de rage. Béatrice redressa la tête :

— Comment osez-vous vous introduire ici ?

— Comment osez-vous subtiliser du courrier qui ne vous est pas destiné ?

— C'est une regrettable méprise. Je venais de me rendre compte que c'est à vous qu'il était adressé.

J'eus un rire mauvais et avançai d'un pas. Elle recula d'autant. Je lui faisais peur. C'était visible.

— Et je suppose que vous comptiez m'en avertir sur-le-champ ?

— Évidemment ! lança-t-elle en bredouillant, tentant désespérément de retrouver sa superbe.

J'en avais assez de ce petit jeu.

— Où sont les autres ? demandai-je d'un ton sans équivoque.

Elle redressa le menton crânement.

— Je ne vois pas de quoi vous voulez parler !

— Ne m'agacez pas, Béatrice. Je suis lasse de vos manigances et vous n'imaginez pas le quart de ce dont je suis capable.

Elle se força à rire d'un petit jet sec par bravade.

— Certes ! Je n'essaie pas d'empoisonner la reine, moi !

Je restai bouche bée, mais, supposant qu'elle tentait une feinte, j'esquivai :

— Si vous vous imaginez vous en tirer avec des accusations de cet ordre, vous vous trompez. Je sais que vous détenez d'autres courriers. Je les veux, Béatrice.

— Au diable ces balivernes ! Que penserait le roi de votre commerce avec la sorcière du marais ? Je suis sûre qu'il y verrait un argument à la mauvaise santé de son épouse, tout comme vos manigances avec Thomas Becket, quand on sait les alliances de Sa Majesté avec l'Angleterre !

J'étais abasourdie. Cette petite peste ne se mêlait que de me nuire. Cette fois, j'en avais assez. En deux pas je fus sur elle, et ma fureur l'obligea à se réfugier contre le mur, dans l'angle d'un meuble. Elle était décomposée. Je m'arrêtai contre son souffle alors qu'elle appelait à la garde d'une voix morte qui n'ébranla pas l'épaisseur de la porte. Je la dépassais d'une tête. Je lâchai entre mes dents, une furieuse envie de la gifler au bout des doigts :

— Croyez ce que bon vous semblera, sombre idiote. Cela m'indiffère ! Vous ne prouverez rien, jamais ! À présent, dites-moi où se trouve ce que je cherche ou je vous jure par Dieu de fracasser contre ce mur votre petite figure de madone.

Elle se liquéfia, bredouilla quelques mots que je ne compris pas et que je la forçai à répéter. Elle se contenta de tendre un doigt timide vers un meuble agrémenté d'une douzaine de tiroirs.

Je m'écartai tandis qu'elle se laissait glisser contre le mur, à demi évanouie. J'ouvris un à un les tiroirs et fouillai sans ménagement. Je trouvai dans le quatrième une dizaine de parchemins portant un sceau que je reconnus sans hésitation. Je m'en emparai, puis, me tournant vers sa forme avachie et au bord des larmes, je proférai comme une menace :

— Que je ne vous y reprenne pas ! Sans quoi je vous ferai rentrer dans la gorge jusqu'à la moindre de vos insinuations !

Tournant les talons, je la plantai là.

Enfermée dans ma chambre, je dévorai avec avidité l'écriture de Jaufré. Au fil des lettres, mon aimé me suppliait de lui répondre, me racontait ses contraintes qui l'empêchaient de me rejoindre et me disait son incompréhension devant mon silence. L'aurais-je remplacé ? Il se mourait d'amour. J'en fus bouleversée. Je me jurai de faire payer à cette peste le prix de sa souffrance. Armée d'une plume, je rédigeai sans tarder une réponse dans laquelle je lui expliquais tout et lui jurais fidélité éternelle.

Quelques heures plus tard, un messager dans lequel j'avais toute confiance partait vers Blaye, et je me dirigeai vers Sainte-Geneviève pour faire mes emplettes. Je pris bien plus de plantes que je n'en avais besoin afin de dissimuler dans le vaste choix celles qui me seraient utiles, puis, avisant que personne ne m'avait vue entrer et sortir, je jetai sur l'apothicaire un sortilège qui lui fit oublier jusqu'au moindre détail de ma visite.

De retour au palais, je préparai ma poudre, et il ne fallut pas plus de huit jours pour qu'Aliénor retrouve sa vitalité et sa force. Cadurc jura que c'était grâce à la prière, l'apothicaire à ses bons soins, et Béatrice imagina sûrement que c'était de m'avoir démasquée. Quoi qu'il en soit, personne, pas même la reine, ne sut que chaque verre que je lui servais dans l'intimité ramenait dans son corps la vigueur qui lui manquait.

Béatrice ne parut pas à la cour de quelques jours et le bruit courut qu'elle était souffrante. Je me réjouis de voir que j'avais eu sur sa vilenie un effet aussi grand, mais me promis de rester sur mes gardes. Cette diablesse était bien capable de s'en venger.

La réponse de Jaufré fut courte, et me combla :

« Comment ai-je pu douter de toi quand je te sens vibrer dans le moindre souffle du vent ? Je t'aime tant ! »

L'été 1139 et sa chaleur s'installant, la cour se déplaça vers le sud. Une escale à Châtellerault permit à Denys de revoir son père. Loriane était éteinte, ne parvenant pas à surmonter la mort de son dernier fils, Thierrey, emporté l'hiver précédent par les fièvres. J'aurais voulu pouvoir la réconforter, mais son regard était ailleurs, dans un songe permanent qui n'acceptait personne. Denys l'embrassa doucement sur la joue avec une profonde tendresse, elle ne broncha pas davantage.

Avant de s'enfermer dans le silence, elle avait reproché à son époux l'injustice d'un destin qui lui avait enlevé son fils au lieu du bâtard qu'elle avait dû élever contre son gré. C'était la première fois qu'elle osait faire grief au vicomte de son infidélité. Ce fardeau qu'elle avait traîné en secret dix-sept années durant autant que cet ultime coup du sort avaient épuisé sa raison. Loriane allait mourir. Je le savais et n'y pouvais rien faire. Le vicomte s'était résigné à cette fatalité qu'il pressentait aussi. Sans doute se sentait-il coupable. Il n'en montra rien. Cependant, lorsque nous nous éloignâmes le cœur gros, il recommanda en aparté à la reine de prendre soin de son « bâtard » qu'il aimait tant et de lui donner un titre, pour le protéger de la haine de ses frères aînés. Aliénor promit.

À Poitiers, heureusement, le ton changea. La délégation royale fut accueillie aux acclamations de « Noël ! » et « Montjoie ! ». Au milieu d'elles, s'élevait comme une injure le nom du roi, en place de celui de la duchesse d'Aquitaine. Aliénor blêmit et serra les dents. Suger était responsable de la popularité de Louis en ses propres terres. Suger qui avait adouci le châtiment qu'elle exigeait lorsque les Poitevins s'étaient constitués en commune. Suger qui avait bravé sa loi, s'était interposé entre son mari et elle, entre ses vassaux et elle ! Suger ! Toujours Suger ! Elle se promit de le lui faire payer dès la première occasion.

Nous visitâmes aussi Bordeaux où Pernelle, plus jolie que jamais, coulait des jours heureux. Geoffroi du Lauroux, l'archevêque tant apprécié de leur défunt père, veillait sur l'éducation de la jeune fille et sur l'intendance du duché. Aliénor approuva ses registres, tout en enjoignant à sa sœur de se mêler au joyeux remue-ménage de la cour. Pernelle en fut enchantée, et bientôt ses malles et ses chambrières s'installaient à Poitiers, prêtes, dès l'été achevé, à nous accompagner à Paris.

Jaufré vint nous rendre de nombreuses visites. À chacune d'elles je brûlai, me consumai d'amour et de bonheur. Je lui appartenais corps et âme. Que n'aurais-je donné pour oublier qui j'étais et devenir sienne !

Quelques jours seulement après notre arrivée en Poitou, agacée par les Poitevins, Aliénor exigea que l'on se rende à Talmont pour voir de ses yeux la sentence infligée à son vassal Guillaume de Lezai qui, peu de temps après les événements d'avril, avait dérobé par bravade les gerfauts appartenant aux ducs d'Aquitaine. Louis lui avait tranché les pieds de ses propres mains, à son retour de Poitiers, pour tenter d'apaiser quelque peu la colère de son épouse. Mais cela n'avait pas suffi. Elle voulait constater que réparation lui avait été faite, et ne cilla même pas devant les moignons déchiquetés sur lesquels pendaient des chairs purulentes. Guillaume de Lezai mourrait certainement de ce mal qui faisait pourrir les membres sectionnés, mais elle s'en moquait. Aliénor était devenue cruelle. Comme si la perte de cet enfant avait réveillé en elle des instincts primaires de prédateur. Puisqu'on lui refusait le droit d'enfanter, elle allait montrer qui était la reine de France !

Je n'eus donc aucune difficulté à ranimer en elle la haine qu'elle portait à Alphonse Jourdain, comte de Toulouse, tout comme son père avant elle. Elle entendait revendiquer ses droits sur le comté par l'héritage de sa grand-mère, Philippa, que Guillaume le troubadour avait cloîtrée à Fontevrault, pour consommer une passion adultère. Il ne me déplaisait pas, depuis que j'avais appris qu'il était mon père, de venger aussi l'affront qu'avait subi ma mère. Guillaume avait chassé Philippa de même que Guenièvre de Grimwald, son amante de l'ombre. Il était normal qu'Aliénor, et moi à travers elle, récupère cet héritage.

Cette nouvelle lubie ne fut pas du goût de Louis. Attaquer le comte de Toulouse, vassal puissant, n'était pas une mince affaire, d'autant qu'il n'avait pas grand-chose à lui reprocher hormis sa richesse. De plus, Alphonse Jourdain passait pour un être cruel, sûr de lui et prompt à rassembler ses troupes, qu'il avait en nombre. Louis demanda l'avis de Raoul de Crécy qu'il avait rappelé à ses côtés, déçu par l'attitude négative et passive de Thibaut de Champagne. Raoul affirma que le jeu n'en valait pas la chandelle, et Aliénor dut le prendre en aparté afin de lui rappeler certaine affaire pour qu'il consente, en faisant la grimace, à modérer ses certitudes par un « toutefois, avec une bonne armée… ». Aliénor insista. Louis céda avec l'automne 1139 et notre retour à Paris. Il prendrait Toulouse. Réunir une armée qui puisse tenir tête à celle des Toulousains n'était pas chose facile. Louis fit traîner autant qu'il put le recrutement des hommes et les alliances avec les grands de son royaume. Il fallut dix-huit mois, pendant lesquels on voyagea de baronnies en comtés, entraînant dans notre sillage une cour de plus en plus nombreuse. Un temps qui s'écoula telle une coulée de lave. Elle bouillonnait dans le sang d'Aliénor, étourdissait Louis, réduisait Béatrice à son état de dame de compagnie et diluait mon influence dans chaque recoin jusqu'au plus secret des âmes.

12

La douleur m'arracha un cri tandis qu'une peur incontrôlable me déchirait le ventre. Au-dehors la nuit était sereine, une nuit de pleine lune troublée par le hululement d'une chouette sur un arbre proche.

Le froid était là, à l'intérieur de moi, qui me fit remonter à pleines mains sur mes épaules la couverture de laine. J'étais dans mon lit. Seule. Je dormais paisiblement et puis il y avait eu cette image. Mère. Une large blessure sur sa tempe. Ses yeux sans vie et sa voix dans ma tête, sa voix comme un murmure :

« J'ai fini mon temps, Canillette. Souviens-toi de rester toujours telle que je t'aime. »

De grosses larmes roulèrent sur mes joues. J'eus beau me répéter que ce n'était qu'un cauchemar, quelque chose en moi savait qu'il n'en était rien. Comme si, brusquement, il me manquait une part de moi-même.

— Oh, mère, j'ai peur ! Je vous en prie, mère, répondez-moi ! Rejoignez-moi ! Ne me laissez pas ! Mère ! Mère !

Mais à mon cri ne répondit qu'un long, un douloureux silence.

Aliénor me serra contre elle avec tendresse. Mais je ne pleurais pas. Je n'y arrivais plus. Je m'étais vidée comme une outre pleine, d'un seul coup. La souffrance était ailleurs, plus violente, plus sourde aussi. Elle était advenue comme une sorte de rage en même temps que le messager.

L'accident s'était produit au matin même de ma vision. Le cheval s'était cabré, apeuré par le vide sur le côté du sentier à flanc de falaise. Au pied, les vagues de l'océan jouaient entre de solides rochers. Ils avaient accueilli la chute de Guenièvre. C'était le 11 avril 1141.

Je partis pour la Normandie, laissant Aliénor à Poitiers où, depuis quelques semaines, elle attendait le retour triomphant de Louis contre le comte de Toulouse.

À mon arrivée, je fus accueillie par le visage blême de Mathilde. Elle aussi avait mal et peur, je le devinais, de ces lendemains sans les conseils et le réconfort de mère. Elle aussi me serra dans ses bras affectueusement en m'appelant sa « chère petite ». Geoffroi avait changé. Ses cheveux roux s'étaient clairsemés et avaient blanchi, de même que sa barbe qui s'étalait en corolle autour de son menton. Il m'embrassa, me complimenta pour faire diversion. Puis marraine me conduisit auprès de Guenièvre, toute petite dans sa longue robe noire, sur les draps blancs au milieu des roses rouges. Quelqu'un avait déposé un crucifix de bois entre ses mains fines, et cela me fit sourire. Comme elle devait s'amuser de ce détail alors qu'elle n'aimait Dieu que pour satisfaire Mathilde. On avait essuyé le sang sur ses tempes et nettoyé la blessure, mais la plaie s'ouvrait large comme une main et son crâne ressemblait à un de ces melons d'Espagne éclatés par inadvertance.

Mathilde se retira sur la pointe des pieds. J'étais seule, seule avec elle, morte. Comme c'était étrange. Je n'avais pas mal de cette image. Je la savais ailleurs, ma mère des jours tendres, des larmes et des rires. Elle dormait dans ce monde des vivants dont je faisais partie, et j'aurais voulu recevoir ses bras autour de mon cou, entendre son rire comme une bouffée de printemps. En même temps, pourtant, le souvenir de Merlin drapé de sa puissance me la faisait sentir plus que jamais au creux de moi. Un instant, j'eus envie de me précipiter sur son grimoire et d'appeler, par quelque magie, son âme à mes côtés, de la retenir prisonnière, mais je n'en avais pas le droit.

Nous en avions parlé une fois. J'avais demandé pourquoi on ne rappelait pas les morts quand ils nous manquaient trop. Guenièvre avait répondu, de sa voix grave :

— Si leur mission est accomplie, leur âme redevient énergie pure, celle qui alimente toute vie, Loanna. Cette énergie doit se régénérer en permanence pour être redistribuée. Si tu brises un maillon de cette chaîne par égoïsme, tu affaiblis l'équilibre général, tu prives quelqu'un ou quelque chose de sa substance. Et il n'est rien de pire qu'un corps sans âme.

— Mais on ne peut pas vivre sans âme, mère.

— Si, Canillette, tout n'est qu'un amas de matière plus ou moins développé selon que tu es un grain de sable, un arbre ou un homme. L'âme, c'est l'étincelle en plus, celle qui te relie à l'univers.

— Sinon, on est un pantin articulé ?

— C'est un peu ça, Canillette.

— Mais vous, mère, vous n'allez pas mourir, dites ?

— Bien sûr que si, quand j'aurai fini mon temps. C'est dans l'ordre des choses, et même nous, druidesses, n'avons pas le droit d'y rien changer. Pis, nous devons protéger cet équilibre, sans quoi notre existence n'aurait aucun sens.

— Je ne veux pas que vous mouriez.

— C'est notre corps qui se détruit, Canillette, mais je demeurerai sous une autre forme, ailleurs. Le jour où je ne serai plus, je serai davantage, une étoile de plus dans ta propre énergie et au fond de ton cœur.

Une étoile au fond de mon cœur, dont le souvenir éclairerait à jamais chacun de mes moments de doute ou de solitude. Voilà ce qu'elle serait désormais. Elle m'avait tant appris, tant donné. Je me devais d'en être digne. Alors, résolument, je détachai mes yeux de ses paupières closes, de son visage abîmé par l'accident. Ce n'était plus mère, ce corps qui reposait en attendant le linceul. Ce n'était plus rien que de la matière dont la fonction était interrompue. On ne veillait pas un corps sans âme.

Dehors, la tiédeur du printemps me fit du bien. Mes forces revenaient lentement. Je n'avais plus peur. Comme pour me guérir tout à fait, une touffe d'épais cheveux roux se jeta contre mes jambes de toute la force du petit corps qui les soutenait, manquant me faire chuter à la renverse.

— Henri !

Ses bras emprisonnèrent mes jupes tandis qu'une bouille barbouillée de confiture tendait vers mon visage un sourire malicieux.

— Jour, Nillette !

Je détachai avec difficulté les bras de mes jambes pour tomber à genoux devant mon petit roi. Il entoura ma nuque de ses mains et je le serrai fort, fort contre mon cœur.

— Pleure pas, Nillette ! Je t'aime, moi !

— Je ne pleure pas, Henri. Je ne pleure pas.

— Si tu pleures ! C'est normal, t'es une fille !

C'était pourtant vrai qu'elles coulaient, ces idiotes de larmes ! Mais je ne savais plus, tout à coup, si c'était de chagrin ou de joie.

— Quand je serai roi, je giflerai le méchant Louis et j'épouserai Aliénor… Dis, Nillette, c'est forcé que j'épouse Aliénor ?

Henri siégeait du haut de ses huit ans dans le fauteuil des ducs de Normandie. Il avait dit cette dernière phrase d'un air soucieux, après avoir frappé du poing sur l'accoudoir comme il voyait faire son père quand il se querellait avec un vassal.

— Pourquoi ? Elle ne te plaît pas, Aliénor ? Elle est belle, tu sais…

— Aussi belle que toi, Nillette ?

Je souris en brossant sa tignasse d'une main tendre. Décidément, elle était de plus en plus difficile à dompter.

— Plus encore que moi.

— Ah !

Il poussa un long soupir et, quittant son fauteuil, vint s'asseoir sur mes genoux. Aussitôt, il blottit sa tête dans mon cou. Si Geoffroi le voyait, il se fâcherait assurément. Il y avait longtemps qu'Henri n'avait plus à se laisser materner par qui que ce soit ! Pour l'heure, il ne songeait pourtant à rien d'autre, et je retrouvai avec tendresse les moments où, tout petit, il venait de même. Lui non plus n'avait pas oublié.

Devinant qu'il était soucieux, je questionnai :

— Qu'est-ce qui te tracasse ?

Henri haussa les épaules et répondit d'une petite voix embarrassée :

— C'est que je préférerais t'épouser toi, Nillette.

Je ne pus m'empêcher de rire tout en le serrant contre moi. Il me lança un regard noir et frappa du poing contre mon épaule.

— Méchante ! Tu te moques !

— Eh là, grosse brute ! On ne bat pas une femme, encore moins quand on veut la demander en mariage ! grondai-je en me frottant l'épaule.

Ce gamin avait une force hors du commun et un manque certain de contrôle de ses pulsions, pour ne pas dire un manque d'éducation. Je me réservai un reproche à l'égard du frère Briscaut.

— Pardon, pardon Nillette, pardon !

Il m'embrassa les joues avec effusion, me les tenant à pleines mains.

— Suffit, messire, allons, suffit.

Il s'arrêta.

— Regardez-moi, messire Henri.

Il planta un regard amoureux dans le mien, et je m'attendris comme autrefois. Mais il fallait lui faire la leçon. Aussi je pris un air sévère et, comme mère le faisait avec moi, j'entrepris de lui expliquer :

— Tu ne peux pas te marier avec moi, Henri, tu es un futur roi et je n'ai pas de dot en dehors d'un petit domaine sur tes terres. Aliénor, elle, est riche, belle, intelligente, elle sera une bonne reine et je sais que tu l'aimeras.

— Ça se peut pas ! C'est toi que j'aime, Nillette !

— Le temps viendra, Henri. Le temps viendra.

— Quand je serai roi, je te donnerai des domaines et tu pourras m'épouser.

— Ce n'est pas si simple. Et puis mon cœur appartient à un autre.

Ses yeux se voilèrent de tristesse, puis un éclair de colère les balaya.

— Quand je serai roi, je tuerai celui que tu aimes, voilà tout !

— En voilà des façons ! Sûrement pas ! Sans quoi, je te change en asticot et te jette dans la fosse aux poulets.

— Tu le feras pas !

Je levai mes doigts au-dessus de sa tête et, prenant un air diabolique, je lançai :

— Essaie donc un peu pour voir. *Grundi fundi...*

Henri s'échappa en courant dans un grand éclat de rire, et je passai le reste de la matinée à jouer à cache-trouvé avec lui, dans cette aile du château à demi en ruine où il m'avait entraînée.

Quatre jours plus tard, je recouvris d'une poignée de terre la bière de Guenièvre de Grimwald. Mathilde n'avait émis aucune objection à ce que je m'occupe d'Henri en attendant les funérailles, espérant que cela me réconforterait un peu. J'avais respecté, pour ma part, la coutume et veillé le corps chaque nuit pour que les « esprits malins », comme disait frère Briscaut, ne puissent s'emparer de son âme avant qu'elle soit en terre. J'eus envie de lui répondre qu'elle était déjà diluée dans l'espace et reconvertie dans une autre substance, mais à quoi bon ! Il croyait en son paradis divin et ce n'était ni le lieu ni le moment d'entamer une controverse. Mère vivait en moi pour toujours.

Et c'était la seule vérité. *Ma* vérité.

Je demeurai encore quelque temps auprès des miens. Henri ne voulait pas que je parte et je m'apercevais chaque jour davantage à quel point il était impulsif et autoritaire, collectionnant les fessées qu'il comptabilisait par de petits cailloux blancs portés dans une bourse de cuir à sa ceinture. À aucune d'elles Henri ne pleurait ni ne se plaignait. Comme si chaque fois il remportait une victoire supplémentaire sur lui-même. Et la bourse de cuir s'alourdissait. Ce n'étaient ni frère Briscaut ni Bernaude, qu'on avait mariée et qui continuait à s'occuper de lui au milieu de deux autres bambins de trois et deux ans, qui en viendraient à bout. Mathilde était trop occupée à moucher son cousin, et Geoffroi le Bel, qui avait perdu sa superbe en gagnant quelques rides et un solide embonpoint, passait la plupart de son temps à guerroyer ou à traiter des alliances pour tailler à son fils aîné un royaume digne de lui.

Henri avait un jeune frère, Geoffroi, que je découvris avec curiosité. Il était en tout point son opposé. Aussi calme et posé qu'Henri était belliqueux, il subissait bon nombre d'injustices de la part de ce gaillard qui le dépassait de plus d'une tête. Henri serait grand, bien plus que son père, ses pieds et ses mains démesurés en attestaient. Pourtant, aussi étrange que cela paraisse, il se réservait le droit de blesser son cadet. Dès lors qu'un autre le menaçait, il s'interposait pour le défendre et prenait volontiers les torts qu'on lui reprochait à sa charge. C'était à se demander comment Mathilde avait pu donner naissance à deux êtres aussi dissemblables d'aspect et de caractère.

Après avoir appris que mon ami Thomas Becket était retourné en Angleterre début mars, sa formation achevée, et qu'il œuvrait de son mieux à l'avènement de Mathilde, je regagnai Poitiers.

Ce ne fut qu'au long du voyage de retour que s'insinua en moi une peur incontrôlable : celle du regard de Jaufré. Les dix-huit mois qui venaient de s'écouler l'avaient occupé souvent sur ses terres. Je me satisfaisais de ses courtes visites qui m'emplissaient tout entière. Une fois seulement, courant décembre 1140, il m'avait parlé de mariage. C'était à Bourges où la cour s'était retrouvée pour les fêtes de Noël. J'avais éludé la question. Il n'avait pas insisté. Mais, depuis lors, j'étais sur mes gardes. J'avais besoin de lui. Et tout à la fois je devais renier cet amour. C'était sans solution et d'autant plus inévitable depuis la mort de mère.

Aliénor était en rage. Non seulement elle venait une nouvelle fois de perdre l'enfant qu'elle portait au terme de quatre mois de gros ventre, mais, surtout, Louis était revenu penaud de Toulouse, sans avoir même fait verser une goutte de sang. La ville était imprenable, mieux gardée que la meilleure de ses places fortes et pourvue en hommes vaillants d'un nombre bien supérieur à celui de son armée. Encore une fois, Thibaut de Champagne appelé en renfort avait boudé la campagne. C'était insupportable !

L'atmosphère au palais comtal l'était aussi, en conséquence. D'une humeur exécrable, Aliénor cinglait par des reparties acerbes quiconque plai-santait, voyant dans chaque discours une allusion à sa personne.

Je me retrouvai donc en plein cœur de ces batailles d'intérêts qui ne m'avaient apporté aucune véritable victoire.

Pour conforter mes craintes, Jaufré attendait mon retour, croyant pouvoir par sa présence sou-tenir mon épreuve. À quoi bon lui expliquer que le vide laissé par Guenièvre devait s'emplir de tout ce pourquoi elle m'avait mise au monde ? Je savais qu'il ne pouvait comprendre. Il lui aurait fallu entendre mes origines, et tout ce qui se trans-met de bouche de druide à oreille de druidesse ; je n'en avais pas le droit. Pas encore.

Je me sentais désormais prisonnière de mon destin, sans échappatoire. Je n'aurais de cesse d'unir Henri à Aliénor et devrais œuvrer sans répit dans ce sens, et dans l'oubli de moi-même.

Je repoussai Jaufré malgré ma passion et sa peine. Je ne pouvais pas l'aimer sans me perdre. Le pire était de n'avoir aucun motif solide à lui don-ner. Tout mon être trahissait mon amour, quand ma raison hurlait le contraire. Il choisit la patience, mettant mon inconstance sur le compte de ma dou-leur. Elle était réelle. Non à cause du départ de mère, mais par trop d'amour pour lui. Désespérée, je me jetai à corps perdu dans l'intrigue.

Louis fut là, les bras ballants, le regard de chien battu. J'étais parvenue à calmer Aliénor. Toulouse attendait. L'important était que Louis soit à sa botte. Il y aurait d'autres moyens de mater nos adversaires, et pour commencer ce Thibaut de Champagne qui nous portait sur les nerfs à l'une et à l'autre. Avec son soutien, le comte de Toulouse aurait pu plier. Il payerait. J'en trouverais la façon avant qu'il ne soit longtemps.

Ma reine ouvrit le trésor ducal et offrit à Louis un vase taillé d'une seule pièce dans le béryl en gage de son affection, pour lui prouver qu'elle ne lui en voulait pas. La vérité était qu'elle espérait par son indulgence se faire pardonner sa grossesse perdue.

On décida de prolonger le séjour en Aquitaine jusqu'à la fin des beaux jours. C'est alors que se produisit un événement sur lequel je ne comptais pas. Pernelle, la jeune sœur d'Aliénor, était devenue une séduisante jeune fille et jetait des regards éperdus sur Raoul de Crécy qui eut pu être son père. Le comte de Vermandois se souciait peu de cette enfant, trop occupé à butiner les décolletés de quelques dames savantes en questions d'amour. Pernelle n'était pas encore en âge de se marier. Toutefois, je compris vite l'intérêt que je pouvais tirer de son attirance si elle se prolongeait. Je m'occupai donc à favoriser les rencontres de Pernelle et Raoul de façon tout à fait innocente. Au début septembre de cette année 1141, messire de Crécy se passait de mes services et faisait de longues promenades avec la sœur de la reine dans les vergers du palais.

J'appris ce même mois que Mathilde avait gagné. Elle siégeait sur le trône d'Angleterre et remplaçait Étienne de Blois qui avait commis bien trop de sottises avec les alliances qu'il avait contractées. L'Angleterre était à nous !

Jaufré se faisait discret, naviguant de ses terres à Bordeaux, de Bordeaux à Poitiers, nous rejoignant au cours d'une halte chez tel baron qui nous recevait et festoyait en compagnie des troubadours. Chaque fois que je croisais son regard, il m'obligeait à détourner le mien tant l'envie de me blottir dans ses bras voilait toutes mes résolutions. Lorsqu'il repartait, j'avais une pointe de métal piquée au creux de mes entrailles comme pour me retenir de courir vers lui.

Ce qui m'agaçait était de le voir passer du temps en compagnie de Béatrice. Cette fine garce, enjouée et attentive, ne manquait aucune occasion de se glisser à son bras et de l'entraîner vers des soubassements discrets pour « jouir de sa musique là où elle s'épanouissait le mieux ». La véritable raison était qu'elle s'ingéniait à me blesser, n'ayant rien perdu de ce que je m'évertuais à cacher. Jaufré se laissait faire. Peut-être pensait-il éprouver ma jalousie, et Béatrice était belle, douce, généreuse.

Je choisis d'ignorer ce que mon cœur hurlait. On ne pouvait désirer une chose et son contraire. Et puis, comme une sotte, j'avais confiance. Une confiance éperdue en l'amour que Jaufré me vouait.

L'île de la Cité nous accueillit au début de l'automne 1141. Suger rayonnait. Les plans de son abbatiale étaient avancés, dès février, l'on se mettrait à construire. Son goût du faste, que Bernard de Clairvaux lui avait reproché, trouverait dans cette réalisation son apogée. S'il se contentait de vêtements sobres pour satisfaire au désir du saint homme, nul doute que l'abbatiale de Saint-Denis serait pour lui une parure digne des plus grands. Jamais encore je n'avais vu autant d'éclat dans ses yeux bleus, enfoncés dans ses joues creuses. S'il œuvrait pour son ambition personnelle, il nous laisserait tranquilles. Je m'en frottais les mains.

— Je ne peux pas, Denys. Ne m'en veux pas, je t'en prie, je lui appartiens corps et âme.

Denys laissa retomber sa main qui jouait avec une mèche indisciplinée derrière mon oreille. Aliénor ne l'aimait plus depuis qu'elle aimait le pouvoir, et l'attirance qu'il éprouvait pour moi s'était renforcée de me voir rejeter Jaufré. Il se montrait de plus en plus empressé.

— Tu l'aimes et tu le fuis. Pardonne-moi de ne pas comprendre, Loanna !

— Tu es mon ami, Denys. Le seul qui ait risqué sa vie pour moi. Mais je ne peux rien te dire.

— À quoi bon, je sais déjà.

Je blêmis. Son sourire moqueur, si sûr de sa réponse. Un frisson me parcourut. Il m'attira contre sa poitrine massive, comme il le faisait fraternellement parfois. Je n'y prenais pas garde avant qu'il me fasse sa cour. J'eus un geste de résistance, mais la force de ses bras le noya dans le mouvement. Ne pouvant lutter, je m'abandonnai contre son torse. Il y avait si longtemps que personne ne m'avait serrée ainsi, caressant mes cheveux d'une paume tendre. J'avais la gorge nouée de me sentir ainsi protégée. Il murmura :

— Que peut donc intriguer la fille d'une sorcière auprès d'une reine de France ?

Je retins mon souffle, n'osant plus bouger. Denys poussa un soupir en resserrant son étreinte et poursuivit :

— N'aie crainte. Je ne suis pas ton ennemi. C'est dans leur acharnement à te perdre que j'ai trouvé les réponses. Il m'a fallu du temps et l'aide de Thomas Becket aussi.

Je le repoussai soudain, ayant peine à croire que Becket m'ait trahie, affolée d'être mise au jour. Mais Denys souriait tendrement, s'émouvant de mon visage de bête traquée, devinant sans doute mes angoisses. Avant que j'aie pu poser la question qui me brûlait les lèvres, il y répondit :

— Thomas ne pouvait regagner l'Angleterre sans être certain de laisser auprès de toi un ami sûr. Tu lui avais parlé de notre complicité. Il m'a mis à l'épreuve. Quelques jours avant son départ il me révélait tout, recoupant par là les informations que je possédais déjà. J'aurais pu te trahir cent fois auprès d'Aliénor, ma place à ses côtés m'en offrait l'avantage. Je ne l'ai pas fait, Loanna, et jamais, tu entends, jamais je ne ferai rien contre toi, contre ce que tu es, ce que tu représentes. J'ai trop d'estime, trop de respect, trop d'amour en moi pour te faire du mal. Je t'aime, Loanna de Grimwald.

Il accueillit mes sanglots sur son pourpoint de velours. Cela faisait si longtemps ! Si longtemps que j'étais seule avec ce secret. Sa voix murmurait tendrement au creux de mon oreille, ponctuant de baisers légers sur ma tempe chacune de ses phrases :

— Là, là, ma colombe. C'est fini. Je ne t'abandonnerai pas, je te le promets. Jamais tu n'auras ami plus sûr. Laisse pleuvoir, ma colombe.

Il me berça longtemps ainsi, jusqu'à ce que mes larmes sèchent sur mes joues, jusqu'à ce que je puisse enfin parler. Alors un seul mot me vint :

— Merci.

Son baiser sur mes lèvres salées me fit du bien. Il emportait dans son tourbillon les moments de doute, mes peurs et mon désespoir. Pourtant, je me dégageai de son étreinte.

— Puisque tu sais, alors tu dois comprendre pourquoi je repousse Jaufré. Pourquoi je ne peux prendre d'amant. D'autres que toi connaissent ma mission et feront tout pour que Louis et Aliénor restent unis. Ils pensent sans doute avoir gagné en ayant favorisé ces épousailles, ils ignorent encore que rien n'est joué. Je dois être attentive, prête à tout à chaque instant, me fiant à mes seules prédictions, à mes pressentiments ; il n'y a pas de place dans ma vie pour un amour, et celui de Jaufré me consume. Regarde comme Béatrice s'en sert pour me faire souffrir.

Le regard de Denys s'emplit de tristesse. Il savait quelque chose que j'ignorais.

— Quoi ? demandai-je, le cœur battant la chamade.

Denys eut un geste embarrassé, puis lâcha :

— Au fond, il vaut mieux que tu saches. Je me suis évertué à ce que cela te soit caché pour éviter tout triomphe à cette petite garce, mais… Jaufré s'est installé depuis peu dans une auberge de l'île. Quelques saltimbanques donnent de la tragédie en place du Châtelet, Jaufré s'est joint à eux.

— Et… ?

— Béatrice le rejoint dans sa chambre depuis quelques jours.

Je me laissai tomber dans un fauteuil, saisie d'un vertige. Je ne parvenais pas à y croire. Je n'avais rien vu, rien senti. Mes pouvoirs m'auraient-ils abandonnée ? Non, c'était impossible, Jaufré n'aurait pu.

Denys s'agenouilla et prit mes mains glacées dans les siennes.

— Ce n'est pas vrai, Denys. Il n'aurait pas fait cela.

— Pardon, ma colombe, mais j'ai plus de preuves qu'il ne m'en faut.

— Elle pourrait porter son enfant ? Oh, Denys, non !

— Je ne le crois pas. Regarde-moi, Loanna.

Mais il y avait un tel brouillard dans mes yeux que je le distinguais à peine.

— Béatrice a rendu visite à la sorcière du marais. La vieille lui a vendu une potion pour la maintenir stérile.

J'étais atterrée. Comment mes sens avaient-ils pu me trahir à ce point ? J'étais tellement sûre de moi. Encore une fois Denys me réconforta :

— Je la fais suivre nuit et jour, Loanna. Ce n'est pas Jaufré qu'elle veut. Elle ne l'aime pas. Elle brûle de passion pour Louis. Elle ne pourrait se permettre de porter gros ventre au regard de celui qui la voit comme une sainte. Elle n'aura jamais l'étoffe d'une reine, elle n'osera pas risquer de perdre celle d'une icône. Seule la vengeance l'anime. J'ai intercepté plusieurs billets anonymes qu'elle t'avait fait porter pour que tu les surprennes, elle et Jaufré. Elle cherche à te détruire et sait bien qu'il est ton point faible. Jaufré est vulnérable. J'ignore comment elle s'y est prise, mais il n'est pas difficile de montrer à quelqu'un l'intérêt qu'il aurait à susciter la jalousie pour réveiller quelque sentiment endormi.

— Alors il m'aime encore ? parvins-je à bredouiller comme un espoir infini.

— Plus, sans aucun doute, qu'aucun homme, et même moi, pourra jamais t'aimer, Loanna.

— Oh, Denys !

Je pris son visage à pleines mains. Denys m'était fidèle, je n'en doutais plus. D'ailleurs, en avais-je seulement jamais douté ? D'un seul coup, tout ce que j'avais refusé de voir m'apparaissait. Il fallait faire cesser ce jeu cruel, renvoyer Jaufré sur ses terres, utiliser Béatrice contre elle-même en la rapprochant de Louis, mais auparavant…

— Aime-moi, Denys.

Il marqua un temps de surprise, mais à présent mon sourire était franc. Je guidai ses mains vers ma gorge et ajoutai dans un souffle :

— Une fois. Une seule fois avant que nous ne soyons plus que des amis.

Fou de bonheur, il me souleva dans ses bras et m'étendit sur le tapis devant la cheminée flamboyante.

Les premiers frimas de novembre oxygénaient l'air vicié de la vieille ville. La ruelle, au triste nom de rue Brenneuse, était sombre, envahie de rats et de gros chats qui se faisaient une guerre misérable.

Nous avions monté l'embuscade avec l'aide d'un soldat nommé Duviol dont Denys avait fait son ami. Ses renseignements étaient exacts. L'office de vêpres était achevé depuis peu lorsque Béatrice parut, tout enveloppée d'une mante noire, escortée d'un homme que je reconnus être Barnabé de Monthoux, une fine lame dans l'ombre de Suger. Pas étonnant que le vieil homme l'ait mis au service de sa protégée. L'île de la Cité avec ses rues étroites abritait toutes sortes de coupe-jarrets.

Il ne fallut que quelques secondes. Sitôt engagé dans le passage, Duviol sauta depuis un appui de fenêtre sur le dos de Barnabé et frappa son crâne tandis que Denys saisissait la belle par-derrière. Béatrice poussa un cri de terreur, étouffé par un chiffon imbibé d'alcool de valériane appliqué contre son visage. Elle battit des bras comme un moulin par grand vent, puis s'écroula, inconsciente, dans ceux de Denys. Derrière eux, Duviol s'assura que Barnabé de Monthoux étendu à terre n'était qu'assommé. Ni l'un ni l'autre n'avaient eu le temps de voir le visage de leurs agresseurs. Un instant, l'envie me prit d'immoler Béatrice par la lame sur l'autel de ma vengeance, mais je n'en fis rien. J'avais d'autres projets pour elle.

L'auberge dans laquelle séjournait Jaufré était toute proche. Je débarrassai Béatrice de sa cape et la jetai sur mes épaules. Mon troubadour attendait une dame. Il ne fallait pas le décevoir.

Denys et son acolyte se chargèrent de ramener au palais la belle endormie, laissant pour solde de tout compte Barnabé de Monthoux se réveiller seul dans un recoin de mur discret. Les deux hommes ne s'appréciaient guère, et Denys n'était pas fâché de lui jouer ce méchant tour.

Je n'eus qu'à tourner l'angle d'une maison à quelques pas, pour découvrir l'enseigne au nom fameux du « Coucher du roi ». L'aubergiste, un homme ventripotent, essuyait ses grosses paluches sur un tablier qui avait dû être blanc. Je l'apostrophai d'une voix adoucie par la contrefaçon :

— Le sire de Blaye est-il là ?

— Non, la belle ! Mais il vous demande de l'attendre.

La chance me souriait. L'homme me tendit une clé, mais, au moment où j'allais m'en saisir, il la fit jouer autour de son doigt, me lançant dans une œillade langoureuse :

— P'têt'que j'pourrais vous aider à patienter…

— Ça ira, merci.

Mon ton sans équivoque lui fit hausser les épaules. J'attrapai la clé par son lacet de cuir et m'engouffrai dans l'escalier de bois. Sur le lacet était inscrit un 4. Trouvant la porte, je fis jouer le loquet. Une odeur de lys me prit au ventre. Ainsi c'était là ! La pièce était meublée sommairement : juste une chaise de bois, une table dans un angle, avec une bassine et un pichet d'étain, une malle dont une charnière pendait, tristement arrachée, et le lit.

Un frisson de douleur me descendit l'échine. Deux oreillers sur lesquels j'imaginais sans peine des visages tournés l'un vers l'autre. Des larmes me piquèrent les yeux, que j'essuyai d'un poing rageur. Allons ! Il n'était plus temps. Sur le chevet du lit traînait une bouteille à demi vide. Je mis le nez dessus. De l'alcool. J'en avalai une goulée pour me donner du courage. Puis j'allai coller mon visage sur le papier huilé de l'étroite fenêtre.

Jaufré ne tarda pas. J'entendis son pas dans l'escalier et retins mon souffle lorsque la porte s'ouvrit. Il posa la cithare sur la table et je devinai à ce geste brusque qu'il avait bu. En quelques enjambées, il fut dans mon dos. Je fermai les yeux, le cœur bondissant entre le plaisir et la douleur.

Je ne retrouvai ni sa douceur ni sa tendresse. Sans me faire face ni me déshabiller, il écarta les pans de la cape et ses mains fouillèrent mon corsage. La nuit était tombée dans la chambre et la chandelle éteinte.

Alors qu'il prenait à pleines mains ma gorge palpitante, il me lâcha et recula d'un bond. Je compris qu'il m'avait reconnue.

Incrédule, il se précipita et frotta un bâton de soufre. La lumière ranima dans un halo dansant les formes qui nous entouraient.

— Lo... Loanna ? bégaya-t-il en promenant dans mon dos la flamme.

Je fis glisser de mes épaules la cape qui portait le parfum de Béatrice et me retournai.

— Pour vous desservir, messire.

— Toi ? Ici ?

— Elle ne viendra pas. Elle ne viendra plus.

Mais déjà il était à mes genoux, les bras contre mes jupes, le front contre mon ventre. Un instant, je me demandai s'il m'avait entendue. Il empestait l'alcool. Ainsi donc Béatrice n'avait connu que cela. Ces étreintes sauvages d'homme à demi ivre. J'eus pitié soudain. Je ne lui en voulais plus. Ce n'était pas Jaufré qui avait aimé Béatrice de Campan, mais un autre, le descendant d'un de ces Rudel qui avaient, par leur brutalité, conquis ce sobriquet.

— Relève-toi, ordonnai-je pourtant.

Mais il n'écouta pas, il s'enivrait encore, si cela était possible, de mon odeur, caressant à pleines mains ma taille, mes hanches. Il pleurait comme un enfant heureux.

— Relève-toi, je t'en prie. Je t'en prie, Jaufré.

Alors il me fit face et me serra à m'étouffer, s'empêtrant dans des phrases sans suite :

— Pardon, pardon. Elle me poursuit, tu comprends. C'est ta peau que je cherchais, tes yeux, ta bouche. Tu me rends fou. Après elle partira. J'aurai honte, je ne dormirai pas. C'est toi que je veux. Toi. Oh, Loanna. Mon amour. Ma lumière, ma muse, ma lointaine. Je t'aime.

Il me couvrait de baisers sur le front, sur les joues, dans le cou.

— Tu es ivre ! murmurai-je

— Ivre de toi, aimée. Jusqu'au petit matin, après c'est l'autre qui sera là. L'autre que je n'aime pas.

Alors j'eus envie de balayer au diable mes grandes résolutions, pour que demain cette autre ait disparu. Qu'il n'y ait plus que moi dans sa folie d'ivresse. Juste lui et moi. Je l'attirai vers le lit et le laissai se noyer.

Son regard m'éveilla. Je l'avais senti peser dans mes rêves. Il pleurait sans bruit. Seulement de fines rivières qui traçaient des sillons depuis ses yeux gris. Il faisait jour, pourtant le soleil avait peine à se frayer un passage au travers du papier de la fenêtre. Comment lui, si fin, si généreux, si avide de belles choses avait-il pu s'oublier dans cette gargote infâme, indigne de l'homme que j'avais vu marcher dans les orangeraies de Blaye ?

Fallait-il qu'il soit malheureux et désespéré !
J'étais responsable de cette déchéance. Je me
détestais soudain. Il fallait en finir. Ou jamais plus
je ne pourrais encore affronter un miroir.

Il appuyait sa tempe dans la paume de sa main,
le visage ainsi surélevé pour mieux me contempler. Je voulus parler, mais il posa un doigt sur
mes lèvres en chuchotant comme pour lui-même :

— Ne dis rien. Ne chasse pas mon rêve, pas
encore. Il est trop beau. Il semble si réel que je
n'ai pas envie de m'éveiller.

Je me contentai de sourire tristement, me trou-
blant de cet index qui suivait le dessin de ma bouche tendrement. Je nouai mes bras autour de sa
nuque et l'attirai vers ma bouche. Il m'embrassa
avec tendresse. Jaufré était redevenu lui-même.
De nouveau il m'appartenait. Alors désespérément, je m'abandonnai. Pour la dernière fois.

Il enleva avec douceur les vêtements que
j'avais gardés la veille tandis qu'il me prenait bes-
tialement dans une haleine d'alcool, et je retrouvai
avec bonheur tout le savoir de ses caresses.

— Je t'aime, murmurai-je sur sa peau.

Et, follement, je le lui prouvai.

— Tu m'aimes, mais tu me chasses ; pourras-tu
jamais me pardonner ? Je t'en prie, Loanna, elle
ne comptait pas, tu le sais.

— Je le sais, mais je ne peux plus, Jaufré. Quelque chose est brisé.

— Je ne peux pas vivre sans toi. C'est parce
que tu m'as rejeté pour Aliénor que je me suis

perdu. Que devais-je dire, moi, quand tu trompais mon ventre avec le sien ?

— Tu savais avant.

Il eut un rire nerveux.

— Quelle différence cela fait-il ? As-tu jamais pensé à ce que je pouvais ressentir chaque fois que je t'imaginais dans ses bras ? Tout ce temps passé à espérer... Je ne dors plus, je ne vis plus depuis quatre années, Loanna, depuis que tu m'as conquis en assiégeant ma terre de Blaye, mieux qu'aucun de mes ennemis. Demande-moi n'importe quoi, même de ne plus chanter, mais ne me chasse pas.

J'avais mal. Mal à m'ouvrir les veines. Où trouver la force, après cette nuit ? Mais quelque chose cognait plus fort encore dans mon ventre, ce besoin de le protéger. Mes ennemis pourraient sans aucun scrupule, Béatrice l'avait prouvé, le détruire pour m'atteindre.

Il valait mieux qu'on le croie oublié, mort, banni de mon cœur.

— Vous partirez à l'aube. Vos gens vous réclament, messire de Blaye. Pour ma part, vous m'avez donné cette nuit votre dernière chanson.

— Je ne le crois pas ! Je sais que tu m'aimes autant que je t'aime.

Il posa la main sur le loquet de la porte, mais avant de l'ouvrir, murmura :

— Je pars sur l'heure, mais sache que rien ni personne ne me fera renier mon serment. Je jure par Dieu qu'aucune autre femme jamais ne sera mienne tant que je vivrai. Et qu'il ne se passera pas un jour, un seul, où je n'attendrai comme un chien misérable que ton pardon me rappelle. Souviens-t'en, Loanna de Grimwald. Souviens-t'en avant que la mort te prenne.

La porte se referma sur ces mots, les emmurant au fond de mon cœur. À mon tour, quelques minutes plus tard, je quittai l'auberge et rentrai au palais. Béatrice ne parla jamais de sa mésaventure, et je n'abordai pas non plus le sujet. Une nouvelle page de l'histoire était à écrire. Elle le fut dans le sang.

13

Aliénor avait beau s'activer à repriser cette vieille étole qui avait appartenu à sa mère, elle ne parvenait pas à réduire l'usure du tissu. Louis l'avait rejointe, chassant poliment celles d'entre nous qui l'assistaient dans ces besognes, autour d'un foyer dans lequel crépitait un tronc entier de chêne. Il la regardait planter son aiguille avec détermination, s'acharnant sur son ouvrage qui lui permettait de garder le regard loin de celui de son époux. Avant qu'il entre, elle savait ce qu'il allait lui dire et ce qu'elle lui répondrait :

— Thibault de Champagne a demandé l'excommunication. Ce serait folie que de poursuivre pareil engagement, Aliénor.

— C'est ma sœur, Louis. Que Thibault aille au diable. Leur union a été bénie devant Dieu.

— Par des parjures ! Allons, ma reine, il faut se soumettre.

— Jamais !

Louis se mordilla la lèvre. Aliénor ne céderait pas, il le savait et ne pouvait aller contre sa volonté.

Tout s'était passé trop vite. Beaucoup trop vite. Pernelle aimait Raoul de Crécy et Raoul de Crécy, que le roi avait nommé sénéchal de France, aimait Pernelle au point de vouloir l'épouser.

Au printemps 1142, ils étaient venus plaider la cause de leur amour auprès de la reine. Répudier l'épouse légitime de Raoul avait été une simple formalité pour Aliénor. Il lui avait suffi de trois évêques déclarant que le mariage de messire de Crécy était caduc selon les lois canoniques. Les époux étaient de parenté trop proche. Dans les jours qui suivirent cette décision, soit le 25 mai 1142, ces prélats unissaient les deux tourtereaux avec la même désinvolture. Thibault de Champagne, l'ennemi juré de la reine, avait failli s'étrangler de rage.

L'honneur de sa nièce, l'épouse répudiée, était bafoué, et surtout il supportait comme une injure ce qu'il savait être une sordide vengeance.

Bien évidemment, Aliénor n'avait rien affiché de tel, mais elle avait vu tout de suite l'intérêt de soutenir l'amour de sa sœur. De plus, messire de Crécy était un allié fidèle depuis qu'on lui avait tapé sur les doigts et se trouvait honoré d'appartenir désormais à la « famille » royale.

Mais cela n'était pas suffisant. L'archevêque de Bourges s'était éteint cette même année, laissant son siège vacant. Le candidat proposé par l'Église comme son légitime successeur était un proche de Thibault de Champagne, dévoué à l'ordre des Chevaliers du Temple. Si je ne pouvais pas lutter contre leur influence, je pouvais au moins empêcher qu'elle n'entoure de trop près Aliénor. Le fidèle Cadurc m'était sympathique. Je le soupçonnais fortement d'aimer davantage sa reine que son Dieu. Je n'eus aucun mal à persuader Aliénor de récompenser son confident, en lui offrant le siège archiépiscopal de Bourges. La nomination de Cadurc fut annoncée le jour même de l'arrivée du protégé de la maison de Champagne devant les portes de la ville, qu'il découvrit fermées. Furieux et vexé comme on s'en doute, il s'en vint pleurer dans le giron de Thibault, qui, lui-même, pleura dans celui du pape. Le Saint-Père ordonna au roi de lever sa décision, Louis ne répondit pas. Aliénor, il est vrai, ne lui avait pas laissé véritablement le choix. Il ne pouvait à la fois donner raison à Aliénor, Pernelle et Raoul de Crécy contre Thibault de Champagne et à Thibault de Champagne contre Aliénor.

Bourges fut mise en interdit. Louis trembla, mais, Aliénor soutenant sa main, il jugea que l'Église pardonnerait et une fois encore ne broncha pas. Cadurc conservait son titre. Thibault de Champagne s'engorgea de haine.

Il demanda une nouvelle audience au pape, fort de ses arguments contre la couronne de France qui s'entêtait à légitimer un mariage immoral. Il obtint pour ce faire le soutien de Bernard de Clairvaux qui lui était redevable du don de la vallée de l'Absynthe sur laquelle s'épanouissait désormais l'abbaye de Clairvaux. S'il n'avait eu à moucher que son agaçant vassal, Louis aurait porté beau, mais refuser d'entendre la voix de Bernard, c'était comme jeter aux flammes de l'enfer la croix d'or qui ne le quittait point. Aucun pape jusqu'à ce jour ne s'était opposé aux sentences de Bernard. Louis tremblait pour le salut de son âme. Pourtant, malgré cette angoisse qui le pliait chaque nuit sur l'autel de ses prières, il ne trouvait pas en lui la force de s'élever contre son épouse. Il se répétait pour sa défense que c'était trop tard, que l'union avait été consommée, que non seulement les deux tourtereaux étaient heureux, mais que, huit mois après leur hymen, Pernelle portait déjà gros ventre, signe que le Seigneur lui-même jugeait à son goût cette affaire. Car Aliénor voyait en cette grossesse un signe du destin. Elle devait soutenir sa sœur coûte que coûte pour avoir elle aussi un enfant. Que n'aurait-elle dit pour convaincre son époux et se convaincre elle-même !

Aliénor piqua rageusement l'aiguille dans son ouvrage.

— Il faut que Thibault de Champagne entende raison, Louis. Qu'il retire sa plainte auprès du Saint-Père et laisse Pernelle en paix.

— Vous en parlez aisément. Que proposez-vous ?

Louis ricanait. Aliénor releva la tête. Son regard se voila de tendresse et de violence à la fois. Pernicieuse, sûre soudain de son pouvoir, elle lâcha d'un ton froid, culpabilisant :

— Par deux fois vous m'avez offert des échecs, peut-être saurez-vous me donner une victoire sur ce prétentieux.

— Contraindre Thibault de Champagne ?

— Assiégez Vitry.

Louis blêmit :

— Comme vous y allez !

— Vous devriez déjà y être.

Il y fut le 16 février de cette même année 1143, avec le soutien de son propre frère, Robert de Dreux, qui lui aussi avait quelques griefs contre la maison de Champagne. C'était la première fois que le frère du roi soutenait la reine, Louis s'y laissa prendre.

Vitry-en-Perthois fut assiégée, mise à sac et pillée. Mus par une sorte de folie collective, les soldats à la fleur de lys incendièrent les toits de chaume, violèrent et massacrèrent. La population effrayée se réfugia dans l'église, mais cela n'arrêta pas les soudards. Louis se laissa déborder, malgré ses cris et ses ordres. Un prêtre sortit sur le parvis, pour s'interposer contre la démence des soldats, les bras ouverts, en hurlant :

— Paix, mes frères !

Une flèche l'atteignit en pleine poitrine. Tandis qu'il s'écroulait devant les archers amassés en demi-cercle autour du portique, il croisa le regard effaré de Louis, au milieu des jets de flammes qui convergeaient vers la maison de Dieu.

Abasourdi, Louis tenta de s'interposer à son tour, tandis que la charpente crépitait déjà. Agacé par les flammes et les rats qui fuyaient la bâtisse, son cheval se cabra. Le roi chuta de sa selle. Ce fut son frère qui le ramassa alors qu'il allait se faire piétiner par les sabots. Il était à demi inconscient. Une odeur âcre de fumée collait aux armures. Il y eut des cris, des appels au secours. Les portes s'ouvrirent sur des femmes, des enfants qui tentaient d'échapper au brasier. Une salve de flèches les cloua sur les marches. Robert de Dreux ne broncha pas. Ses hommes ne reculèrent que lorsque les flammes vinrent à bout de la charpente et qu'un parfum acide de chair brûlée vint s'ajouter à celui de la paille et du bois. L'église flambait et avec elle plus de mille fidèles qui y avaient trouvé asile.

C'est cette image que Louis reçut en ouvrant les yeux dans une mare de sang. Il hurla. Mais ce ne fut qu'un cri parmi tant d'autres.

Depuis une semaine, la fièvre collait les cheveux du roi sur son front tourmenté. Des images macabres tourbillonnaient autour d'une croix en flammes depuis laquelle le Messie tendait un doigt vengeur qui l'accusait. Mais il avait beau se traîner dans une boue putride, les mains jointes, mendiant son pardon, Louis ne recevait en ses rêves que la certitude d'avoir donné son âme au diable.

Plusieurs apothicaires se succédaient à son chevet, épongeant sans arrêt son visage, contraints de brûler dans la chambre des bougies et de l'encens pour chasser l'odeur âcre que dégageait la sueur maligne.

Laissant son frère terminer à sa place la guerre en Champagne en assiégeant Reims et Châlons, Louis était revenu quelques semaines après le drame, pitoyable et brisé, le corps secoué par des fièvres qui le laissaient à peine tenir debout. Aliénor avait entendu de sa bouche tordue par un rictus de dégoût l'horreur qui avait été commise. Des larmes lui étaient montées aux yeux. La reine n'avait jamais voulu ce massacre. Elle ordonna sur-le-champ que toutes les cloches des églises du royaume s'envolent dans une même supplique de pardon, mais aucune en Île-de-France n'osa braver l'interdit qui pesait depuis la décision papale. La fille aînée de l'Église était allée trop loin. C'était la troisième fois en un an qu'elle défiait le pape, bravait ses menaces et proclamait ses propres lois.

Les âmes des treize cents malheureux de Vitry avaient obtenu ce que la colère de Thibault de Champagne réclamait. Plus aucun office n'était célébré, et Louis se mourait.

Je ne savais plus que penser. Il s'était passé tant de choses depuis que j'avais chassé Jaufré de ma vie. Tant de choses dans lesquelles je m'étais investie jusqu'à m'oublier. J'avais cru en Mathilde lorsqu'elle avait mouché Étienne de Blois et conquis le royaume d'Angleterre. Cela n'avait duré que neuf mois. En juin 1142, celle que l'on avait acclamée était répudiée et rejetée comme une mégère. Sottement, elle avait puni ceux qui l'avaient bravée, allant jusqu'à faire incendier des châteaux et pendre des notables. Mère n'était plus à ses côtés et Mathilde s'était perdue. Cela faisait à présent une année qu'elle tentait de réparer ses torts, mais en vain. Elle avait trahi la confiance de ceux qui l'avaient soutenue, y compris la mienne. Sapé à la base tout ce que mère avait patiemment construit. Depuis lors, toutes mes manigances auprès d'Aliénor n'étaient que le reflet de ses caprices. J'avais cru qu'ils étaient le résultat d'une stratégie. Le drame de Vitry ravivait le doute. Je ne supportais pas l'idée d'être en partie responsable de cet holocauste. Depuis trois années, j'avais tissé une fine toile d'araignée dont chaque maillon était une clé de voûte. Une clé qui s'était effondrée sur des femmes et des enfants. Je n'étais pas venue au monde pour ça ! J'étais venue au monde pour servir l'Angleterre. Aujourd'hui, je n'avais plus que le sentiment désespéré de ne servir à rien ni à personne. Même plus à Jaufré que délibérément j'avais chassé. Je n'avais plus de ses nouvelles. Je m'étais habituée à ne pas penser à lui. C'est étrange comme on s'habitue à tout. Il me visitait seulement en rêve. Au matin, je me jetais à corps perdu dans l'intrigue. Tellement que tout ce que j'avais orchestré avait réussi. Trop bien réussi. Le roi se mourait.

Lorsque la missive arriva, j'en étais là de mes réflexions, écœurée de tout. Elle venait non pas de dame Mathilde, mais de mon ami Thomas Becket :

« Ne vous découragez pas mon enfant, disait-il en gallois, songez que ce n'est point pour dame Mathilde que vous œuvrez, mais pour le futur roi. Si Mathilde échoue, Henri le jeune vaincra. C'est trop tôt. Bien trop tôt. Il n'est encore qu'un enfant. Songez à lui quand vous viendra le doute. Lors, je le sais, vous ferez en votre âme et conscience ce qui est bon pour l'Angleterre. Respectez-vous et vous ne vous perdrez point. Et plus que tout, chère enfant, chère amie, prenez soin de vous, d'Aliénor et du roi de France. »

C'était comme s'il avait pu lire dans mes pensées. Un instant, je songeai que Merlin peut-être avait inspiré sa plume. Plus que tout, ce furent ces derniers mots qui me réconfortèrent. Je devais sauver Louis. S'il trépassait, Aliénor se ferait enlever par quelque duc ou pis encore, et tout serait à recommencer. Je n'étais pas responsable de toutes ces vies sacrifiées. La folie des hommes seule était à blâmer. Ce siècle n'était fait que de barbarie. Je ne pouvais me rendre coupable de tous les crimes commis, qu'ils l'aient été au nom d'un Dieu, d'une terre ou d'une cause. Il y aurait toujours des victimes. Si, par mon action, un jour l'Angleterre était unifiée derrière Henri, alors j'aurais justifié mes actes.

J'implorai Aliénor d'envoyer quérir Bernard de Clairvaux. Lui seul pouvait guérir l'âme malade du roi. Mais Bernard de Clairvaux ne vint pas. Il dépêcha un messager : « Dieu seul à présent décidera de donner ou non Son pardon en épargnant Louis. » Aliénor n'avait qu'à prier. Elle pria.

Béatrice, l'immonde Béatrice, pria comme jamais elle ne l'avait fait, à s'user les genoux de l'aube au couchant sur les pierres froides de l'abbatiale de Saint-Denis. Suger, après avoir condamné Louis, se condamna lui-même et pria pour la rémission de leurs fautes à tous deux entre deux ordres lancés à ses maîtres d'œuvre.

Je n'avais plus qu'une solution. Aider Dieu à faire son choix. Le lendemain de la réponse de Bernard de Clairvaux, tandis que les chapelets de repentir s'élevaient vers un ciel brumeux, je pénétrai dans la chambre de Louis en secret. Bernard le gras ronflait à grand bruit sur une paillasse au pied du lit. L'apothicaire avait eu une pensée charitable pour celui qui lui faisait porter du vin chaud. Sans supposer un seul instant qu'il pût contenir une drogue, il s'en était rassasié. Un sourire ravi s'épanouissait sur ses babines que retroussait le souffle régulier et bruyant du sommeil.

Louis était aussi blanc que les draps, le visage émacié, la respiration saccadée, les lèvres serrées desquelles s'échappaient parfois des plaintes. Il transpirait à grosses gouttes sur son front brûlant. Il portait la mort jusqu'au bout de ses ongles violacés. Nul doute qu'au matin il ne serait plus. Je desserrai avec difficulté ses dents et introduisis dans sa gorge quelques gouttes de liquide, puis appliquai le reste de ma potion sur ses tempes. Cela fait, je m'installai à son chevet.

Au chant du coq, la fièvre était tombée. Lors, je sortis une autre fiole contenant une décoction de pavot et lui en fis avaler une bonne rasade. Le gros

Bernard commençait à s'agiter sur sa paillasse, claquant du bec sur des arrière-goûts de vin et de miel. Je quittai la chambre du roi sans que l'on me vît et regagnai mes appartements pour dormir à mon tour du sommeil du juste. Louis était sauvé.

Cette fois, malgré la crainte qu'inspirait le pape, les cloches de toutes les chapelles du royaume carillonnèrent, se répondant de village en village jusqu'à midi.

Louis avait ouvert les yeux sur le visage mâché de Bernard penché au-dessus du sien et, détournant son nez délicat, avait murmuré :

— Éloignez-vous, par tous les saints du paradis, vous empestez le vin.

Bernard avait manqué tomber à la renverse, appelant de tous côtés ses confrères. On avait redressé Louis contre un oreiller, il avait repris des couleurs et réclamait à manger et à boire. Aliénor et Béatrice avaient pleuré dans les bras l'une de l'autre, épuisées par l'espoir et la prière. Suger s'était attendri de cette scène, s'imaginant que Dieu avait choisi et qu'il allait entrer de nouveau en état de grâce à la cour de France.

De fait, Louis avait changé depuis sa résurrection. Il ne portait plus d'habits, mais une bure de moine dépourvue d'ornements et de bijoux. Il s'était fait raser le crâne et courbait sous une large capuche un visage tourmenté. Aucun, le croisant, n'aurait pu reconnaître le roi de France en ce personnage. Il passait de longues heures en compagnie de Suger, et la rumeur prétendait qu'on l'avait surpris au milieu d'artisans, clouant telle planche, portant telle pierre pour aider à l'achèvement de l'abbatiale.

Lorsque Aliénor émit le souhait de rejoindre Poitiers à l'approche des beaux jours, il refusa de l'accompagner. La reine ajourna son départ, considérant qu'il était peut-être trop tôt pour que le roi entreprenne un voyage. Mais elle sentait bien qu'il y avait autre chose.

Le pape ne levait pas son interdit : Louis tentait de racheter son âme. Raoul et Pernelle s'étaient retirés dans leur province, mais il fallait bien davantage pour que le roi obtienne le pardon du Saint-Siège.

Béatrice était où se trouvait le roi. On la voyait peu au palais. Suger l'avait réclamée à ses côtés, ne ménageant pas sa peine pour terminer son chef-d'œuvre. Et il était vrai que jamais encore on n'avait vu pareille splendeur. La nouvelle abbatiale s'élevait telle une dentelle de pierre dont il surveillait chaque détail, allant même, de sa frêle silhouette, jusqu'à choisir lui-même les matériaux ou les hommes.

La cour se réunit donc dans les plaines de Saint-Denis, tout près de ce gigantesque chantier, dès les premières chaleurs, pour mieux jouir du spectacle. On organisa des tournois et des pique-niques. De même que le roi, Béatrice n'y parut pas. Elle le suivait telle une auréole, épongeait son front et priait à ses côtés. Elle l'apaisait, le rassurait, l'éloignait des exigences de son épouse. Ravie de ce nouveau pouvoir.

Ce semblant d'équilibre dura jusqu'au début du mois de juillet 1143. Aliénor veillait à ce que ses malles soient faites selon ses ordres. La jeune femme qui remplaçait sa chambrière, clouée au lit par une étrange maladie qui lui avait ôté l'usage de ses membres, était un peu gauche et étourdie, mais Aliénor ne parvenait pas à lui en vouloir. La petite avait quinze ans et elle se retrouvait en sa fraîcheur.

Elle la chassa sitôt que je m'annonçai. Il faisait une chaleur crasseuse, et Aliénor ne tenait plus. La fraîcheur des jardins de l'Ombrière lui tardait. De plus, Pernelle y séjournait, car son ventre la forçait au repos. Tant pis pour le roi. Elle irait avec sa cour. Il resterait avec la sienne.

Elle se laissa tomber à la renverse, les bras en croix, au milieu des robes et des châles, sur son lit au dessus bleu brodé de lys blancs, en soupirant de lassitude. Je m'assis à ses côtés et caressai d'une main tendre un bout de cuisse que le mouvement de la robe avait dénudé. Aliénor commençait à en avoir assez des caresses trop douces. Son corps réclamait la brutalité d'un sexe d'homme que Louis ne lui donnait plus depuis Vitry. Elle avait bien accueilli en sa couche un de ses gardes, plutôt joli garçon, deux ou trois fois, mais craignait que sa réputation ne devienne un de ces piteux refrains de salle. Quant à Denys, il n'était plus question pour elle de le recevoir. Cela faisait trop longtemps, et elle avait failli l'aimer. Trop. D'ailleurs, il s'était consolé depuis le printemps dernier et s'affichait très souvent avec une cousine de Sibylle d'Anjou qui avait pour prénom Marjolaine. Ses confidences me disaient que pour la première fois et loin de ce qu'il avait cru être de l'amour, Denys était touché au cœur.

Les troubadours, Panperd'hu le premier, se seraient bien volontiers proposés pour combler l'ardeur de la jeune reine dont ils chantaient la vingtaine superbe, mais aucun ne lui plaisait vraiment. Et puis il y avait au-dessus de sa couronne cette sanction qu'elle croyait divine. Le trône n'avait toujours pas d'héritier et, si le roi s'obstinait à bouder sa couche, elle imaginait mal pouvoir lui en donner un.

— Sais-tu ce que l'on rapporte ? me demanda-t-elle, le regard perdu dans les peintures du plafond. Il se flagelle lui-même jusqu'au sang. Cela fait plusieurs fois qu'on le trouve gisant au pied de la croix, le corps abîmé de stries violacées et suintantes. Je ne sais plus que faire, Loanna. Il refuse de me voir. Ce matin, je me suis rendue à Saint-Denis pour lui faire entendre raison, Suger m'a barré le passage. Il prétend que le roi purge son âme et qu'il convient de le laisser expier tant qu'il le jugera nécessaire ; que ma présence ne peut que lui faire mal. As-tu jamais entendu pareille stupidité ? Je suis la reine, que je sache !

— Une reine qui a bravé l'Église, ne l'oublie pas.

— Pernelle le méritait.

— Je sais, ma douce.

Je m'allongeai à ses côtés, et elle vint nicher son visage dans le creux de mon épaule.

— Je l'envie, tu sais, d'aimer à ce point. Pour rien au monde je n'aurais voulu qu'elle soit contrainte comme moi à un destin qu'elle n'aurait pas choisi. Ce que Louis est devenu me fait horreur, quand j'ai tenu dans mes bras un être qui s'éveillait enfin à la superbe et à l'honneur. Je l'ai cru changé.

— On ne change pas un prêtre.

— Je m'en aperçois trop tard.

— Il n'est jamais trop tard.

— Je vais avoir vingt et un ans, Loanna ; notre union est stérile et nous sommes indifférents l'un à l'autre.

— Vous n'êtes pas indifférents. Louis t'écœure, et tu lui fais peur. Tout n'est pas perdu. L'amour renaît parfois de bien moins.

— Je ne sais plus que penser.

— Retourner à Bordeaux t'y aidera.

— Il n'y viendra pas. Béatrice non plus. Cette petite garce se plaît en prière. À croire qu'il reporte sur elle toute la béatification du monde. Et Suger ferme les yeux quand leur promiscuité seule me bafoue.

— Laisse donc tout cela derrière toi. L'île de la Cité devient étouffante et d'une puanteur extrême. Reviens chez toi. Tu y verras plus clair, je te l'assure. Louis ne te trompera pas. Il expie trop de fautes pour ajouter celle-là à son chapelet, et Béatrice n'aura jamais ton charisme. Les bruits de cour vont et viennent. À l'automne, il n'y paraîtra plus.

— Je voudrais pouvoir te croire.

Elle soupira de nouveau. Je passai une main tendre dans ses cheveux, laissant planer un silence qui suivait le fil de ses pensées.

— Nous passerons par Blaye, murmura-t-elle d'une voix ennuyée.

Ma gorge se serra.

— Je sais.

— Il te manque, n'est-ce pas ?

Je ne trouvai pas la force de répondre. Bien que je m'en défendisse, un rien réveillait la douleur au creux de moi, un accord de cithare ou de mandore, un parfum de lys qui montait des jardins, le bleu d'un regard, ou quelque accent qui sentait le Sud. Il vivait en moi telle une flamme insoumise, mais aucun homme depuis notre dernière nuit n'avait pénétré mon ventre. Cela faisait plus de deux années. J'avais eu tant à faire depuis !

— Tu pourrais y séjourner quelques jours si tu voulais, insista-t-elle.

— À quoi bon, Aliénor ? C'est toi qui avais raison. L'amour n'est que douleur, et je refuse d'être la sienne. De toute façon il est trop tard. Trop de temps a passé sur nos peines.

— Tu souffres ?

— Non, mentis-je.

— Je t'aime, Loanna de Grimwald.

Je ne cherchai pas à détourner mon regard du sien ; avec moi seule, elle était sincère, et je m'en voulus de ne pouvoir l'être aussi.

Au fond de son iris dansait un visage qui pleurait. Le mien.

— Messire le comte de Blaye est souffrant, il m'a chargé de vous souhaiter la bienvenue.

L'abbé nous attendait aux portes de Blaye avec sa délégation. Aliénor avait écrit à Jaufré. Elle ne tenait pas à être reçue autrement que dans la plus grande simplicité et fut ravie de voir que tel était le cas.

La cour s'était scindée en deux parties fort inégales. Nombre de personnes avaient jugé prudent, étant donné la situation, de ne prendre parti ni pour le roi ni pour la reine et passaient l'été dans leur province. Louis restait à Saint-Denis dans une cellule aménagée à son intention depuis déjà quelques semaines. Pour ne pas avoir à le quitter, Béatrice s'était installée au couvent qui attenait à l'ancienne abbatiale, aidant les sœurs chargées de soulager les maux des ouvriers du chantier et de leur porter à boire à plusieurs reprises dans la journée. Bien évidemment, Louis constituait son principal intérêt. D'autant plus qu'elle avait remarqué combien souvent il la cherchait du regard lorsqu'elle tardait à s'affairer dans sa direction.

Quelques fidèles du roi, dont Thierry Galeran, qui espérait toujours malgré son grand âge regagner les faveurs du souverain, demeurèrent au palais de la Cité, pour tenir le roi informé des mouvements dans le royaume. En fait, ils ne voyaient que Suger.

Le reste, soit tout au plus une trentaine de personnes en comptant les pages et les écuyers, se rendit à Poitiers où nous passâmes quelques jours et s'annonçait ce jourd'hui à Blaye pour gagner Bordeaux par le fleuve.

Nous traversâmes la ville haute, elle me sembla triste. Les maisons au pied des remparts avaient été reconstruites depuis le dernier siège, et peu de choses en somme avaient changé en six années. Mais moi, je l'étais.

J'avais quitté Blaye le cœur serré, avec des souvenirs accrochés à mes jupons tels de petits démons malicieux. Je les avais combattus de toutes mes forces, pourtant, ce tantôt, ils me distillaient un froid glacial dans les veines. J'avais passé ma journée à redouter le moment où je croiserais son regard, où je devrais partager son pain. Aussi m'étais-je sentie soulagée qu'il ne fût pas là, prenant le risque de déplaire à sa souveraine.

On nous conduisit avec beaucoup d'égards dans la salle à manger où le couvert était dressé. Il y avait des bouquets de roses partout, sur les buffets, dans les recoins et les niches, en chemin de table. Jaufré n'avait pas failli à son bon goût, mais ils m'enivraient d'un souvenir qui me brûlait.

Un jeune garçon d'une quinzaine d'années s'inclina devant nous sitôt que nous fûmes installées. Une cithare l'attendait, qu'il pinça mélodieusement. Il avait une voix fine, un peu nasillarde. Aliénor eut un mouvement d'humeur. Elle allait s'impatienter, réclamer notre hôte. Discrètement mais fermement je retins son geste, lui glissant à l'oreille :

— N'en fais rien, je t'en prie. Oublie le protocole. Oublie que nous sommes là.

J'avais la gorge nouée. Je n'aurais pu supporter sa présence, sa voix, sa souffrance. Sa rage s'évapora.

— Pardon, murmura-t-elle.

Nous nous contentâmes de ce semblant de troubadour. Pour ma part, je ne pus rien avaler, les yeux rivés malgré moi sur la porte, redoutant et espérant à la fois voir sa silhouette s'y encadrer.

Mais Jaufré ne parut pas.

Le souper fort copieux achevé, on nous guida jusqu'à nos chambres et je ne fus pas surprise de retrouver le chemin de la mienne.

Elle était telle que je l'avais laissée. Avec son bassin d'eau de mélisse, ses flacons ouvragés et un damier de lys et de clématites sur le parterre.

Lorsque le page referma la porte derrière moi, après avoir allumé les chandelles, je tombai sur le lit, pleurant toutes les larmes que j'avais retenues depuis que je l'avais chassé.

J'avais dû m'assoupir, épuisée par trop de tension. C'est sa voix qui m'éveilla. Elle venait du dehors. La fenêtre était restée ouverte, et la lune éclairait le fleuve d'un reflet miroitant.

Jaufré se découpait de dos en contre-jour, assis au bord de la falaise ; je reçus sa chanson comme un coup de dague en plein ventre.

Lanquan li jorn son lonc en mai
M'es bèlhs dous chans d'auzèlhs de lonh,
E quan me sui partitz de lai
Remembra'm d'un'amor de lonh...

« Lorsque les jours sont longs en mai,
Il m'est doux le chant des oiseaux lointains,
Et quand je suis parti de là-bas,
J'emportais le souvenir d'un amour lointain :
Je vais alors pensif, triste et la tête basse ;
Et ni chants ni fleurs d'aubépine ne me plaisent
plus que l'hiver gelé…

Mais je ne sais quand je la verrai, car nos pays
sont trop lointains ;
Il y a tant de passages et de chemins que je
n'ose rien prédire.
Qu'il en soit donc comme il plaira à Dieu !
Jamais je n'aurai plaisir d'amour si je ne jouis
de cet amour lointain ;
Car je ne connais nulle part, ni voisine ni loin-
taine,
Femme qui soit plus gente et meilleure…
Il dit vrai celui qui m'appelle avide et désireux
d'amour lointain ;
Car nulle autre joie ne me plaît davantage que
de jouir de l'amour
lointain.
Mais à mes désirs il est fait obstacle,
Car mon parrain m'a condamné à aimer sans
être aimé.
Mais à mes désirs il est fait obstacle.
Maudit soit donc le parrain qui m'a voué à ne
pas être aimé. »

Jamais encore je ne l'avais entendu chanter de
cette façon. Avec une telle souffrance. Mes jambes
se dérobèrent quand j'eus envie de dévaler l'escalier

et de le rejoindre. Je m'écroulai à quelques pas de la porte. Ensuite, ce ne fut qu'un trou noir.

Des coups sourds et répétés, entremêlés d'accents inquiets, me tirèrent de mon engourdissement. Un soleil radieux caressait mon visage, et il me fallut quelques instants pour prendre conscience que je me trouvais par terre.

— Damoiselle de Grimwald, est-ce que tout va bien ? insistait une voix derrière le pan de bois.

— Je viens, parvins-je à articuler d'une voix pâteuse.

J'étais courbatue, mais je me redressai et ouvris la porte. Je ne me souvenais même pas de l'avoir barrée la veille. Camille, ma chambrière, me regarda comme si je sortais d'un tombeau.

— Entre, lui dis-je avec difficulté en reconnaissant sa frimousse.

Elle examina d'un œil inquiet mes vêtements froissés.

— J'ai eu un malaise sans doute. La chaleur…

— Voulez-vous que j'appelle un apothicaire ?

— Sûrement pas. Et je t'interdis d'en souffler mot à quiconque. Y compris à qui tu sais. Est-il tard ?

Camille soupira bruyamment pour montrer sa désapprobation. Elle avait suivi mes états d'âme comme des raz de marée depuis ma première arrivée en Aquitaine. Elle avait vécu mes rires ici autrefois. Et mes souffrances depuis. Je savais qu'elle n'était pas dupe. Sans doute avait-elle entendu comme moi la chanson de Jaufré. Elle n'en parla pas pourtant, se contentant de répondre :

— Vous appareillez dans moins d'une heure. Je n'osais pour ma part venir vous déranger avant que vous m'ayez réclamée, mais l'on s'est inquiété de ne pas vous voir descendre. La reine a déjà pris son matinel, et l'on charge le bateau.

— Aide-moi, ordonnai-je.

Cette nouvelle m'avait fait l'effet d'un coup de fouet. J'eus envie de lui demander qui s'était enquis de mon absence, mais je préférai m'abstenir. Il valait mieux que je n'en sache rien. Elle dénoua les lacets de ma robe. Quelques longues minutes plus tard, parée et coiffée, je descendais l'escalier. Un écuyer m'attendait dans la cour, tenant en bride Granoë fraîche et dispose. À l'instant où je posais le pied sur l'étrier, mon regard accrocha une fenêtre qui me faisait face. Jaufré s'y encadrait. Je manquai défaillir mais, emportée par le mouvement, je me retrouvai en selle sans savoir comment. Effrayée par la maigreur squelettique du visage, je talonnai ma jument, me persuadant que ce n'était que le fruit de mon imagination. D'ailleurs, il était trop tard. Bien trop tard.

Je retrouvai Bordeaux avec plaisir. Poitiers était une ville agréable mais le palais des ducs d'Aquitaine était trop grand et, à mon goût, trop riche. À l'Ombrière, je me sentais davantage chez moi. Sous ma fenêtre, la cour était de nouveau envahie d'herbes folles.

— Pourquoi ne prendrais-tu pas la chambre attenante à la mienne, ainsi il te serait plus facile de me rejoindre.

— J'ai besoin de solitude, Aliénor. J'aime cet endroit.

— J'ai parfois du mal à te comprendre, mais fais comme tu voudras. Dès demain, nous convoquerons les troubadours. Il y a un montreur d'ours dans la ville. Par sa bouche, la nouvelle de notre séjour ira vite. Tu n'auras pas le temps de t'ennuyer.

— Je ne m'ennuie jamais.

— Tu languis et c'est bien pire.

Je haussai les épaules, faisant rouler des dés sur le velours.

— Six ! J'ai gagné.

— Tu gagnes toujours. À croire que quelque magie te soutient.

— Va savoir ! souris-je tristement.

— Que t'arrive-t-il, Loanna ? Tu n'as pas dit un mot de toute la traversée ! Je te croyais aussi excitée que moi de revoir Bordeaux. Trois ans déjà ! (Elle soupira.) Que s'est-il passé cette nuit à Blaye qui t'ait bouleversée à ce point ?

Elle posa avec tendresse une main sur la mienne, soucieuse. Je n'avais pas bonne mine, je le savais pour avoir croisé mon reflet dans un miroir. Le jardin embaumait autour de la tonnelle croulant sous le lierre et les roses trémières, nous apportant quelque fraîcheur.

— Il ne s'est rien passé. Je ne l'ai pas même vu.

— Si ce n'avait été pour toi, je l'aurais fait amener et fouetter. N'importe lequel de mes vassaux serait venu me saluer et m'accueillir.

— Tu sais que c'est ma faute. Ne la rejette pas sur lui. Il t'est plus fidèle qu'aucun autre.

— Mais il ne m'aime pas, Loanna. Je sais même qu'il me hait profondément. Et cependant je ne parviens pas à lui en vouloir. C'est à toi que j'en veux.

Je redressai la tête, surprise :

— À moi ? Pourquoi donc ? Que t'ai-je fait ?

— Tu l'aimes comme jamais je ne pourrai aimer.

— Et alors ? C'est à tes côtés que je suis et non aux siens.

— C'est pour cette raison que je t'en veux.

Je la regardai sans comprendre. Aliénor recula sur le dossier de sa chaise et laissa tomber :

— Tu es présente chaque jour, il est vrai, mais ton âme est ailleurs.

— J'ai fait mon choix. Tu as tort.

— Je me sens coupable de t'avoir imposé ce choix qui te ronge.

— Tu ne m'as rien imposé.

— Si. Nous le savons toutes deux. J'ignore pour quelle véritable raison tu t'obstines à demeurer à mes côtés, mais je devine que ce n'est pas seulement par amour pour moi, Loanna. Ce que tu ressens pour lui est bien trop fort pour admettre de le perdre. Or, tu me l'imposes en te l'imposant à toi-même.

— Tu as raison, soupirai-je. Quelque chose de plus me retient à tes côtés.

Je laissai planer un silence qui fit écarquiller ses yeux de curiosité, puis lançai, malicieuse :

— Ton méchant petit caractère dont je ne pourrais me passer quoi qu'il arrive.

— Ne plaisante pas ! gronda-t-elle.

— Je ne plaisante pas, Aliénor ! Plus que Jaufré, c'est le pouvoir que j'aime et tu es le pouvoir. Déjouer les pièges qui se trament autour de toi, me servir des ragots pour affaiblir tes ennemis et faire de tes caprices des travers de grande souveraine, voilà ce dont j'ai besoin. Que ferais-je de mes journées, mariée à Jaufré ? Broder ou filer ? Chevaucher ses terres ? Chanter peut-être ? Une mandore à la main pour le suivre quand il serait en route, à moins que je ne retrousse jupon pour danser sur quelque table. Ce qui ne serait pas digne de l'épouse d'un seigneur, tu en conviens. Je devrais me contenter de l'attendre en tranchant quelques querelles de manants. En somme, rien de plus que je ne fais déjà. À la différence qu'à tes côtés je suis utile à ma reine. La raison doit l'emporter sur l'amour.

— Aliénor !

Le cri de joie nous fit lever la tête. Pernelle s'avançait dans l'allée bordée de roses, devancée par un ventre gonflé telle une outre. Si elle n'avait été aussi embarrassée, elle aurait couru vers sa sœur. Aliénor se leva et l'accueillit tendrement. La petite avait des yeux pétillants de bonheur.

Elle était décoiffée et ses joues rebondies étaient écarlates tant elle avait monté vite les marches.

— Pernelle, Pernelle, que te voilà belle, fredonna la reine en posant avec plaisir ses pleines mains sur le gros ventre. Bouge-t-il bien ?

— Oui, fréquemment. Jusqu'à faire de petites bosses dans ma peau.

— J'en suis heureuse, ma chère sœur. Mais d'où viens-tu donc alors que la nuit s'avance ?

— De Belin ! annonça Pernelle en se laissant glisser sur une balancelle.

— De Belin ! répéta Aliénor, effarée. Dans ton état ? Mais es-tu donc folle, ma petite ?

Pernelle partit d'un rire frais.

— Cesse donc, Aliénor, je ne craignais rien. Raoul m'avait installée dans une voiture bien confortable et nous avons fait des étapes.

— Tout de même, ce n'est pas prudent.

— Fi ! Dites-lui, damoiselle Loanna.

— Elle a raison, Aliénor. Elle est presque à terme et de santé robuste. Et puis Belin n'est pas si loin.

— Là, tu vois ! argua Pernelle.

Aliénor me lança un regard incendiaire, mais je savais que la petite ne risquait rien. Elle mettrait au monde un beau garçon, cela ne faisait pas l'ombre d'un doute.

— Et quelle affaire justifiait pareil déplacement, dis-moi un peu ? demanda Aliénor en lançant un geste en direction du page qui attendait notre bon vouloir.

Aussitôt, il servit à Pernelle un verre d'orangeade. La petite l'avala d'un trait, puis essuya délicatement ses lèvres avec son mouchoir de dentelle, caressant la bosse de son ventre du plat de la main. Aliénor s'attendrit de ce geste, une lueur d'envie au fond des yeux.

— Nous étions de noces, voilà ! annonça la future maman en souriant d'aise. Tu te souviens de Camille, la fille de ma nourrice ?

— Bien sûr, répondit Aliénor en haussant les épaules. Cette petite peste passait tout son temps dans mes jambes, chaque fois que je guettais Raymond. Je lui ai plus d'une fois botté le derrière, tu peux m'en croire.

Pernelle éclata de rire.

— Elle a trouvé d'autres jeux à présent et a épousé tantôt le fils du meunier de Belin, le beau Célestin. N'est-ce pas lui que tu embrassais autrefois derrière la roue du moulin ?

— Si fait ! Mais tout cela est bien loin, petite sœur. Nous n'étions que des enfants, ajouta Aliénor, un brin nostalgique.

— Tout de même ! Avec le fils d'un meunier. Si père avait su ! renchérit la petite en secouant ses doigts.

— Pour sûr que j'aurais tâté du fouet !

Et, toutes trois, nous éclatâmes d'un rire joyeux. Lorsque l'ombre descendit sur la tonnelle, nous étions encore à échanger les souvenirs d'une enfance heureuse, juste avant que le destin d'Aliénor ne bascule avec mon arrivée en Aquitaine.

14

Avec octobre, il nous fallut regagner l'île de la Cité. L'année 1143 tirait à sa fin et septembre avait été si chaud qu'Aliénor n'avait pu se résoudre à quitter Bordeaux. Pernelle avait mis au monde un beau garçon au milieu du mois d'août et la reine, sa marraine, ne cessait de prendre dans ses bras ce nourrisson braillard. L'accouchement avait été difficile et les relevailles de Pernelle furent longues. Aliénor avait tenu à s'occuper d'elle autant que de son neveu. Le besoin de materner la tenait tout entière et elle resplendissait dès lors que l'enfant se trouvait contre son sein. S'en arracher pour rentrer à Paris lui broyait le cœur.

J'en arrivai à cette conclusion : Aliénor devait avoir un enfant. Elle en avait besoin. Mère avait dit : « Pas d'héritier. » Rien au fond n'empêchait Aliénor d'avoir des filles. Je me promis d'agir en ce sens.

L'autre événement qui retenait Aliénor à Bordeaux était un troubadour. Bernard de Ventadour, qu'on lui avait présenté quelques années auparavant, portait beau et chantait bien. Définitivement chassé des terres qui avaient vu sa jeunesse et ses hardiesses auprès de sa bienfaitrice, il s'était réfugié à l'Ombrière, passant par l'Aquitaine au hasard de sa route et trouvant l'aubaine à son goût.

Jaufré, quant à lui, ne parut pas et, curieusement, même Panperd'hu qui était son ami, ne dit mot à son sujet. Peut-être avait-il reçu de Jaufré quelque recommandation. Peut-être espérait-il ainsi que j'en vienne à réclamer des nouvelles. Plus d'une fois je dus chasser l'envie de le faire. Mais je tins bon et ne sus rien.

Le roi non plus ne donnait pas de nouvelles. Celles qu'on recevait démontraient qu'il n'était pas pressé de rejoindre son épouse. Lasse de lutter contre elle-même, Aliénor avait finalement cédé aux avances de Bernard de Ventadour. À Bordeaux, tout était facile. Chacun savait que la reine avait un amant et trouvait cela normal. Il était d'ailleurs de bon ton en Aquitaine de se laisser aller au hasard de l'amour, l'été se prêtant à merveille à quelques épaules dénudées et aux jeux de séduction.

S'afficher ainsi en Île-de-France n'était pas du même tonneau. Jamais Louis n'aurait supporté pareil comportement. Non seulement son éducation en refusait l'idée, mais il était profondément jaloux. Aliénor en était consciente et avait joué de la plus extrême prudence avec Denys. Il lui faudrait redoubler de vigilance, surtout si, à son retour, le roi persistait à bouder sa couche.

Le voyage se passa à mettre au point une stratégie. La rumeur se chargerait d'informer le roi de l'adultère de son épouse, il s'agissait de ne pas lui donner matière à vérifier ces dires.

Partis tôt le matin de Bordeaux, nous ne fîmes qu'une brève étape à Blaye, le temps de décharger les malles et d'en couvrir les mulets. Aliénor voulait gagner Châtellerault à la nuit, et Denys tenait à présenter à son père celle qui ne le quittait plus : Marjolaine de Monfort. Je ne vis pas davantage Jaufré qu'à l'aller.

À Châtellerault, le vieux comte nous reçut les bras ouverts. Il y avait fort longtemps qu'il n'avait eu le plaisir de recevoir la duchesse en son domaine. Il était vrai que nous n'étions allés en Aquitaine que trois fois au cours des six dernières années et que les visites chez les vassaux d'Aliénor avaient souvent été motivées par des raisons d'État. Chez certains, il était bon de faire peser l'autorité ducale. Chez d'autres, comme là, la fidélité se passait de sermon.

Loriane était morte de langueur l'hiver précédent. Denys en avait éprouvé un réel chagrin. Il l'avait aimée comme une mère sans pouvoir le lui dire, sans pouvoir le lui prouver. Elle ne lui en avait jamais donné le droit. Son père l'accueillit, les larmes aux yeux, et les deux hommes s'étreignirent avec la même émotion.

Ses fils aînés s'étaient mariés, et le vieil homme sentait grandir en eux la rancœur qu'ils lui portaient. Pas davantage que son épouse, ils ne lui pardonnaient l'existence de Denys. Cette faute qu'il avait commise en l'élevant au milieu des siens était pour eux la véritable raison de la folie de leur mère. Ils venaient rarement et, chaque fois, quelques remarques incisives fusaient.

Denys et son père parlèrent longuement. Nul ne sut ce qu'ils se dirent, mais Denys nous annonça que le vicomte l'accompagnerait auprès du baron de Monfort, le père de Marjolaine. Le connétable de la reine avait gagné les terres d'un petit baron lors d'un tournoi l'année dernière. Il n'était plus depuis un moins que rien sans fortune, sans titre, sans situation. À l'issue des joutes qu'il avait remportées devant les plus grands, le roi l'avait fait chevalier. En accompagnant son fils, le vicomte tenait à montrer qu'il avait aussi un père qui l'aimait.

Denys voulait épouser Marjolaine, qui l'idolâtrait. Elle n'était pas jolie, elle était plus que cela. Il émanait d'elle une douceur telle qu'à chacun de ses gestes on eût dit qu'un souffle de mai survolait l'espace. Elle riait de tout en dissimulant derrière ses longues mains blanches des dents comme deux rangées de perles étincelantes. Et, s'il se trouvait que Denys effleure son visage d'un doigt mutin, elle rougissait en levant vers lui de grands yeux noirs émerveillés. Ce que j'aimais le plus chez elle, au-delà de tout cela, était sa franchise et son intelligence qu'elle avait fine et modeste.

Marjolaine ne trichait, ne raillait, n'enviait pas. Marjolaine était simplement elle-même. Denys ne pouvait espérer meilleure épouse. L'amie qu'elle était devenue avait feint de comprendre pour mieux les accepter les liens qui m'unissaient à son amant. Elle m'aimait sincèrement, comme une sœur. Il n'y avait pas de malice chez elle. Et c'était si rare et si précieux que je n'aurais pour rien au monde voulu gâcher leur complicité. Je les aimais tous deux éperdument, sachant bien au fond de mon cœur que si Jaufré n'avait pas existé, c'est à Denys que j'aurais offert mon âme. Marjolaine valait mieux que moi.

Il fut décidé au cours de cette soirée que père et fils partiraient dès le lendemain pour demander la main de Marjolaine. Aliénor avait donné sa bénédiction et promis aux épousés des présents dignes de la confiance et de l'affection qu'elle éprouvait envers son connétable.

Nous laissâmes Marjolaine et Denys derrière nous, avec l'assurance qu'ils ne tarderaient point à nous rejoindre. La reine avait besoin de son protecteur et moi d'un ami sûr, le seul sur qui je puisse véritablement compter.

— Trois jours, trois jours que j'arpente les pavés de ce satané palais et il n'est pas même venu me saluer ! S'il ne s'annonce pas avant ce soir, je jure devant Dieu que j'ébranlerai les portes de l'abbatiale avec ma garde !

Aliénor était en rage. Il pleuvait sur Paris. Il faisait froid. Le roi ne s'était pas même déplacé pour l'accueillir. Pis, il lui avait fait souhaiter la bienvenue par Thierry Galeran. Agacée, mais disposée toutefois à passer sur cette offense, elle s'était rendue à Saint-Denis pour lui porter son affection. Suger lui avait sèchement signifié que Louis était souffrant et ne pouvait la recevoir. Souffrant ! Quelle ineptie ! On lui rapportait sans cesse qu'il lavait lui-même les mains des diamantaires chargés d'orner la croix de l'autel ! Souffrant ? Il n'avait aucune envie de la voir, voilà tout, et cela la mettait dans une colère hors du commun. Pour qui se prenait-il donc, ce petit paltoquet ?

— Il m'humilie, il me bafoue ! Avec la complicité évidente de Suger en plus ! C'en est trop, je vais lui dire ce que j'en pense. Et sur-le-champ, même !

— Allons, calme-toi !

— Non, c'en est trop, je te dis. Je suis reine de France ! J'interdis à quiconque de l'oublier. Gardes !

Elle ouvrit toutes grandes les portes de son cabinet et ordonna qu'on lui amène Thierry Galeran.

— Que vas-tu faire ?

Aliénor me faisait peur. Jamais encore, même dans ses pires moments, je ne l'avais vue aussi excédée. Elle ne se contrôlait plus, n'écoutait même pas. J'essayai de lui prendre le bras, elle me repoussa avec violence. J'attendis donc tandis qu'elle ruminait sa colère.

— Vous m'avez fait demander, Votre Majesté ?

Thierry Galeran s'inclina profondément, le visage marqué par la surprise. Aliénor était en nage, rouge sang, les poings serrés.

— Non, messire, je vous ai fait amener. Duvers !

Son secrétaire, un petit homme à peine plus haut qu'elle, surgit du cabinet attenant.

— Prenez note, Duvers.

L'homme se mit au bureau et saisit une plume.

— « Votre Majesté, considérant comme une offense votre obstination à ne pas me rendre hommage, je vous informe par la présente de l'arrestation sur mon seul ordre de votre ministre, messire Galeran, qui recevra à vêpres dix coups de fouet comme avertissement. »

— Aliénor !

Je m'élevai vivement. Son regard me cloua sur place. Thierry Galeran n'osait bouger.

— Je n'ai pas achevé. Continuez, Duvers. Notez : « Je souhaite vous voir avant cette heure, en foi de quoi je consentirai à lever cette sanction. Dans le cas contraire, dix coups de fouet seront administrés à chaque branle de l'horloge de Saint-Denis et ce, jusqu'à votre révérence. Vous êtes désormais seul responsable du sort de cet homme devant Dieu. » Duvers, vous ajouterez les formules d'usage. Gardes !

La porte s'ouvrit.

— Emmenez messire Galeran. Il est en état d'arrestation.

— Sur quel motif, Majesté ? osa le vieux ministre en redressant la tête, atterré par cette attitude.

— Je n'ai pas besoin de motif. Je suis la reine !

Le vieil homme serra les dents et passa la porte, encadré des hommes d'armes. J'étais bouleversée. Jamais je ne l'aurais crue capable d'une telle cruauté.

— Faites porter ce billet au roi sur-le-champ, ordonna-t-elle encore à Duvers, qui s'éclipsa en silence.

Ensuite seulement elle desserra les poings et s'alla servir une rasade d'eau-de-vie de prunelle qui traînait dans un flacon sur un buffet bas. Elle l'avala d'un trait.

— Et maintenant ? demandai-je.

— Maintenant nous allons attendre.

— Il mourra, et tu le sais.

— Nous le remplacerons.

— Très bien. Tu es la reine.

Je sortis à mon tour. Je ne pouvais cette fois, du plus profond de moi, couvrir cette injustice.

Contre toute attente, Louis céda. Moins de deux heures après, il s'annonçait dans ce même cabinet, Suger à ses côtés, l'œil réprobateur.

— Laissez-nous ! imposa Aliénor au vieil abbé avant même que le roi ait ouvert la bouche

Louis était livide. Suger, pour toute réponse, s'installa dans un fauteuil, soutenant le regard de la reine. Aliénor se trouva un instant décontenancée, puis, haussant les épaules, choisit de l'ignorer.

— Ne restez pas planté comme un benêt, Louis. Prenez un siège, à l'exemple de votre confesseur. Nous avons à parler.

Mais Louis ne parvint pas au fauteuil. Il s'effondra sans connaissance aux pieds de la reine.

La semonce de Suger fit son effet. Le roi était bel et bien souffrant. Il avait pris froid à œuvrer pour son repentir, et le jeûne autant que le travail qu'il s'imposait l'avaient affaibli. S'il n'y avait eu la menace d'Aliénor, il n'aurait pas quitté le lit. Suger le lui avait d'ailleurs interdit, arguant que la reine n'oserait jamais, mais Louis savait. Aliénor en colère était capable de tout. Et de bien plus encore.

Aliénor fit pénitence. Elle s'occupa elle-même de son époux avec ferveur et attention. Suger l'entendit en confession, et elle promit même de ne plus contrer les décisions du roi pour peu qu'il lui revienne enfin. Elle fit des excuses publiques à Thierry Galeran, qui se retira pourtant en ses terres pour digérer l'affront.

Malgré l'interdit qui pesait toujours sur le royaume, on pria. Cette fois, le roi se remit de lui-même. Mais il gardait rancune à son épouse de ce geste inconséquent et, sitôt qu'il eut retrouvé ses forces, il s'en retourna à Saint-Denis.

Aliénor se consola avec son troubadour, tandis que je redoublais de surveillance auprès de Béatrice. Elle devenait de plus en plus proche de Louis. Outre les prières, ils échangeaient de longues conversations pendant lesquelles il paraissait heureux. Louis aimait Béatrice. C'était flagrant.

Mais il l'aimait d'amour pur, comme une sainte intouchable.

Denys revint, et Pâques 1144 vit ses épousailles avec damoiselle de Monfort. Je m'y rendis avec le roi et la reine, et ce fut une joyeuse fête. Aliénor céda à son connétable un fief en Guyenne dont le seigneur était défunt sans héritier et qu'elle avait réservé à cet usage. Marjolaine fut chargée de l'administrer, et Denys reprit son poste auprès des gardes de la reine. Il était transfiguré par un bonheur sans tache. Il ne parla pas davantage que Marjolaine des moments passés avec le vicomte de Châtellerault, mais celui-ci assista au mariage, bravant ses deux autres fils, qui jurèrent de venger cet affront. Ce fut le seul nuage de cette journée. Ou du moins presque : combien j'aurais voulu en cet instant de promesses pouvoir poser ma main sur le poing de mon troubadour !

Le printemps se passa à achever les préparatifs de l'inauguration de l'abbatiale prévue pour juin. Louis offrit à Suger le vase en béryl sur la recommandation d'Aliénor, et la jeune reine s'activa pour que chacun se souvienne aux quatre coins du royaume de ces festivités.

En mai de cette même année 1144, Le pape Célestin II leva l'interdit sur le royaume de France : l'épouse dite « légitime » de Raoul de Crécy venait de mourir. Le sénéchal du roi de France et Pernelle firent leur apparition au palais de la Cité, et Suger les convia aux fêtes de la dédicace.

Le conflit entre Thibault de Champagne et le comte de Vermandois s'achevait officiellement avec la levée de l'excommunication, mais rien n'était réglé pour autant. On n'enterre pas la haine en plantant une croix. Il y eut des accords, des révérences, mais l'on sentait derrière l'apparence planer une odeur de mensonge et de traîtrise.

Il fallait que quelque chose arrive. Quelque chose de grand. Quelque chose de puissant qui rassemble les foules et désorganise les querelles en unissant les bras.

L'idée m'apparut au matin d'un songe : Aliénor brandissant une bannière sous un soleil brûlant, une croix rouge sang flottant sur son épaule. Je lui en parlai le soir même, après qu'elle eut congédié Bernard de Ventadour.

— Bernard de Clairvaux t'a-t-il donné sa réponse ? interrogeai-je.

Aliénor sourit à pleines dents.

— Elle m'est parvenue ce matin même. Je me doutais bien que le cher homme ne manquerait pas cette occasion. Il viendra.

— Tu profiteras de sa visite pour lui demander audience.

— Et que lui dirai-je ? Que Louis ne m'aime plus, ne me touche plus, et que je dois me satisfaire des caresses de ma dame de compagnie !

— Tu oublies Bernard de Ventadour !

— Lui, c'est différent.

— Différent ?

— Je crois que je pourrais m'en passer si le roi revenait.

— Tu m'as dit, pas plus tard que le mois dernier, que Louis te faisait horreur ainsi.

Elle soupira :

— C'est vrai qu'il n'est pas bien affriolant avec sa maigreur squelettique, son crâne rasé et sa bure de prêtre, mais, depuis quelques jours, son regard brille d'un éclat surnaturel. De plus, il s'adresse à moi différemment. Peut-être a-t-il été frappé par la grâce.

Je ne pus m'empêcher d'étouffer un rire et me moquai :

— Voyez-vous ça ! Tu lui reprochais hier d'être un moine, voilà maintenant que tu rêves d'un saint… Tu risques l'enfer pour une telle perversion.

Elle bouda :

— Ne te moque pas. Louis est mon époux.

— Je ne me moque pas. Il est temps, je crois, de montrer à Louis que tu es son alliée, repentante et fidèle.

— Il faudrait un miracle.

— Bernard de Clairvaux en est un.

— Soit. Et ensuite ?

— Demande-lui un enfant.

— Il faudrait que Louis me touche.

— Plains-toi qu'il préfère le chapelet et insinue qu'un mariage que l'on ne consomme pas peut être annulé.

— Mais je ne veux pas me défaire de Louis !

— Non, pas encore…, ironisai-je.

— Jamais ! argua-t-elle en redressant la tête.

Cela m'amusa :

— Demande un enfant contre ton amendement. Suggère à ce saint homme que, pour obtenir le pardon de Dieu, tu es prête à tout, même à prendre la croix.

Aliénor blêmit. Elle bafouilla :

— Une croisade ? Tu as perdu la raison ?

— Que nenni. L'idée fera son chemin et, avant qu'il soit longtemps, Bernard de Clairvaux la fera sienne. Il vaut mieux que nos ennemis guerroient en terre lointaine que sous nos fenêtres. Et puis quoi ? Préfères-tu que ton cher époux finisse dans un monastère ou comme un chevalier, l'épée à la main et le teint bruni par le soleil ?

Je vis un large sourire éclairer son visage tandis que défilait devant ses yeux l'image du roi tel qu'elle le rêvait.

Elle s'avança vers moi et plaqua un tendre baiser sur mes lèvres, emprisonnant mon visage à pleines mains :

— Je t'adore, décidément, Loanna de Grimwald.

— Je vous aime aussi, ma reine.

Suger était aux anges, en ce jour du 11 juin 1144. Les fêtes de la dédicace du chœur de l'abbatiale venaient d'être proclamées ouvertes et en même temps qu'elles la foire du Lendit. Autant dire que tous les grands du royaume ou presque s'y pressaient. Depuis des siècles, la foire attirait la foule des provinces et pays les plus éloignés, qui y commerçaient. Aliénor avait fait preuve d'une ardeur infatigable et préparé au côté du roi ce que lui-même considérait comme l'événement du siècle. Et cela en était un : jamais en aucun endroit de France et d'Europe on n'avait pu voir pareil bâtiment. Tous y avaient contribué, du plus noble au plus faible, du plus respectueux au moins pieux.

Il avait été décidé que l'on partirait du palais, Suger et le roi en tête d'un cortège rassemblant plus d'un millier de personnes. Une fois encore, on ne voyait que Louis. Dans une magnificence d'étoffes, de bijoux, tant chez les grands que chez les ecclésiastiques, Louis portait avec simplicité une bure de serge beige et une croix de bois passée en pendentif sur une corde de lin. Suger avait eu beau insister, rien n'y fit. Plus que jamais, Louis souhaitait faire allégeance et réclama de porter le flambeau.

Les gens d'armes durent s'interposer à plusieurs reprises pour écarter la foule qui s'entassait à l'étouffement sur chaque bord du chemin. Tous voulaient voir le roi avant de suivre le cortège.

On se mit en selle pour traverser les marais, au pas, sur l'étroite voie. Il y avait des cris, des rires, des chants. Aliénor souriait, Suger souriait, Béatrice souriait, la foule souriait. Seul Louis regardait droit devant lui vers la dentelle de pierre, à en avoir les yeux rougis. Arrivé sur le petit tertre de la Montjoie, Suger prononça quelques mots avant de bénir la marée humaine qui colorait la colline.

Trois croix étaient plantées au bord du chemin, à l'endroit où les martyrs Denis, Éleuthère et Rustique avaient été décapités. Devant chacune d'elles attendait un énorme cierge. Louis les alluma en silence. On entendit des murmures dans la foule. Je perçus même cet échange curieux entre deux badauds :

— C'est qui donc le prélat qui rend hommage à saint Denis ?

— C'est le roi, eh, benêt !

— En v'là-ti une drôle d'allure pour un roi ! J'suis même mieux couvert que lui !

Quelque troubadour nous suivant en pinçant son instrument dut entendre lui aussi, car il ne fallut que quelques jours pour que nous retrouvions cette remarque dans une chanson.

On arriva enfin devant l'imposante basilique. Le roi, qui seul allait à pied devant les palefrois, s'arrêta et tous les grands mirent pied à terre. Des moines nous ouvrirent un passage suffisant au milieu d'une foule grouillante aux abords de la cathédrale. En premier plan des moines de Saint-Denis, Bernard de Clairvaux regardait avec une pointe de désapprobation cet étalage splendide.

Louis vint humblement s'agenouiller à ses pieds sur le parvis inachevé de la cathédrale. Un murmure courut parmi l'assistance. Bernard de Clairvaux le releva en souriant. Puis, lui posant paternellement une main sur l'épaule, ils pénétrèrent dans la nef escortés de Suger, de la reine et de tous les féaux de Leurs Majestés.

Suger célébra l'office, mais ce fut Bernard de Clairvaux qui prononça le sermon. Il rappela à chacun qu'une âme belle n'avait besoin d'aucun ornement et s'élevait, emplie de sa propre lumière, vers le royaume de Dieu. Que le luxe n'était que perversion et qu'il fallait chercher non point la mise mais ce qui se cachait derrière pour déterminer la valeur du bien ou du mal. Suger baissa la tête, mais, bien que directement concerné, ne se départit pas de ce regard fier qu'il arborait depuis le matin.

Il est vrai qu'il n'avait pas fait les choses à moitié. Des colonnes de marbre formaient vers le chœur une allée digne de son ambition. Il était allé les chercher jusqu'à Rome, dans ce qui restait des palais, des thermes de Dioclétien. Des vitraux d'une finesse extrême, qui avaient rassemblé à Paris les maîtres verriers les plus habiles, ornaient les ouvertures. Au fond du chœur, haute de plus de cinq aunes, la croix resplendissait d'or et de pierreries. Un Christ de marbre finement taillé y était crucifié, le regard empli de miséricorde tourné vers la foule. Pour ajouter à la féerie, plantés dans la paume de ses mains, des clous de diamants le transperçaient de lumière. Il n'était pas un grand dans le royaume qui n'avait puisé dans ses subsits pour offrir à saint Denis le pardon du roi avec cette croix prestigieuse. Suger en rayonnait de fierté, Louis de reconnaissance.

Bientôt, ce fut le moment que ce dernier attendait. Devançant les archevêques, il se présenta à la crypte pour recueillir lui-même dans ses mains les reliques sacrées de saint Denis.

Bien qu'Aliénor courbât la tête, je vis passer un voile de tristesse dans ses yeux. Louis s'habillait comme un moine, se conduisait comme un moine et montrait par ce geste qu'il serait désormais soumis à jamais à l'Église. Elle venait de prendre conscience que son influence était définitivement vaincue. Son regard chercha celui de Bernard de Clairvaux. Le vieil homme n'afficha aucune complaisance. Il était temps qu'elle s'abaissât à davantage d'humilité, devait-il penser. Lorsque la cérémonie fut terminée, la reine demanda un entretien privé au saint homme. Bernard de Clairvaux y consentit.

Je n'avais eu que deux fois auparavant l'occasion de le rencontrer. Sa dernière entreprise à Cluny, au cours de laquelle il condamna les amours d'Abélard pour sa jeune et jolie élève Héloïse, m'avait laissé un goût amer dans la bouche. Même les adeptes d'Abélard s'étaient vus, ce jour-là ébranlés dans leur conviction, tant l'homme était fascinant. Il portait Dieu comme d'autres l'épée. Dès qu'il haranguait, il était transfiguré. Lorsqu'on le regardait, on s'imaginait qu'allait sortir de lui une petite voix semblable à son image fluette et usée. Elle éclatait, grave et puissante, dans des poumons d'acier. On prétendait qu'il avait été en sa jeunesse la personne la plus séduisante du royaume. Il s'était consumé, ratatiné. Seuls ses yeux d'un bleu dur, métallique, donnaient encore une vague idée de sa beauté passée. Ce qu'il avait perdu en apparence, il l'avait gagné en superbe. Bernard de Clairvaux inspirait la crainte, l'amour, le respect et la foi. C'était un être dangereux.

Plus encore que Suger. Suger était parti de rien et s'était accroché au pouvoir dont il aimait le faste et le luxe. Son ambition s'arrêtait à sa seule personne. C'était pour lui seul qu'il avait relevé l'abbaye de Saint-Denis, reconstitué son patrimoine. L'abbé de Clairvaux, à l'inverse, aimait le pouvoir, mais au profit de Dieu. Il ne possédait rien, ne souhaitait rien pour lui-même. Seuls comptaient la puissance absolue de Dieu et son contrôle sur les âmes.

Lorsque Aliénor reparut, elle était sereine et l'abbé souriait.

Les fêtes durèrent une douzaine de jours, attirant, outre des marchands venus des quatre coins d'Europe, bon nombre d'attractions de toutes espèces. L'abbatiale de Suger faisait des envieux.

À leur terme, Louis se présenta à la porte de la chambre de son épouse, le cœur battant, la gorge sèche. Aliénor lui ouvrit les bras. Mais, au contraire de ce qu'elle avait prétendu, elle ne quitta pas pour autant son beau troubadour.

— C'est une fille, messire !

Louis écrasa un poing de rage sur le mur de pierre. Il avait espéré, espéré. Au mépris de cette rumeur. Dans tout le royaume, on racontait que l'enfant porté par la reine et qui, cette fois, semblait vouloir arriver à terme, était celui de son amant et non le sien. Pour donner davantage de crédit à ces ragots, il ne se passait pas un jour où

Bernard de Ventadour ne vienne tenir compagnie à Aliénor.

— La reine vous réclame, Louis.

Suger s'avança en frottant comme à son habitude ses mains l'une contre l'autre. Louis ne broncha pas. Il regardait au loin les pointes de la cathédrale dont la construction se poursuivait depuis une année. Elles semblaient le narguer dans ce ciel limpide de la fin mai 1145.

— Dieu me punit, mon père. Une fois encore.

— Allons, mon fils, ne vous laissez pas gagner par la mélancolie. Je vous en prie, venez. Cette enfant est fort gracieuse et la reine tellement heureuse.

Louis fit face à Suger, en proie à une rage dont il ne se serait pas cru capable :

— Heureuse, dites-vous ? Le joli ouvrage, il est vrai ! Qu'ai-je à faire d'une fille quand le royaume attend un héritier ? Cela fait huit années, Suger. Et il y a pire ! On me ridiculise jusque sous mes fenêtres. Faites donc venir ce bâtard de Ventadour, qu'il emporte sa progéniture et aille au diable ! Jamais, vous entendez, jamais je ne verrai cet enfant. Ce n'est pas le mien !

Et, plantant Suger apitoyé, il s'élança comme un fou par-delà la porte. On ne le revit pas d'une semaine.

Aliénor était rayonnante du bonheur de serrer enfin son enfant dans ses bras, même si, comme Louis, elle regrettait que ce ne soit pas un mâle. Cela aurait résolu tant de problèmes entre eux.

Le roi n'était resté que quelques mois dans sa couche, le temps d'ensemencer sa terre, puis, prétextant qu'il fallait prévenir le malheur, il l'avait laissée porter gros ventre. Cette fois, la reine n'avait pris aucun risque. Elle s'était refusée à tout voyage, demeurant alitée ainsi que les apothicaires le lui recommandaient. Son enfant, qu'elle avait prénommée Marie, en hommage à la Sainte Vierge si chère au cœur du roi, dormait contre son sein lourd, une pointe gonflée entre ses lèvres fines.

On apprit bientôt qu'un visiteur annonçait son passage. Bernard de Clairvaux voulait bénir cet enfant, ce présent divin qu'Aliénor lui avait demandé en échange de son obéissance. Le roi se tenait à ses côtés. Apaisé. Recueilli. Bernard de Clairvaux avait parlé. Dieu avait envoyé un enfant ! Si Louis n'avait pas de fils, ce n'était que pour rappeler qu'il fallait être vigilant. Le temps viendrait, si le jeune couple maintenait sa promesse de demeurer raisonnable et respectueux envers l'Église. Quant aux ragots, Bernard ne voulut pas en entendre parler. Il était du droit du roi de faire régner l'ordre et de marquer sa puissance sur son territoire. Quoi qu'il fasse ou dise, cet enfant était le sien.

Aliénor reçut Louis en pleurant. Ils restèrent longuement dans les bras l'un de l'autre, l'enfant contre eux pour se souvenir de leur tendresse et de leur serment.

— Venez vite, Loanna ! La reine est furieuse et rien ne semble vouloir l'apaiser.

Sibylle d'Anjou, qui avait fini par épouser le baron des Flandres, était écarlate d'avoir couru. J'étais occupée à trier dans le jardin des simples dont les vertus étaient salutaires contre ces maux de ventre qui depuis quelques matins me tenaillaient.

La nouvelle était arrivée telle une flèche : Bernard de Ventadour avait été exilé par le roi, le matin même.

Je courus autant que mes sandales me le permettaient, traversant les brassées de jonquilles et d'iris qui fleurissaient les jardins.

La reine était alitée depuis une semaine. Ses couches l'avaient fatiguée, et l'apothicaire avait prescrit le repos pour ne point faire tourner le lait. Je m'engouffrai, haletante, dans la chambre. Aliénor, aidée d'une chambrière, achevait de se vêtir. Elle maugréait contre la pauvre enfant qui n'allait pas assez vite, s'y prenait comme une gourde.

— Ah, te voilà ! Cela fait plus d'une heure que je te fais chercher ! On se donne le mot dans cette maison pour blesser mon content ! Assez ! Tu me piques ! Dehors ! Dehors, j'irai plus vite sans toi !

La petite figure ronde de Marjorie se voila. Elle était au bord des larmes et tremblait comme un jonc.

— Laisse-nous, Marjorie. J'achèverai de parer la reine, lui dis-je posément.

La petite hocha la tête, la gorge nouée, et s'esquiva. J'entendis le bruit d'un sanglot derrière la porte. Je soupirai.

— Hâte-toi de serrer ces lacets. Je dois voir le roi !

Je croisai avec douceur les fils d'argent sous sa poitrine.

— Tu ne le verras pas, Aliénor, il ne sert à rien de te mettre en pareille sueur. Ce n'est pas bon pour l'enfant.

— Allons ! J'ai plus de lait qu'il ne m'en faut pour la nourrir. Que Louis le veuille ou non, je jure par Dieu qu'il me recevra !

— Sans doute… lorsqu'il reviendra, laissai-je tomber en ajustant sa taille.

Elle blêmit :

— Le roi est absent ? On ne m'en a pas informée.

— Il est parti il y a peu, au dire de Suger que j'ai croisé en accourant. Une affaire à régler à Chartres. Denys et quelques hommes l'accompagnent.

— Le fourbe, le traître, l'infâme !

Elle arracha d'un geste vif les lacets qui l'étouffaient dans sa colère.

— Calme-toi, ma reine, tu n'y peux rien changer.

— Il a reconduit Bernard lui-même pour que je ne puisse seulement lui dire adieu ! Il m'a bafouée, il m'a…

Elle éclata en sanglots convulsifs, en se jetant contre ma poitrine.

— Et que croyais-tu donc ? Qu'il allait ainsi laisser égratigner son honneur au fi de la rumeur grandissante ? Trop de gens savent ton affection pour Bernard de Ventadour et il ne se passe pas de jour où il ne vienne voir Marie pour lui chanter quelque berceuse. Louis a agi comme il le devait. Il s'est comporté en roi… Tu lui reprochais bien assez d'être un moine ! Te courrouceras-tu du fait qu'il se sente homme enfin ?

— Il ne me désire plus, il ne m'adore plus ! Suis-je desséchée au point de n'attirer plus le regard ? Bernard me chantait ma beauté de femme. Sa passion me nourrissait. Que me reste-t-il aujourd'hui ?

Je souris. Pour la première fois, ma reine était amoureuse. Je la serrai tendrement contre moi et répondis au creux de son oreille :

— Marie… Et un grand projet.

Elle redressa la tête, elle avait les yeux rouges et de gros sillons sur ses joues empâtées par la grossesse. Elle marqua un temps d'absence comme si elle cherchait dans ses souvenirs une raison de croire en demain. Quelque chose de plus violent que cette peur de solitude.

— Marie…, répéta-t-elle.

L'enfant dormait auprès du lit de sa mère. C'était un bébé joufflu d'un calme qui ne cessait de me surprendre, moi qui me rappelais surtout le caractère braillard et capricieux d'Henri. Les lamentations d'Aliénor n'avaient même pas eu raison de sa quiétude. Aliénor se dégagea et pencha sa tête au-dessus du berceau, un sourire attendri au milieu de ses larmes qui s'épanchaient toujours. Sa colère était tombée à présent. Je m'approchai aussi. La petite suçait son pouce, les rêves contents.

— Elle est belle, n'est-ce pas ? constata la reine.

— Très belle.

Je savais à quoi elle pensait. Ce grain de beauté sur la joue au-dessus de l'œil gauche de l'enfant, gros comme une pointe de plume de moineau. Bernard de Ventadour possédait la même marque au même endroit.

— Tu l'aimeras à travers Marie…

Elle leva son regard, heureuse de se sentir comprise. Elle tempéra :

— Cela suffira-t-il à ma pitance ?

— Sans doute pas. Mais le destin nous conduit, Aliénor. Prends patience. Bientôt, je te le promets, tu auras d'autres joies d'exister.

— Puisse Dieu t'entendre, murmura-t-elle dans un soupir las.

Les événements n'allaient pas tarder à me donner raison.

Quelques jours plus tard, on apprenait qu'Édesse, cité de Terre sainte, était tombée entre les mains de Zanki, gouverneur d'Alep et de Mossoul. Brandissant son courage comme un étendard, Aliénor rappela à Louis l'engagement qu'avait fait avant lui son frère aîné défunt, de défendre les terres de Dieu ; Louis n'y vit qu'un signe pour l'amener à rentrer en grâce. Lors des fêtes de Noël à Bourges, en cette année 1145, dressés en bout de table du banquet, les époux royaux annonçaient haut et fort leur intention de prendre la croix, soulevant un frisson de surprise dans l'assistance.

15

Étienne de Blois, roi d'Angleterre, s'inclina devant ce messager inattendu. Il avait pour habitude de recevoir un des moines de l'abbé Suger, qui le tenait informé des événements du royaume de France. Mais il ne savait brusquement quelle attitude adopter devant ce visage angélique et ce port de reine. Si Béatrice de Campan s'amusa de cette gêne, elle ne s'en troubla pas. Depuis quelques mois, Suger lui avait confié une autre mission, qui l'éloignait du roi certes, mais grandissait son influence. Elle intriguait pour *la* cause.

— Allons, Votre Majesté, servez-nous donc à boire. Une affaire d'importance m'amène, qui ne souffre pas de civilités intempestives.

— Vous m'en voyez comblé, dame de Campan.

Il saisit son eau-de-vie de prunelle qui désormais ne le quittait plus, où qu'il se trouve. Cette donzelle portait beau, mais il allait lui montrer la supériorité de l'homme. Il lui tendit un gobelet d'argent incrusté de pierreries, un sourire moqueur au coin des lèvres, qu'il ponctua d'un secourable :

— Votre beauté m'égare. Sans doute préférez-vous quelque liqueur plus douce au palais d'une dame. C'est que j'ai rarement en ce cabinet autre visite que celle d'hommes d'Église.

Béatrice prit avec grâce ce qu'on lui offrait.

— Ne changez rien, messire.

Levant son verre, elle l'invita à en faire autant. Étienne de Blois s'en amusa et posa ses lèvres sur le bord du gobelet. Il faillit s'étrangler à la première goulée. Béatrice avait vidé son verre d'un trait, sans le quitter des yeux, sans même sourciller, et, selon l'usage montagnard, passait d'un geste gracieux un revers de sa manche mauve incrustée de fils d'or sur sa bouche gourmande.

— Par tous les saints ! Vous m'impressionnez ! Est-ce au contact de ce vieux chacal d'abbé que vous avez ainsi conquis ce tempérament ?

— Que nenni, messire, que nenni ! Simplement un vieil oncle pyrénéen qui buvait à la régalade. Et de fait cet alcool est fort savoureux ! Permettez que j'en redemande ?

Étienne hocha la tête, encore sous le coup de la surprise. Béatrice s'empara de la bouteille et remplit à ras son gobelet vide.

— Là, messire. Cette course à cheval m'avait quelque peu défaite, et, à votre contraire, je ne promène pas ma gourde à chaque déplacement.

Étienne de Blois tiqua. Il savait que cette réputation, fort justifiée, avait transpiré par Suger, mais il n'aima pas cette bravade, d'autant plus que cette donzelle lui fouettait le sang par ses atours plus qu'alléchants.

— Venons-en au fait, voulez-vous ?

Béatrice lui fit face. Étienne de Blois était laid, vulgaire et rude, mais, sans qu'elle sût pourquoi, il lui plaisait. « L'ange et le démon », pensa-t-elle. Elle sortit un bref de son mantel, qu'elle tendit en souriant.

Le roi d'Angleterre le décacheta et s'approcha de la fenêtre pour le déchiffrer. Il venait de Suger, ainsi qu'il s'en doutait. Après une rapide lecture, l'homme éclata d'un rire mauvais.

— Ainsi ce vieux chacal s'est décidé !

— Je vous saurais gré, messire, de bien vouloir employer un autre qualificatif pour désigner un homme d'Église, qui de plus s'avère être mon tuteur et fort saint homme, modéra Béatrice.

— Eh bien, peste soit de ce saint homme qui réprime vertement toutes mes initiatives ! rétorqua le comte de Blois en ajoutant, l'œil vif : Il est desséché par l'ambition autant que je suis bouffi !

— Si vous usez de celle-ci comme de cette eau-de-vie…, lança Béatrice, appuyant son regard sans complaisance sur la silhouette flasque de son hôte.

Étienne de Blois vit rouge. Il se précipita sur elle dans un mouvement d'humeur qui fit chuter à terre la feuille de parchemin. Béatrice ne broncha pas. Elle avait l'habitude de ces tempéraments et carrures, elle avait grandi au milieu d'eux. Comme elle s'y attendait, d'avoir gardé sa position, le comte se trouva désemparé dès qu'il fut sur elle.

— Cessez ce jeu, messire, murmura Béatrice en posant son verre sur le coffre qui lui collait aux reins.

Tirant délicatement sur le fil de satin qui nouait les lacets de son corsage, elle ajouta, l'œil provocant :

— Nous avons mieux à faire, il me semble.

— Chienne ! siffla le comte entre ses dents, giflant d'un geste large la joue rosée par l'alcool.

Béatrice accusa le coup. Ce jeu l'excitait. Le comte poussa une jambe dans le siglaton rouge de la robe et culbuta l'impertinente sur le coffre. Elle n'eut qu'un cri de douleur lorsqu'il déchira son ventre après avoir retroussé ses jupes sur sa taille, mais cette violence même lui procura du plaisir. « Chienne ! » répéta Étienne de Blois en arrachant les lacets du corsage pour emprisonner un sein blanc et rond dans sa poigne. Béatrice ne le quittait pas des yeux, un air de défi et de supériorité dans la prunelle bleue qu'il avait envie de briser, de soumettre. Il pinça la pointe durcie entre ses doigts épais et s'activa entre les cuisses offertes.

Béatrice n'y résista plus ; arquant ses reins pour recevoir le brutal hommage, elle chavira. Étienne de Blois la gifla encore, maugréant entre ses dents serrées quelque chose qu'elle ne comprit pas, puis se libéra dans sa chair en un dernier coup de reins.

Il se rajusta sans la regarder et alla empoigner la bouteille d'eau-de-vie qu'il délesta de plusieurs lampées. Béatrice se releva et mit de l'ordre dans sa toilette. Sa joue gauche lui cuisait. Elle y devinait la trace des doigts boudinés comme une marque au fer rouge. Elle s'en grisa. Le roi Louis était un sot, pensa-t-elle, qui se flagellait à la moindre pensée obscène quand elle n'aurait demandé qu'à expier pour lui et sous le joug de son corps toutes les punitions divines.

Elle se présenta à son bourreau la mine calme et avança une main gracieuse vers la bouteille qu'il levait encore à sa bouche.

— Permettez ?

Il la lui tendit simplement. Décidément, cette donzelle lui plaisait. Béatrice se régala de plusieurs goulées et dans un même geste l'un et l'autre frottèrent leurs lèvres d'un revers de manche. Alors, par cette similitude, ils éclatèrent d'un rire commun.

— Ainsi donc, les chevaliers du Temple rassemblent leur trésor pour s'armer. J'avais eu vent de la chose en Normandie où, vous le savez sans doute, j'ai étendu leurs possessions. Ils contrôlent par le fait les agissements des comtes d'Anjou et les alliances que cette scélérate de Mathilde a pu renouer. L'Angleterre et la Normandie m'appartiennent, sang Dieu, et ce n'est pas une femme qui me les ravira, ricana le comte de Blois.

— Ne soyez sûr de rien, messire, sans quoi vous perdrez plus que vous n'imaginez, tempéra Béatrice, un sourire aux lèvres.

L'effervescence passée, ils s'étaient retrouvés amis et s'étaient alanguis dans de confortables fauteuils.

— Il n'est pas dans mes habitudes de dormir sur mes lauriers. Quoi qu'il en soit, cette idée de croisade me plaît. Mes rivaux seront affaiblis, quand je vais conserver une force de frappe en Angleterre. Je doute fort que beaucoup se soustraient à la voix de Bernard de Clairvaux.

— C'est aussi ce que pense l'abbé Suger. Cependant, pareille entreprise nécessite des alliances et des moyens. Il compte sur votre influence pour rallier à cette cause les féaux du roi de France qui possèdent quelques biens et sont sous votre protection.

— Qu'il n'ait crainte. On suivra mon bras, à la condition qu'on soutienne mes prétentions.

— Il me semble, messire, qu'en ce domaine le Temple a plus d'une fois montré combien il vous était reconnaissant de vos largesses.

— Certes. Toutefois, la mort de Guenièvre de Grimwald a bien servi mes plans sans qu'ils aient à intervenir.

— La puissance de Dieu, mon cher, ne saurait plier devant la magie.

— Il faudrait brûler ces sorcières, que leurs âmes soient consumées par les flammes de l'enfer, maugréa Étienne.

— Soumettez donc cette idée à Bernard de Clairvaux. Son précédent manifeste a fait des émules partout dans le royaume et dans toute l'Europe.

— J'exècre cette tradition anglaise à s'entourer de mages quand l'Église seule suffit à conduire les âmes. J'ai aboli cette coutume en prenant le trône qui me revenait et veillerai de mon vivant à ce qu'aucun jamais ne paraisse plus à la table ronde.

— Prenez garde, messire, vous parlez comme un moine, plaisanta Béatrice.

Étienne sourit et, saisissant une idée soudaine, interrogea :

— Qu'en est-il des relations de la reine avec cette damoiselle de Grimwald ? Quoi qu'en pense ce vieux « chacal » d'abbé, je n'aime pas savoir cette pucelle à la cour de France. Tant qu'il en restera une…

Béatrice sentit remonter sa rancœur.

— Son influence ne cesse de grandir, hélas, de sorte que je n'étais plus d'aucune utilité à mon protecteur auprès de la reine. Cette petite garce m'a éconduite sans autre forme de procès, et j'imagine assez qu'elle emploie quelque charme pour mieux asseoir son ambition.

— Est-elle dangereuse ?

— Bien davantage que Suger ne veut le reconnaître.

Étienne de Blois se leva et arpenta la pièce de long en large. Béatrice se garda de troubler sa réflexion. De longues minutes s'écoulèrent en silence, rythmées seulement par le bruit des pas sur le plancher de bois.

Le comte se planta enfin devant Béatrice :

— Il faut exterminer cette racaille diabolique ! Suger est trop tendre. Moult fois je lui ai suggéré de faire disparaître cette poison, il n'a osé qu'une tentative d'enlèvement, soldée par un échec. Ce vieux fou est bien trop accaparé par son abbatiale pour mesurer le danger. Quant à Bernard de Clairvaux, il se désintéresse de tout ceci. Il vit dans le dépouillement le plus complet, n'accordant des biens aux chevaliers du Temple que pour réaliser son rêve de toujours, cette croisade pour délivrer le tombeau du Christ. Les querelles d'intérêt ne le touchent pas.

— Avons-nous besoin de Suger et de Bernard de Clairvaux pour supprimer un cloporte ?

— Certes non.

Puis, comprenant que Béatrice avait déjà son plan, il se laissa choir dans son fauteuil et, étalant un sourire satisfait au milieu de sa barbe, il lança d'un ton apaisé :

— Eh bien soit, damoiselle de Campan, je vous écoute…

On se pressait par milliers aux portes de la ville. Bernard de Clairvaux attendait sans impatience que le concile soit achevé. La croisade avait été légitimée par le pape et il se préparait à haranguer une foule massive sur le tertre de Vézelay. Toute sa vie durant, il n'avait eu qu'une seule idée, reprendre aux Turcs le tombeau du Christ, pour dresser plus haut encore sa bannière et sa voix. Le fait que la reine de France eût souhaité deux ans plus tôt que vienne la délivrance lui était apparu comme un signe. Après avoir tant péché, cette idée ne pouvait lui être inspirée que par le Saint-Esprit lui-même. Il s'en était trouvé ragaillardi. La croisade rendrait à chacun l'humilité et la pénitence.

Bernard ajusta sa robe, aidé par les moines attachés à ses pas. Les religieux de Clairvaux qu'il avait lui-même ordonnés lui vouaient une sorte d'adoration qui le laissait de marbre.

Autour des remparts de la petite ville, il entendait se répondre des chants et des cris de joie. Il sourit et, un instant, eut la vision de Moïse debout sur la montagne étendant le nom du Père sur les ailes du vent.

— Allons, mes frères, ordonna-t-il d'une voix tranquille.

Le cortège s'ébranla.

None sonnait lorsque Bernard de Clairvaux parut sur une estrade que l'on avait dressée sur le tertre. Autour de lui, une centaine de moines portant les couleurs de l'abbaye de Clairvaux étaient agenouillés.

Le roi et la reine lui faisaient face, les genoux dans l'herbe. Derrière eux et du plus loin que portait le regard, sur les pentes de la colline, fleurissaient des visages recueillis, tendus vers sa silhouette, un murmure d'admiration sur les lèvres.

Jamais encore, je n'avais vu le saint homme ainsi. Il était transfiguré, semblait immense et baigné d'une lumière qui me parut aussi intense que celle de Merlin. Un instant, je me sentis désarçonnée.

Se pouvait-il que cette merveilleuse énergie soit une seule et même chose ? Je n'avais vu Dieu que comme un prétexte pour asservir les hommes faibles et c'était aussi l'enseignement que j'avais reçu. Au-delà de ce que les cléricaux en avaient fait au sein de l'Église, quelle pouvait être cette source si puissante, si apaisante, qui émanait de ces êtres exceptionnels nés et servant deux cultures aussi opposées ? Je n'avais pas de réponse. Merlin parlait d'amour et d'énergie créatrice. Dieu et l'Église m'avaient toujours semblé ne faire qu'un. Et si la réponse était ailleurs, bien au-delà de la mascarade, dans cette force même qui nous pousse impitoyablement à vivre ? Non, je n'avais pas de réponse. Mais Bernard de Clairvaux illuminait d'une aura surnaturelle ce jour de Pâques de l'an de grâce 1146…

Il parla, et sa voix descendit au plus profond des ornières de la vallée :

— Mes frères ! Allons-nous aujourd'hui lever nos regards impuissants vers le ciel et refermer nos bras sur des prières tandis que l'on massacre des chrétiens et réduit à l'esclavage les défenseurs du Christ ? Allons-nous attendre que Jérusalem soit mise à sac et son jeune roi Baudouin III piqué aux pointes des lances ? Allons-nous laisser incendier des églises et brûler des images saintes ? Non ! Non, mes frères, car nous sommes les humbles serviteurs de Dieu et qu'Il réclame notre foi comme délivrance ! Les chevaliers du Christ que nous sommes doivent lever l'épée pour combattre, avec la croix comme bannière. Levons-nous, mes frères, levons-nous et marchons sur l'infidèle, allons de ce pas solide et sûr qui délivrera nos âmes et amendera nos péchés ; allons reprendre pour Dieu et par Dieu ces villes, pour leur salut.

Un murmure parcourut l'assistance, tandis que la voix de Louis s'élevait à son tour :

— Qu'on me donne la croix et je la porterai dans mon sang !

— Que l'on me donne la croix, repartit Aliénor dans un même élan.

— Que l'on m'en donne aussi !

— Palsendiou, j'en suis de même !

— Et moi avec !

— Nous n'en ferons qu'une bouchée !

— Qu'elle soit gravée au fer rouge sur ma poitrine !

Les cris fusaient, les exclamations de la foule répondaient à présent à celles du roi et de la reine, se répandant comme une traînée de poussière.

C'est alors qu'il vint.

— Attendez, frères !

L'homme était petit, usé, vieux, mais sa voix portait loin. Il lui manquait un bras et son œil gauche n'était plus qu'une orbite creuse. Il brandit un bâton et se ploya devant les époux royaux, faisant face à la foule, qu'il harangua à son tour :

— Votre jeunesse vous égare ! Vous voulez vous battre contre les ennemis du Christ, mais vous ne savez rien de ce qui se passe là-bas ! Regardez-moi. J'en étais, de cette première expédition en Terre sainte !

Un silence de mort s'abattit sur l'assemblée.

— J'ai été pris aux portes d'Édesse et torturé, mais cela n'était rien parce que j'avais la foi. Ils m'ont arraché l'œil, et l'un d'entre eux, un géant au poil dru, l'a gobé en ricanant. Mais cela n'était rien parce que j'avais la foi. Ils ont décimé notre armée, affaibli nos espérances, violé nos compagnes, mais cela encore n'était rien car nous avions la foi. Nous sommes rentrés au terme de longues années de guerre, abandonnant plus des deux tiers d'entre nous dans des mares de sang, espérant trouver au pays ceux que nous y avions laissés. Mais là, malgré notre foi et notre repentir, il n'y avait plus rien ! Pendant notre absence, nos terres avaient été pillées, nos châteaux assiégés, nos gens massacrés au profit de ceux qui étaient restés. Voilà ce qu'il adviendra encore, et encore et encore, car il n'est que folie et massacre sur notre route.

— Faites-le taire !

— Non, il a raison ! Qui défendra nos terres ?

Le ton monta soudain. Bernard de Clairvaux leva une main au ciel et de nouveau le silence se fit ; le vieillard le regardait, sans rancune, mais avec l'assurance de ceux qui savent et n'attendent plus rien.

— Frères, tonna l'abbé de Clairvaux, ce qu'a dit cet homme est vrai !

Un frisson parcourut l'assistance, mais le saint homme ne laissa pas le temps à de nouvelles polémiques. Il apostropha le vieillard :

— Viens à mes côtés, mon fils.

Surpris par cette force sereine, le vieillard s'approcha et prit place sur la tribune. Bernard de Clairvaux posa une main sur l'épaule restante et poursuivit, s'adressant à la foule qui levait un nez hésitant vers la scène :

— Oui, c'est vrai et bien pire encore, car les ennemis du Seigneur n'ont aucune morale, aucun autre désir qu'écraser la chrétienté sous leur joug.

Vous craignez pour vos terres et vos gens, qu'en sera-t-il si demain les Turcs prennent Jérusalem la Blanche ? Vaincu et humilié, bafoué sur sa croix, le Christ étendra sa main sur nos têtes et demandera pourquoi. Pourquoi avons-nous laissé s'abattre les démons sur nos vies ? Il se tournera vers son père et mourra une deuxième fois. Car je vous le dis, mes frères, si nous abandonnons nos reliques aux Turcs, plus rien ne les arrêtera. Demain, ils seront aux portes de France comme aujourd'hui aux portes d'Édesse. Ce que vous redoutez ce jourd'hui vous engloutira dans une mare d'un sang plus rouge que celui de cette croix qu'il nous faut porter. Allons, debout, mes frères ! Relevons-nous dans l'amour du Christ !

Sans autre forme de procès, Bernard de Clairvaux accrocha une croix de tissu sur le moignon du vieillard. Aussitôt, ce fut la cohue. Chacun voulut de même. Les abbés de Clairvaux ordonnèrent quatre files. Dans d'immenses paniers se trouvaient des croix qui furent distribuées aux nouveaux soldats de Dieu. Lorsqu'il n'y en eut plus, on tailla dans les bannières des seigneurs et de l'abbaye, et dans la chlamyde de Bernard de Clairvaux qui ne garda sur lui que sa bure.

Un chant de joie et d'allégresse roulait dans un alléluia sur les flancs de la colline, et les voix se répondaient, décalées en écho dans la fine brise.

Jamais encore on n'avait vu les cœurs aussi légers. Le vieillard semblait écrasé par la main du saint homme, et je ne parvenais à détacher mes yeux de son œil unique dans lequel se lisait une lueur de panique.

Lorsque enfin Bernard de Clairvaux le débarrassa de son joug, il prit le chemin qui conduisait aux portes de la ville, la tête basse. Il jeta un dernier regard sur cette effervescence puis, d'une poigne solide, arracha la croix piquée sur son épaule et la regarda s'envoler sans le moindre remords.

On apprit quelques heures plus tard qu'il avait été retrouvé mort dans un fossé. Une colée lui avait traversé l'échine de part en part.

— Damoiselle de Campan ! Quel bonheur de vous voir de nouveau en nos murs.

Le roi s'avança en souriant pour accueillir la jeune femme. Revenue la veille de sa mission qui l'avait éloignée quelques mois, Béatrice n'avait pu résister à l'envie de rendre hommage au roi. Son besoin de le voir la tenait tout entière depuis qu'elle avait franchi le Châtelet.

Elle s'inclina en une profonde révérence. Elle avait la part belle, Aliénor était en visite à Poitiers où elle prêchait pour la croisade.

— Vous aurais-je manqué, Sire ? demanda la belle avec impertinence

Louis n'y vit pourtant aucune malice et répondit de même :

— Vous le savez bien, fidèle amie.

Arrondissant son bras, il l'invita pour la promenade. Béatrice poussa un soupir de bonheur en posant sa main sur le coude de son souverain.

Les jardins du palais étaient verdoyants, les arbres s'ornaient de fruits aux parfums délicats.

— L'effervescence gagne tout le pays, annonça Louis, et je ne puis m'empêcher de penser avec émotion à notre armée brandissant l'oriflamme aux portes d'Édesse.

— On raconte que les Turcs sont d'une cruauté extrême, messire. J'ai crainte pour Votre Majesté.

— J'ai la main du Seigneur sur mon cœur, Béatrice. Il en sera fait selon Sa volonté, je n'ai pas peur pour le misérable pécheur que je suis.

Il marqua un temps de pause, puis saisit les deux mains de la jeune femme et lui fit face, l'air grave.

— Mais vous, chère enfant. L'abbé Suger m'a confié votre décision et j'en tremble encore. Il y a moult façons de servir Dieu. Je m'obstine à penser que votre place est ici et non sous la menace de dangers dont je n'ose imaginer qu'ils vous emportent.

Béatrice se sentit gagner par un bonheur indicible. Ainsi, Louis craignait pour elle. Il l'aimait donc.

— Où sera mon roi, je serai, murmura-t-elle.

— Folie, répondit le roi sans lâcher ni les yeux ni les mains de la dame.

— Alors, nous sommes tous fous, sire. Je ne serai pas la seule à me battre au nom de Dieu.

Louis soupira. Tenant toujours en la sienne la main blanche et menue de Béatrice, il l'entraîna vers un pommier superbe au tronc duquel était accolé un banc de pierre. Tandis qu'il écartait une branche basse pour lui faire un passage, il poursuivit en confidence :

— Il est du rôle de la reine d'accompagner son époux dans pareille entreprise. Rien ne vous oblige à faire de même.

— Au contraire, Majesté.

Ils étaient à présent devant le banc. Béatrice se tourna vers le roi, les yeux brûlants de larmes :

— Plutôt mourir sous la torture des Turcs que sous celle, mille fois plus terrible, de l'attente, à trembler chaque jour pour mon roi.

— Je ne saurais supporter l'idée que l'on vous fasse souffrir, murmura le roi en passant un doigt dans une mèche blonde qui descendait le long de la tresse de la belle.

— Alors, ne m'imposez pas de vivre loin de vous, car je n'y survivrai pas.

Les lèvres de Louis frémirent et se perdirent dans celles de la jeune femme. Poussé par son amour et la douceur de l'aveu, Louis n'avait pu résister et enlaçait avec tendresse son icône de chair.

Ils s'embrassèrent longtemps, puis ils s'assirent sur le banc, et Béatrice laissa tomber sa tête sur l'épaule du roi. Il se sentait en paix.

Béatrice murmura d'une voix tranquille :

— Je vous aime, Louis.

Il ne répondit pas, tant l'évidence de ses propres sentiments lui apparaissait. Il glissa une main autour des épaules de la jeune femme, puis ils se gorgèrent en silence de cet instant privilégié dont ils savaient l'un et l'autre qu'il ne se produirait plus.

— Je les ai vus, Loanna, comme je vous vois, enlacés de concert sous le gros pommier.

Sibylle de Flandres n'y tenait plus d'excitation. Elle me racontait pour la quatrième fois son périple. Elle se promenait paisiblement dans le verger, cherchant quelque douceur à ce soleil de septembre 1146, et avait entendu des bruits de voix. Curieuse, elle s'était demandé qui se cachait au banc des amoureux et avait surpris le tendre échange.

— Quel était donc ce beau galant que vous attendiez vous-même ?

La question la fit rougir.

— Est-ce bien le propos ? minauda-t-elle, puis, suivant le fil de son idée : Vous rendez-vous compte ? Et la reine qui pensait qu'il ne songeait qu'aux prières.

— Tout le monde a ses faiblesses, Sibylle, me moquai-je.

Il était notoire à la cour que celles de la comtesse de Flandres étaient les jeunes seigneurs pubères aux traits efféminés.

— Certes, certes ! Mais Béatrice de Campan ! C'est curieux, voyez-vous, je les imagine sans peine récitant quelques chapelets avant leur communion, plaisanta-t-elle.

J'en conclus que, sous peu, tout le palais apprendrait l'infidélité du roi par la bouche de cette pipelette. Or, Louis ne supporterait pas que l'on jase et joue de mots sur sa conduite, ce qui ne manquerait pas ; Béatrice serait éloignée et le roi malheureux.

Pour rien au monde, je ne souhaitais cela. Plus le roi passerait de temps avec elle, moins elle en aurait pour ses manigances. Je soupirai.

— Avez-vous soufflé mot à quiconque de ce que vous avez vu ?

— Évidemment non, repartit Sibylle en haussant les épaules, navrée. Vous êtes la première que j'ai rencontrée, gloussa-t-elle, sous-entendant qu'elle comptait remédier à cela au plus tôt.

Je souris et la saisis aux coudes, m'approchant comme pour une confidence. Elle ne se méfia pas :

— Eh bien, vous allez tout oublier. *Sylgram Louldris Divyl...*

Pendant quelques secondes, le regard de Sibylle ressembla à celui d'un bovin, puis une lueur s'y ranima, je la lâchai.

— De quoi parlions-nous déjà ? demanda-t-elle en portant un doigt à sa tempe.

— De ce galant que vous avez attendu sous le grand pommier et qui n'est pas venu, répondis-je, sans me départir de mon naturel.

— C'est cela en effet.

Elle marqua un temps d'arrêt, fouillant sa mémoire vide, puis éclata d'un rire gai :

— Peste soit-il ! Je l'ai déjà oublié !

16

— Pardonnez-moi, mon seigneur…

Jaufré se détourna avec surprise. Il ne voulait voir personne depuis quelques mois et ne trouvait son content que dans la contemplation du portrait qu'avait réalisé de mémoire Gabriel de Plassac, un jeune peintre talentueux qu'il avait envoyé à Bordeaux lors du dernier séjour d'Aliénor.

Son intendant avait des ordres pour qu'il ne soit pas dérangé pendant qu'il passait ses journées en bordure de la falaise, les pieds battant le vide, sa mandore couchée près de lui dans l'herbe tendre.

Devant lui se tenait un jeune garçon qu'il ne connaissait pas et qui chiffonnait son chapeau de ses mains tremblantes. Jaufré hésita entre la colère qu'il sentait sourdre au fond de lui et la fatalité de cette situation qui le prenait au dépourvu.

— Pardonnez-moi, mon seigneur, insista la petite voix hésitante.

— Que veux-tu ? J'avais demandé à n'être pas dérangé.

— Oh, je le sais bien, messire. On m'a éconduit plusieurs fois avant que je parvienne jusqu'à vous par quelque indigne ruse. Il m'importe peu que vous me fassiez battre ; il me fallait vous voir.

Brusquement, Jaufré ne sut que faire et que dire devant ce jouvenceau qui s'était soudainement agenouillé à ses côtés, les mains jointes sur son bonnet informe.

— Soit ! Allons, assieds-toi. Quel nom te donne-t-on ?

Le visage du jeune garçon s'éclaira d'un large sourire. Il posa à terre son couvre-chef et s'assit en tailleur aux côtés du troubadour.

— On me nomme Peyronnet, messire.

— Eh bien, Peyronnet, raconte-moi un peu comment tu as déjoué la surveillance de ce vieux Craquenel.

Le jouvenceau retint un rire. Le surnom de Craquenel donné par les manants seyait bien au vieil intendant, et il apprécia qu'il soit arrivé aux oreilles du maître de céans, sans que celui-ci s'en offusquât.

— Voyez-vous ce sentier à ras des flots ? demanda-t-il en désignant à Jaufré une mince trace entre les ajoncs découverts par la marée.

Jaufré opina.

— Je l'ai suivi depuis le port, j'ai ensuite grimpé à flanc de pierre sur votre gauche.

— Bigre ! s'étonna Jaufré. Montre tes mains.

Peyronnet avait les paumes écorchées, et le troubadour avisa que le chapeau était souillé de sang.

— Tu aurais pu te tuer, jeune fou !

Mais ce dernier éclata de rire.

— Par la barbe que je n'ai pas, il s'en est manqué de peu ! Une de mes chausses a fait choir un caillou sur lequel j'avais pris appui pour me hisser. Je me suis retrouvé les pieds battant le vide. Je n'ai dû mon salut qu'à une racine d'arbre providentielle que j'ai pu saisir au vol et qui m'a retenu. Je suis parvenu au sommet, les mains et les pieds tremblants. Là, j'ai rampé jusqu'à vous de buisson en buisson.

— Tu es téméraire. Encore heureux pour moi que tu ne sois pas un ennemi, dit Jaufré en souriant avec indulgence.

Malgré la sécheresse de son cœur, ce garnement lui plaisait. Il remercia le ciel qu'il ne se soit pas rompu le cou dans son ascension.

— Maintenant que te voici, me diras-tu ce qui méritait pareille obstination et acrobatie ?

— Vos vers, messire.

Jaufré laissa échapper un petit cri de surprise. « Tant de risque pour si peu », songea-t-il.

— Es-tu fou ?

— Que nenni, messire ! Que nenni ! Sans cesse depuis mes langes, j'entends dire autour de moi les louanges de notre seigneur le troubadour. Combien il est juste envers ses gens et surtout combien il plaît par sa chanson. Ma curiosité a grandi avec mes jambes et, dès qu'on m'en laissait quelque loisir, je me rendais au plus près du château pour vous entendre. Un soir, je me suis laissé surprendre par le sommeil dans les buissons que voici. C'est votre mandore qui m'éveilla. Vous chantiez, messire, tout dressé devant la lune, une chanson que, par Dieu, jamais je n'oublierai tant elle me retourna le sang. Vous pleuriez, messire, pour celle de ce portrait.

Jaufré regarda le visage qui souriait sur la toile, et des larmes vinrent brûler ses yeux. Il se souvenait de cette nuit. Il l'avait attendue, espérée, mais sa chambre était restée sombre et son cœur s'était tari à sa source.

Le jouvenceau saisit l'instrument et le tendit à Jaufré en suppliant :

— Apprenez-moi, messire. Par tous les saints du paradis, je jure que vous n'aurez jamais élève plus attentif.

— Tu viens trop tard, petit, soupira Jaufré. Je n'ai plus d'âme, je ne compose plus.

— Plus d'âme ? s'indigna Peyronnet en posant la mandore sur les genoux de Jaufré. Si ce portrait vous l'a volée, jetez le portrait et retournez chanter sous les fenêtres !

Jaufré regarda le jeune garçon avec curiosité. Il eût dû le réprimander pour son impertinence, mais il n'en eut pas le courage. Peyronnet avait de la colère dans les yeux, et cette rage lui réchauffait le cœur. Il insista :

— Vivez d'amour, messire, au lieu d'en mourir !

Jaufré poussa un long soupir et caressa sa mandore.

— As-tu déjà aimé, Peyronnet ?

— Bien sûr, messire. Une pucelle de mon village qui a de fort jolis yeux en amande et une taille de guêpe. Je veux croire qu'avant longtemps elle se pâmera de mes vers autant que les belles se pâment des vôtres ! Par Dieu, avec un maître tel que vous...

— Ainsi donc, voici le véritable motif de ton entêtement, s'émut Jaufré.

— Que nenni, messire ! Mon attachement à celle-ci est venu bien après le vôtre.

— Bien ! Sache, mon jeune ami, qu'il ne naît rien de bon de passion trop téméraire. Vois dans quel état je suis d'aimer par-dessus tout.

— Ne regrettez que votre allant, mon Seigneur. Pour le reste, il a permis cette chanson plus belle qu'aucune autre, que seule la lune et moi-même entendîmes. C'était, si je m'en souviens, il y a trois années.

— Elle l'entendit aussi mais ne s'en émut point.

Peyronnet regarda Jaufré. Son seigneur lui causait pitié autant qu'admiration. Il était en son jeune sang, il allait sur ses douze ans, plus obstiné que la mule de son tuteur. Il demanda :

— Qu'en savez-vous, qui n'avez point vu briller de chandelle à sa croisée ? Peut-être vous attendait-elle comme vous l'attendiez ?

— C'est impossible, murmura Jaufré.

— En avez-vous preuve pour affirmer ainsi qu'elle ait pu n'être point touchée au plus secret de son âme ? Je ne peux le croire, messire, j'ai bien trop pleuré sur ces vers. Vous insinueriez donc qu'elle n'ait ni cœur ni passion ? Si tel était le cas, vous ne chanteriez pas de même.

Jaufré tourna son regard délavé vers la frimousse fine du jouvenceau.

— Tu es loin d'être sot, Peyronnet. Et, il me semble, fort mieux avisé que la peste d'homme que je suis.

— Pour vous servir, messire ! éclata de rire le garnement.

Jaufré fit mousser sa main fine dans la chevelure d'ébène en bataille.

— Tu mérites récompense, galopin ! s'attendrit-il, sentant son sang se vivifier d'une force nouvelle.

Il saisit le portrait et le déchira d'un geste sec. Peyronnet cessa tout net de rire. Jaufré dispersa les bouts par-dessus les flots qui léchaient la berge rocheuse en dessous de ses pieds.

— Un si beau portrait, messire, se lamenta-t-il.

— Eh quoi, mon jeune ami ? N'est-ce point toi qui me reprochais de vivre de souvenirs ?

— Certes, mais…

Le jouvenceau voyait avec curiosité le visage du troubadour s'éclairer lentement.

— Tu as sans doute raison pour cette belle. Son sourire était figé, qui étincelle sous d'autres cieux que celui-ci. Avant longtemps, je jure par Dieu que je le boirai de nouveau sur ses lèvres. Mais, pour l'heure, nous avons à faire.

Et, sous les yeux ravis du garçon, Jaufré accorda sa mandore et gratta quelques accords. Quelques minutes plus tard, ils chantaient ensemble un vieil air de patois qui dansait gaiement sur la brise ;

Peyronnet frappant deux cailloux l'un contre l'autre pour rythmer la cadence, Jaufré s'étonnant de la voix pure et chaude de son disciple.

Lorsque le jour se coucha, l'enfant et le troubadour juraient par-devant Dieu qu'ils ne se quitteraient plus.

— Ai, là ! Ainsi !

Jaufré affina les doigts de Peyronnet sur les cordes, tandis que celui-ci, tirant une langue démesurée, louchait sur l'instrument pour s'appliquer à satisfaire son maître. Cela faisait un mois qu'il bataillait, pestait contre ses doigts malhabiles, davantage habitués à tisser du chanvre avec sa mère ou à débourrer l'osier pour les paniers qu'elle confectionnait. Pourtant, il ne se décourageait pas et prenait un soin tout particulier de la mandore que le troubadour lui avait offerte. Depuis une semaine, et afin que le comte de Blaye pût mieux juger des progrès de son élève, ce dernier logeait au château. Jaufré ne doutait pas qu'avant longtemps ce brillant disciple pourrait aller par les chemins à ses côtés chanter à la régalade. Il avait à son contact retrouvé sa joie de vivre et songeait fortement à se rapprocher de la cour dès que possible.

À ce propos, il attendait un messager qui tardait à s'annoncer et qu'il n'avait pas revu depuis huit mois.

Le vieil Uc le Brun, seigneur de Lusignan, vivait cloîtré lui aussi depuis qu'un destin cruel lui avait ravi sa chère épouse. Elle s'était éteinte peu après les fêtes de Noël 1144, d'une maladie dont aucun apothicaire n'avait su la guérir et que l'on surnommait sommairement « le mal qui tue ». La pauvre femme avait souffert plus que de raison. Malgré les tisanes, elle avait épuisé son entourage de ses cris et de ses plaintes. Uc n'était plus qu'une ombre lorsqu'il s'était écroulé sur l'épaule de son ami après les funérailles. Il pleurait comme un enfant. Jaufré avait pleuré avec lui.

L'un et l'autre avaient sombré depuis dans une morne solitude et, aussi curieusement qu'il y paraisse, les dernières nouvelles avaient relevé Uc d'un sang neuf.

— Partirons-nous en Terre sainte, messire ? demanda soudain Peyronnet, faisant suite à l'idée qui trottait à présent dans la cervelle du troubadour.

— Je ne peux pas, mon jeune ami.

Il s'était posé la question à maintes reprises et chaque fois lui apparaissait cette évidence : qu'adviendrait-il de ses terres s'il s'égarait à la croisade ? Le nouveau seigneur du Vitrezais n'attendait qu'un faux pas pour s'approprier son bien. Jaufré ne pouvait laisser ses gens en proie aux chacals.

— Parbleu, il me semble, moi, que ta compagnie serait utile au pauvre fou que je deviens, tonitrua une voix grave.

— Uc ! s'exclama joyeusement Jaufré en s'avançant aussitôt à sa rencontre.

Les deux amis tombèrent dans les bras l'un de l'autre.

— Approche un peu que je te présente mon élève, le fort talentueux Peyronnet !

— Bigre ! pesta Uc en avisant la courbette du jeunot. Quel âge as-tu donc, mon garçon ?

— Douze années, messire !

— Tu t'y prends assez tôt pour avoir de l'avenir, constata l'ancien avec bonne humeur. (Pointant un doigt sur la poitrine du troubadour, il enchaîna dans un large sourire :) Garde-toi bien d'assurer trop tôt ta relève, jeune fou, sans quoi ce sauvageon te ravira les plus belles avec son minois de dentelle !

— Qu'il en fasse bon usage m'indiffère, tant qu'il m'en laisse une. Une seule ! répondit Jaufré. À ce propos, mon ami, puisque tu reviens de la cour, conte-moi de ses nouvelles.

Uc se laissa tomber dans un fauteuil et, s'adressant à Peyronnet, exigea :

— Sers-nous donc à boire et pose cet instrument de torture, c'est une épée qu'il te faudrait en lieu de maniement.

Peyronnet s'activa sans mot dire. Ce colosse l'impressionnait, et Jaufré lui-même avait du mal à reconnaître son vieil ami défiguré par le chagrin dans ce boute-en-train.

— Ta belle, mon ami, est plus radieuse que jamais et s'apprête avec la reine et ses compagnes pour le long voyage jusqu'aux royaumes de Terre sainte ! Et par tous les saints du paradis, je jure que j'en serai aussi. Si tu avais vu, Jaufré, Bernard de Clairvaux tout baigné de lumière, entendu claquer sa voix comme un coup de tonnerre ! Ah, jamais je n'avais senti Dieu comme en cet instant. Je me suis traîné, mourant de langueur, sur la colline de Vézelay, répondant à son appel par devoir pour la duchesse. Vois par quel miracle, j'en suis revenu ! Il n'est pas une seule âme dans tout le royaume qui n'affûte la lame et crache sur le fer pour la mieux polir. Tous, te dis-je ! Même les fous, les orgueilleux et les culs-de-jatte ! Tous sont gagnés par la même fièvre. Tous, sauf mon ami.

La voix retomba tristement sur cette constatation. Jaufré tendit un verre à Uc, qui le vida d'un trait.

— Je n'ai pour tenir mes gens qu'un vieil intendant à moitié sourd, Uc. Qui veillera sur mes terres ? Les prélats de Saint-Sauveur et Saint-Romain ? Ils ne pourront repousser mes ennemis.

— Au diable ces marauds ! Je t'alloue cent hommes et mon meilleur intendant, de ceux dont tu pourras compter comme sur toi-même. Viens avec nous, Jaufré ! Viens mériter le nom des Rudel ! Ton vieil ami te le demande et celle-ci l'implore.

Il tendit à Jaufré un pli cacheté de cire en clignant un œil complice. La main du troubadour se mit à trembler tandis qu'il décachetait avec empressement le parchemin. Il portait l'en-tête de la reine. Jaufré masqua sa déception d'un sourire, mais la lecture lui rendit sa bonne humeur :

« Mon cher ami, le temps nous dure de vos chansons et près de moi se languit une rose, qui sous ses épines nourrit un amour sans faille et sans reproche. Depuis que mon cœur soupire pour l'un des vôtres, je mesure à quel point il lui faut du courage pour renoncer à vous. Nous partons dans quelques mois et, si Dieu nous prête vie, reviendrons vainqueurs d'avoir délivré le tombeau du Christ. Nous ne pouvons porter l'épée et mourir sans quelque musique pour soutenir nos cœurs. Rejoignez-nous. Dieu vous le rendra. »

C'était signé : « votre reine », simplement. Jaufré comprit que ce bref n'avait rien d'officiel, bien au contraire, et son cœur se gonfla.

— Tu avais raison, jeune fou ! se mit-il à rire soudain en brossant, ainsi qu'il en avait pris l'habitude, la tignasse de son élève.

Peyronnet afficha un sourire benêt et, d'une toute petite voix, s'enquit :

— Est-ce à dire, messire, que vous allez vous pâmer sous ses fenêtres ?

— Mieux, mon ami, bien mieux !

Et, chiffonnant dans sa main la croix de satin rouge qui était jointe au message, il la lui lança au visage en riant. Peyronnet regarda l'étoffe, puis le comte de Lusignan qui hochait une figure satisfaite, puis Jaufré dont les prunelles brillaient comme des étoiles. Comprenant qu'il était désormais des leurs, il lança un « Noël ! Noël ! » de bonheur, se mettant à bondir, à faire la roue, bousculant tabourets et verrerie sur son passage.

Au petit matin, tous trois erraient ivres morts, chantant à tue-tête au bord de la falaise, Uc fouillant de l'épée les buissons, Peyronnet se battant au bâton contre un ennemi invisible, Jaufré faisant tournoyer sa mandore au-dessus de sa tête comme une massue.

Sous le regard des Dames Blanches incrédules, les trois compères s'endormirent en tas, les yeux vaporeux tournés vers le levant.

Le faucon fondit sur sa proie dans un buisson touffu, à l'autre bout du champ piqueté de frênes et de hêtres. Henri le jeune le suivit des yeux, une main en visière au-dessus des sourcils qu'il portait épais et roux. Puis, avisant que l'oiseau fouettait l'air, alourdi par sa capture, il talonna sa monture et partit au-devant de l'animal. Quelques secondes plus tard, le faucon tournoyait au-dessus du jeune homme et lâchait sa proie, un superbe lièvre, avant de se poser sur le poing ganté de cuir.

À cet instant, dans un soulèvement de poussière d'orge, la silhouette à cheval du comte d'Anjou parut. Il rejoignit d'un pas tranquille son fils, lequel avait mis pied à terre pour achever l'animal.

— Belle bête ! commenta Geoffroi le Bel.

— Il fait au moins dix livres !

— À n'en pas douter !

— Voyez combien j'ai été sage de marchander ce faucon, s'enorgueillit le jeune Henri. Vous le disiez trop malhabile !

— J'avais tort. Vous l'avez adroitement dressé, mon fils. Je suis fier de vous.

Henri redressa le menton avec arrogance. Il aimait que son père soit satisfait. À treize ans, il était aussi vigoureux que le comte, portait barbe et chevelure épaisses et bouclées, qui rappelaient un guerrier viking. Et il arborait surtout un caractère qui forçait au respect à défaut d'amour. Henri était coléreux, arrogant, autoritaire et borné, ce qui faisait beaucoup pour un seul homme. Sou-

vent en butte à l'autorité de son père, qu'il esti-
mait pourtant à sa juste valeur, il portait une
adoration sans faille à sa mère, dame Mathilde. Il
savait surtout qu'avant longtemps, comme elle y
bataillait, il régnerait sur l'Angleterre et la Normandie, et plierait le roi de France à sa volonté.
Henri entendait bien reprendre ce qu'on lui avait
dérobé. Cette démonstration de dressage n'était
qu'un prétexte pour montrer à son père qu'il était
temps de le laisser prendre part aux affaires. Il
avait réussi à convaincre Geoffroi d'assister à la
première chasse de l'animal, et tous deux, au lever
du jour, s'étaient avancés dans leurs terres.

Jetant le lièvre dans une besace de cuir qu'il atta-
cha lestement à sa monture, Henri lança sans détour :

— Hier, je vous faisais mordre la poussière au
combat d'épée à deux mains, aujourd'hui vous
découvrez combien je sais être avisé. L'heure est
venue, père, de cesser de me considérer comme
un enfant.

Sur ce, il empoigna la bride de son cheval et
l'enfourcha hardiment. Là, il planta son regard
dans celui amusé du comte. Geoffroi le Bel
s'attendait à cette diatribe et s'y était préparé.
Bien que son fils soit entêté, il n'était pas encore
aussi malin que lui. Il répondit donc, les deux
mains appuyées sur le pommeau de sa selle richement ornée d'or :

— Je crois, en effet, que vous êtes à même
d'épauler ma sagesse.

Henri sentit son cœur se gonfler. Il s'attendait à
davantage de difficultés. Sûr de son fait, il lança
dans le vent de mai :

— Alors c'est dit ! Je vous accompagne en Terre sainte !

Aussitôt, il piqua les flancs de sa monture, qui se cabra avant de partir au galop.

— Jeune impétueux ! grogna le comte attendri.

Ce garçon lui ressemblait tant. En quelques encolures, il le rejoignit et, se plaquant sur la crinière de sa monture, s'empara de la bride du cheval d'Henri. Il donna un coup de reins pour se redresser, freinant par ce geste les deux chevaux en même temps. Henri s'en agaça, mais ne dit rien, trop heureux d'avoir obtenu si vite ce qu'il souhaitait.

— Nous n'avons point fini notre conversation, il me semble, l'apostropha le comte. Vous êtes fort avisé en effet, mais bien trop jeune encore pour affronter les Turcs, mon fils.

Relâchant ses rênes, ce fut lui qui, dans un cri, talonna sa monture et bondit de l'avant. Henri sentit un sang mauvais lui cogner aux tempes. Puisqu'il en était ainsi, il allait lui montrer, à ce noble vieillard ! Il éperonna son cheval méchamment et s'en fut au galop.

Pendant un moment, les deux hommes se suivirent dans une course folle qui les entraîna par-delà les champs, sautant des barrières et des ruisseaux. Puis les bêtes se fatiguèrent, et le cheval d'Henri, poussé cruellement, rattrapa celui du comte.

Avide de marquer sa supériorité, le jeune homme se redressa sur sa monture et plaqua son père. Les deux hommes roulèrent à terre dans un buisson de genêts, se tenant par le col. Henri avait une force hors du commun qu'il maîtrisait peu lorsqu'il était en colère. Toutefois, jamais il n'aurait levé la main sur son père. Leur jeu se limita donc à quelques épines dans les chairs et quelques fleurs égarées dans les mailles de leur haubert.

Le museau dans la floraison jaune, Henri se débattit un instant, mais la poigne de son père qui lui tordait le bras le força à demander grâce. Geoffroi le Bel était loin d'être fini. Il lâcha son fils et s'assit à même la mousse tandis qu'Henri reprenait posture plus noble, faisant jouer son poignet en de petits cercles pour apaiser les courbatures.

— Fort, vous l'êtes sans doute, commenta le comte, mais à la lutte, mon garçon, il vous manque quelques années. Je vous apprendrai ! acheva-t-il en gratifiant d'une solide bourrade l'épaule robuste.

Henri poussa un soupir et s'installa près de son père. Les chevaux paissaient à quelques pas.

— Je veux me battre, père ! se lamenta Henri en extirpant de ses chairs les épines qui s'y étaient incrustées.

— Qu'adviendrait-il, selon vous, jeune fou, si vous tombiez en Terre sainte ? demanda calmement le comte.

Henri haussa les épaules sans répondre. Geoffroi répondit à sa place :

— Ce pour quoi nous luttons, votre mère et moi, n'aurait plus de sens. Votre frère Geoffroi n'est pas de taille à porter couronne. Sans compter que l'on a besoin d'une épée ici. Il n'y aura pas un jour où vous n'aurez à défendre à ma place votre royaume promis et votre héritage contre votre malfaisant cousin. Il est un temps pour tout, Henri. Chacun de nous doit suivre la route qui lui est tracée. La mienne est vers Jérusalem, la vôtre se tourne vers l'Angleterre. Quant à vous battre, je gage sans mentir que vous aurez plus à faire que jamais.

Henri regardait à présent son père d'un œil nouveau. Sa colère était tombée et même il se sentait joyeux. Son enthousiasme n'avait envisagé que le moyen de se couvrir de gloire auprès des croisés pour donner panache à son épée. Mais sa mission était bien plus importante aux côtés de sa mère qu'il faudrait défendre. Non seulement il s'en sentait capable, mais il envisageait le moment où son père ne serait plus et où il faudrait porter son nom comme une bannière.

— À quoi songez-vous, mon fils ? demanda le comte devant son air béat.

— À nous, père ! Et à notre belle entente !

— Voilà qui me plaît mieux !

— Et elle, père ?

La voix s'était faite timide, d'un coup.

— N'aie crainte, mon fils. Damoiselle de Grimwald veillera à ce que le roi Louis ne revienne pas de Terre sainte.

Henri soupira. Comment avouer à son père qu'il ne rêvait pas de cette reine de France qu'il n'avait vue que deux fois lors de cérémonies officielles et qui lui semblait bien lointaine. Son cœur battait pour sa fée à lui, même si elle ne l'aimait jamais que comme son roi. Loanna de Grimwald ! Il songea amèrement qu'il épouserait Aliénor pour sa dot et se rapprocherait de sa dame par la même occasion.

C'était en partie pour cette raison qu'il avait souhaité prendre la croix, pour se montrer à elle, non plus comme l'enfant qu'elle avait connu, mais comme l'homme qu'il devenait.

— Allons, Henri, il nous faut rentrer porter notre chasse en cuisine.

Tandis que le comte allait vers leurs palefrois, Henri se mit en devoir de chercher à quatre pattes son bonnet de feutre qu'il supposait s'être niché dans le buisson de genêts. Il le découvrit sans peine, accroché entre les fleurs jaunes. En tirant sur les branches pour le libérer, il ramena une tige couverte de fleurs piquée moqueusement sur le dessus. Au moment de l'enlever, il se ravisa et ajusta sur sa tête sa coiffe ainsi ornée. Il décida qu'il était son trophée. Ce jourd'hui, il venait de remporter sa première victoire. Il entrait dans le monde des adultes.

Il tourna un nez fier vers le comte qui revenait. Celui-ci, avisé et complice, lui lança d'un air entendu :

— Vous voici vous aussi plante à genêt, mon fils.

Henri approuva de la tête, voilà qui lui plaisait bien. Henri Plante à Genêt, comte d'Anjou, de Normandie, et roi d'Angleterre !

Quelques heures plus tard, jugeant que désormais il lui fallait se conduire en homme, Henri se rendit d'un pas décidé à la métairie de la Homquette, où il avait depuis peu remarqué le visage avenant de la fille de la maison, son aînée d'une année. Il la trouva dans la grange à brasser de lourdes envolées de foin à la fourche. Il la savait seule dans les parages. C'était jour de foire, et le père allait vendre ses cochons. Quant à la mère, occupée dans les champs, elle le laisserait tranquille.

Il se planta devant elle, une grimace perverse au coin des lèvres, et lui ôta la fourche des mains. Sans méfiance, Francine le laissa faire. Ils se connaissaient depuis l'enfance. Lorsque Henri la coucha dans le foin, elle tenta de le repousser en minaudant, croyant à un nouveau jeu. Mais Henri ne jouait pas. Il arracha avec frénésie les lacets du corsage, retroussa les jupons et, d'un coup de reins violent, écarta la chair tendre. La petite poussa un cri de douleur et se débattit à coups de poing contre le torse épais, mais le géant la couvrait tout entière.

— Cesse de geindre, vociféra-t-il, tu es engrossée par un roi !

Dès lors, la jouvencelle se contenta de pleurer à petits hoquets, la douleur dans son ventre, tandis qu'infatigable et cruel son maître la besognait, le front baigné de sueur, le visage d'une autre au fond des yeux, fixant sans le voir le bonnet au brin de genêt qui dansait au milieu de la chevelure blonde et défaite de sa victime.

17

Le bref de parchemin qu'Aliénor tenait entre ses mains fines la réjouissait. Jaufré lui annonçait qu'il serait des leurs, accompagné d'un jeune troubadour et d'un autre, échoué loin de la terre de France, cher au cœur de sa Majesté mais dont il préférait taire le nom.

La reine ne douta pas un seul instant qu'il s'agissait de Bernard de Ventadour dont elle savait par la rumeur qu'il était en Italie. Que Jaufré ait pu l'avertir et le convaincre de rejoindre les croisés lui parut tenir du miracle, mais elle voulait croire que, pas plus qu'elle, Bernard ne l'oubliait. De plus, Louis ne pourrait rien dire à son encontre hors du royaume et elle se réservait le plaisir, à défaut du droit, d'avoir son ancien amour à ses côtés.

L'autre nouvelle ranima des souvenirs lointains. La missive était de Raymond, son oncle, qui veillait sur Antioche depuis qu'il avait épousé la fille du roi Bohémond et espérait vivement que les époux royaux y séjourneraient. « La situation ici est inquiétante, disait-il, il ne se passe pas de couchant où l'on n'entende les chants des Turcs autour des enceintes de la ville. Hélas pour nous, ils sont comme des ombres et disparaissent à la lueur des torches. »

Raymond, songea Aliénor en soupirant. Elle le reverrait avec bonheur. On prétendait son épouse d'une beauté sauvage, brune de peau et de cheveux, aux yeux d'un ébène bleuté. Aimait-il toujours sa nièce après tant d'années, ou n'était-elle plus qu'un souvenir que lui avait ravi le corps chaud de sa ténébreuse ?

« Bah, nous verrons bien ! » Sur cette réflexion qui lui laissait en perspective les retrouvailles de deux amants du passé au lieu de l'ennui que lui promettait Louis, elle s'en fut le rejoindre dans la salle du conseil.

Autour de l'imposante table étaient assis Robert de Dreux, le frère du roi, Raoul de Vermandois, Geoffroi d'Anjou, le comte de Toulouse, Étienne de Blois, Thibaut de Champagne et bien d'autres. Une carte de l'Orient chrétien déployée au centre se piquait de pointes de fer surmontées d'une fleur de lys en divers endroits, ourlant un itinéraire qui prenait forme en fonction des appuis des souverains dont on devait traverser les terres.

Aliénor vit les têtes se lever à son entrée et, aussitôt après que ses vassaux furent debout, leurs fronts se courber en une révérence qui la rosit de plaisir. Elle salua chacun avec courtoisie et, magnifique, alla occuper son siège.

Louis n'avait émis aucune objection cette fois, lorsqu'elle avait annoncé qu'elle participerait aux préparatifs du voyage. D'ailleurs, depuis plusieurs semaines, sous le coup de cette agitation et de sa propre effervescence, il était devenu plus aimable à son égard et même plus entreprenant en sa couche. De sorte que leur relation était paisible. Pour l'heure, elle transmit à son époux le bref de Raymond. Louis grimaça en le commentant : les nouvelles de Jérusalem allaient dans le même sens. Ces infidèles rôdaient autour des murs, affaiblissaient le moral des soldats, pour, on s'en doutait, mieux attaquer lorsqu'ils jugeaient le moment opportun.

Louis avisa que Conrad, l'empereur d'Allemagne, s'était joint à son idée et que son armée, puissante et valeureuse, agirait de concert avec celle de France.

Ce jour, comme la veille, se passa à échafauder des plans, à soulever des questions de tactique et à envisager diverses manœuvres. Rien qui semblât bien nouveau à la reine, mais qui permettait toutefois de laisser le royaume dans une paix relative, puisque, ainsi rassemblés, leurs gens ne songeraient plus à leurs guerres, mais à *la* guerre.

Lorsque, au terme de cinq heures de palabres, on se sépara pour rejoindre la salle à manger, Louis disparut promptement derrière une tapisserie plaquée sur le mur du corridor. Le passage secret qui datait de la construction du palais menait à la petite chapelle. Béatrice l'y attendait.

Il la serra affectueusement dans ses bras avant de poser sur ses lèvres douces un chaste baiser. Voilà plus de deux mois qu'ils se voyaient ainsi, loin des regards, se rejoignant en ce lieu pour prier. Il n'était pas question pour Louis de commettre le péché de chair avec celle qu'il vouait à la sainteté. Leur communion toute spirituelle le comblait. Béatrice et lui partageaient la même inspiration, la même flamme divine.

Du moins était-ce ce qu'il croyait. Sa belle se contentait par obligation de ces étreintes qui confortaient l'amour du roi, mais la laissaient pantelante de désir. Son rêve le plus cher aurait été de donner à Louis ce fils qu'il souhaitait tant et que la reine lui refusait. Elle se disait, pour garder patience, que son heure viendrait. Pourtant, lorsque la nuit se refermait sur le palais, une silhouette furtive se glissait jusqu'à sa chambre et forçait sa porte, exaltant tous les vices dont cette icône blonde était pourvue. Étienne de Blois la dégoûtait autant qu'il l'attirait, et c'est de cette perversion même qu'elle nourrissait son ventre.

— Montrez-nous encore, Denys !

— Voyez, vous fendez par la garde, ainsi !

L'épée partit vers l'avant, soulevant un « Ah ! » de satisfaction suivi d'une salve d'applaudissements.

— Damoiselles ! Voyons ! Nous se sommes pas au spectacle ! grondai-je d'une voix forte.

Depuis que les dames de compagnie d'Aliénor avaient décidé d'accompagner leur époux et surtout leur amant en Orient, elles suivaient un entraînement digne des meilleurs soldats du roi. Denys n'était pas vraiment ravi d'apprendre le maniement des armes à ces péronnelles qui s'inquiétaient surtout du meilleur angle pouvant les mettre en valeur. J'avais donc fort à faire pour combattre leur penchant naturel à jouer les séductrices et je comptais assez sur les talents de Panperd'hu qui, le soir venu, racontait de terribles récits sur les Turcs et la première croisade. Plus d'une de ces pimbêches avait des vapeurs à l'évocation de têtes tranchées et grillées au-dessus d'un feu de camp pour servir ensuite de mets de choix au chef barbare. Certaines même se pâmaient et poussaient des cris de terreur. Il m'était alors facile de leur rappeler qu'elles n'allaient pas en voyage d'agrément et qu'une seule erreur leur coûterait la vie, à moins qu'elles ne finissent violées et torturées, abandonnées ensuite dans quelque harem. Elles se mettaient à trembler, mais, le matin venu, s'inquiétaient davantage du physique superbe de Denys que des lointains Turcs.

Dès lors, je décidai qu'elles ne s'entraîneraient plus avec des épées de bois, mais avec de véritables lames et revêtues d'une cotte de mailles. Nombre d'entre elles eurent du mal à soulever de terre la lourde épée, suppliant Denys de se placer derrière elles pour les aider. Autant dire que les premières minutes furent enjouées. Toutefois, au bout d'une matinée d'entraînement, elles ne songeaient plus à jouer du cil, épuisées par l'effort. Et nous échangeâmes un regard complice avec Denys.

Cela faisait deux mois maintenant qu'elles suivaient un exercice régulier, et ces mesures commençaient à donner leurs fruits. Leurs muscles endurcis permettaient à présent l'apprentissage des rudiments guerriers, et ces dames perdaient peu à peu leur féminité outrancière au profit de râles et de cris dès qu'elles fonçaient, épée au-dessus de la tête, sur les quintaines accrochées par des filins aux poutres ou aux branches.

Ce jourd'hui était d'une autre facture. Denys nous montrait les rudiments du combat au presque corps à corps. J'avais passé une partie de la soirée, la veille, à répéter les gestes d'esquive et de feinte avec Denys, pour lui servir d'assistante, et j'étais plutôt fière du résultat. Après quelques démonstrations au cours desquelles il commenta chacun de ses gestes, je vins lui faire face, et notre prestation fut hautement applaudie.

— Nous donnerez-vous quelque protection, Denys ? demanda Sibylle de Flandres, que le contact du métal inquiétait.

— Point, damoiselle. Votre haubert est suffisant pour éviter toute blessure mortelle. Nous allons voir si mes leçons ont porté leurs fruits. Il vous restera bien assez de temps pour vous raccommoder avant le grand départ, ajouta-t-il avec humour.

Un frisson parcourut l'échine de ces dames. Aucune d'elles n'avait seulement envisagé la possibilité d'être blessée, pas plus au combat qu'à l'entraînement.

Denys saisit un panier que nous avions préparé à l'avance, dans lequel nous avions plié des morceaux de parchemin où se trouvaient inscrits les noms des « guerrières ».

Le sort désignerait ainsi les face à face. Lorsque Béatrice de Campan me nomma, je ne m'en inquiétai pas ; depuis qu'elle s'occupait du roi, sa rancœur me laissait tranquille. Mais, quand elle vint se placer devant moi, son regard accusait une lueur cruelle, qui transfigurait son allure de madone en un masque de gargouille.

Elle siffla :

— L'heure est venue de régler nos comptes, j'ai en mémoire quelque soufflet dont vous me devez réparation.

— En garde, damoiselles. Pour l'honneur ! lança Denys.

Béatrice se rua sans attendre, l'épée dressée dans un râle vengeur, et, si je n'avais été aussi agile, j'aurais été surprise par sa violence. Mon échappatoire ne l'émut pas. Elle chargea de nouveau, et l'idée me vint que sa haine l'épuiserait bien avant ma patience. Je la laissai donc se jeter sur moi à plusieurs reprises, me contentant d'esquiver d'un mouvement de jambes ou de buste ses attaques. Lorsqu'elle comprit ma tactique, elle poussa un grognement d'animal et chercha à croiser le fer.

Cela ne m'effraya pas. J'avais suffisamment d'entraînement pour parer ses coups. Nos lames se cherchèrent, puis s'entrechoquèrent avec un bruit métallique. La puissance du choc me désarçonna un instant, au point que mes poignets eurent du mal à l'encaisser. Béatrice était devenue laide, déformée par une haine implacable qui décuplait sa force.

J'aperçus Denys qui se tenait prêt à intervenir, mais le rassurai d'un regard ; je me sentais de taille à moucher cette prétentieuse.

Tandis que nos comparses baissaient peu à peu leur garde pour nous suivre des yeux, effarées de la violence de notre escarmouche, Béatrice continuait à me taquiner de sa lame tout en me faisant reculer vers les tribunes. Je frappais désormais aussi fort qu'elle et je la sentais peu à peu s'essouffler et diminuer d'ardeur. C'était un des enseignements de Merlin : se nourrir de l'énergie de l'assaillant pour grandir sa propre force. Je n'avais jamais eu l'occasion auparavant de le vérifier, mais je constatais avec plaisir que, pour une fois, mon savoir m'était utile. C'est au moment où elle mollissait et où je prenais l'avantage que mon pied gauche buta contre une racine qui filait à fleur de terre tout au long de la tribune. Déséquilibrée, je m'étalai de tout mon long en lâchant mon épée. Béatrice saisit sa chance. Je ne dus qu'à mon instinct de rouler sur le côté pour esquiver une colée qui démailla mon haubert de quelques rangs, soulevant un cri de terreur chez nos spectatrices.

Je me relevai prestement et sautai aussitôt sur l'estrade pour tenter d'atteindre ma lame qui avait chu entre deux rangées de bancs. Béatrice me suivit. Je n'eus que le temps de plonger. Sa lame s'incrusta dans le dosseret de bois du banc qui m'avait servi de refuge. Sans hésiter, j'empoignai ses chevilles et tirai d'un coup sec vers l'avant. Le résultat ne se fit pas attendre : elle culbuta par-dessus la rambarde de la tribune et atterrit peu gracieusement sur le sol, en contrebas, dans un nuage de poussière. Malgré sa vilaine posture, elle n'avait pas lâché son arme. Elle redressa son buste engoncé dans le haubert qui lui remontait jusqu'au mitan de la gorge en l'étouffant à moitié, pour demeurer assise, à demi étourdie, la coiffe en bataille, souillée comme moi de terre humide, la mine ridicule.

J'avais récupéré ma lame et la regardai à présent, l'œil moqueur, du haut de la tribune, un pied sur la rambarde, m'appuyant négligemment sur le pommeau de mon épée. Béatrice haletait de rage. Elle tentait de se redresser pour reprendre le combat, lorsqu'une main se tendit devant sa frimousse.

— Votre mérite, damoiselle, se satisfera de cette première échauffourée, voulez-vous ? demanda le roi, que ni l'une ni l'autre n'avions vu venir.

À ses côtés se tenaient Aliénor et Suger. Béatrice saisit cette aide providentielle, qu'elle eût maudite sans doute s'il s'était agi d'une autre, et s'inclina en une révérence poussiéreuse. Je fis de même, puis sautai d'un pied leste jusqu'au sol.

— Eh bien, dame Loanna, me complimenta le roi, je vois avec plaisir que vous savez user quand il faut de ruse autant que de hardiesse. Prenez exemple, gentes dames, sur ces deux guerrières de Dieu, là où nous allons il n'est pas de place pour les couards.

— Votre Majesté est trop bonne, répondis-je en m'inclinant devant lui une nouvelle fois.

Je lançai un œil vers ma reine et la découvris blanche, au bord de l'évanouissement. Je lui envoyai un sourire ; Denys s'approchait, suivi de nos compagnes qui commentaient l'affrontement à mi-voix.

— Belle démonstration, damoiselles, nous félicita-t-il, mais je savais qu'il n'était pas dupe. Ces dames ont été impressionnées, qui osaient à peine entrechoquer leur fer de peur de saigner, ricana-t-il en portant un doigt à mon épaule.

Je vis qu'elle était rouge et m'avisai que l'épée avait frotté, raclant une fine pellicule de peau malgré le gambison et le haubert. Béatrice avait repris son visage de madone. Posant mon épée dans les bras de Denys, je m'avançai vers elle et lui tendis une main faussement amicale.

— Nous en sommes quittes l'une et l'autre pour quelques contusions.

Elle se força à étreindre ma main, mais laissa échapper entre ses dents un « jamais » que je fus seule à entendre.

— Je suis inquiet, Loanna ! Je n'ai pas voulu intervenir tantôt pour ne pas affoler tes compagnes, mais cette Béatrice de Campan me donne du souci, fit remarquer Denys en balayant la salle d'armes d'un pas agité.

Je lui souris, puis, baissant de nouveau les yeux sur la lame de mon épée que j'étais occupée à graisser avec une tranche de lard rance, répondis négligemment :

— Bah ! Elle a profité de l'occasion pour venger son honneur, j'eusse sans doute fait de même à sa place.

Plusieurs heures s'étaient écoulées depuis l'escarmouche, et l'on sortait tout juste de l'office de none. Chacun y avait assisté dans un esprit de franche convivialité, comme si rien ne s'était passé. Je m'étais montrée la plus enjouée possible pour dissimuler mon malaise. Ce n'était pas la haine de Béatrice à mon encontre qui m'inquiétait ni la virulence de sa lame. C'était autre chose que je définissais mal. J'ignorais pourquoi ou pour qui, mais un voile de deuil m'oppressait les tempes. Sans aucune raison. Peut-être était-ce simplement le contrecoup ; une sorte de frayeur instinctive après la bataille qui brusquement fait comprendre ce à quoi l'on vient d'échapper. Car sans aucun doute, si le dosseret du banc n'avait arrêté la lame de la belle, elle m'aurait atteint le col. Denys n'avait pas jugé utile que nous portions des heaumes pour l'entraînement. Il n'avait pas pu ne pas voir cette colée fatale et s'en voulait sûrement. C'était la raison pour laquelle je l'avais rejoint dans la salle d'armes, comme je le faisais depuis quelque temps. Pour qu'il ne puisse penser que je lui reprochais une quelconque négligence.

Un soupir à fendre l'âme m'arracha à mes pensées. Denys continuait d'arpenter la pièce de long en large.

— Quand rejoins-tu Marjolaine ? demandai-je pour faire diversion.

Je savais qu'il ne passerait pas l'occasion de me parler de son aimée. Marjolaine devait enfanter bientôt et le temps pressait à Denys de la revoir. La pauvrette devait impérativement garder la couche depuis quelques mois déjà. Elle était demeurée dans leurs domaines tandis que, retenu par un départ proche autant que par sa fonction, Denys se morfondait à Paris, loin d'elle.

— Je partirai sous huitaine. Je regrette que son état l'ait empêchée de me retrouver ici. Elle me manque, soupira-t-il.

— Certes, mais avant longtemps, tu étreindras ton épouse et ce beau garçon dont tu es déjà si fier. À moins que le sort n'en fasse une fille, ajoutai-je, malicieuse, en passant une main tendre dans ses boucles.

Je les aimais tant l'un et l'autre ! Savoir Marjolaine fatiguée au point de ne pouvoir se lever m'attristait et m'inquiétait aussi. Ce voile de deuil... Non ! Je secouai la tête, déterminée. C'était simplement le contrecoup !

— Je ne peux être auprès de vous deux en même temps, se lamenta Denys.

— Je te promets d'être prudente, dès lors que tu ne seras plus dans les parages. Béatrice ne peut rien contre moi, Denys.

J'eus un instant envie de lui dire que l'on me protégerait au moins jusqu'à ce que j'aie donné une descendante à ma race, mais je m'abstins. Si

Denys était au fait de bien des choses, il y en avait que je devais taire.

Je posai un affectueux baiser sur sa joue.

— Cesse de t'inquiéter. Promets-le-moi, mon ami.

— Pour tes beaux yeux, oui, je promets ! Toutefois, je ferai en sorte que les prochains exercices te mesurent à d'autres dames ; elles méritent quelques frayeurs. J'ignorais que tu étais capable d'autant d'adresse... pour une femme, ajouta-t-il d'un ton faussement condescendant.

Je frappai un poing boudeur sur son torse :

— Gausse-toi donc, maraud ! Et sur qui ai-je pris exemple pour ce faire, si ce n'est sur toi ?

— Vraiment, se moqua-t-il, j'ignorais présenter autant de prestance féminine.

— Attends un peu !

Je sautai sur le côté et m'emparai d'une épée sur la table.

— En garde, messire ! Vous me rendrez réparation pour vos railleries.

— Pitié, noble dame ! J'ai bien trop peur de servir de gibier à votre adresse.

Je pointai par jeu la lame en avant, l'air féroce, mais, avant même que j'eusse pu réaliser ce qui se passait, Denys m'avait désarmée. Se glissant derrière moi, il avait exercé une pression savante à hauteur de mon poignet qui m'avait fait lâcher le fer.

— Bigre ! commentai-je. Voici encore une chose qu'il te reste à m'apprendre.

— Cela attendra, damoiselle de Grimwald.

Nous nous retournâmes de concert vers la porte au fond de la salle. Aliénor, que nous n'avions pas entendue, venait d'entrer dans la pièce, l'air furibond. Denys s'avança pour lui prendre la main et la conduire devant moi, mais elle l'apostropha amèrement :

— Est-ce ainsi ce que vous apprenez à mes dames de compagnie, messire de Châtellerault, à se frotter museau comme de vulgaires ribaudes !

Et elle le planta sur place. Dans son dos, Denys me fit un geste qui signifiait son impuissance et ses regrets face à la déferlante.

Je ramassai la lame tombée à terre et la posai avec les autres sur la longue table.

— Bonsoir, Votre Majesté, dis-je d'un ton détaché en lui faisant face.

Elle avait les poings serrés. Je devinai que derrière sa colère se cachait la peur de ce tantôt. Lorsque Aliénor était mal, elle devenait odieuse.

— Vous amuse-t-il donc de vous donner en spectacle ? me lança-t-elle.

Denys s'adossa mollement à un pilier et, croisant les mains sur sa poitrine, me lança un sourire amusé. Je le maudis intérieurement de me laisser me dépêtrer de cette situation que je détestais. Je préférai la feinte à l'attaque pour mieux crever l'abcès :

— Je vous demande le pardon, Votre Majesté. Cela n'était qu'un exercice destiné à nous aguerrir, comme les preux serviteurs du Seigneur que nous sommes, contre la flamme de l'enfer vers lequel nous allons. J'ignorais que Votre Majesté pouvait en prendre ombrage.

Comme je l'avais espéré, au lieu de s'adoucir, Aliénor entra en rage :

— Cesse de te moquer de moi, Loanna ! Cesse de me donner du « Votre Majesté », et toi (elle pointa un doigt incendiaire vers Denys qui se retenait à grand-peine de rire), si tu oses encore ricaner dans mon dos, je te fais fouetter jusqu'au sang ! Mais enfin quelqu'un va-t-il me rendre le respect qu'on me doit dans cette maisonnée ?

Sur ce, elle éclata en sanglots, les bras ballants, comme vidée de ses forces. Je m'approchai et la pris contre moi doucement. Denys n'osait plus bouger, ne sachant que faire, dépassé par la tournure des événements.

— Va donc nous chercher de l'alcool de sauge dans le placard que tu sais, et veille à ce qu'aucun des gardes ne revienne.

Denys hocha la tête et disparut. Il ne fallait pas qu'un soldat puisse voir Aliénor ainsi vulnérable. Cela fait, je pris le menton tremblant entre mes doigts et posai de petits baisers sur ses lèvres. Entre deux hoquets, elle murmura, les yeux noyés :

— J'ai eu si peur ! J'ai cru que vous vous battiez vraiment, tu comprends. Il y avait ce sang sur ton épaule, et elle avait l'air terrible. Jamais je ne l'avais vue ainsi, jamais.

Je l'obligeai à s'asseoir sur un banc et lui tendis mon mouchoir.

— Ce n'était qu'un exercice, Aliénor. Rien de plus, je te l'assure. Il est bon que l'on se trouve en situation. Sans quoi nous serons de la chair facile pour les infidèles et une charge pour l'armée. Nous ne partons pas en Terre sainte pour jouir du paysage, mais pour répandre le sang de nos ennemis. La liberté est à ce prix. Tu le sais. Tu dois accepter de risquer de me perdre comme une loi de Dieu.

— J'en mourrai, murmura-t-elle.

— Tu mourras plus sûrement de la main d'un de ces redoutables Turcs, si tu refuses de te préparer à nos côtés. Les échauffourées contre tes vassaux n'étaient rien, Aliénor. Là-bas, il ne nous faudra compter que sur nous-mêmes.

— Tu penses donc que je devrais moi aussi venir à ces entraînements ?

— Plus que jamais, ma reine. Vois ce que deviennent tes amies. Elles se pâmaient hier pour une peccadille, elles osent aujourd'hui affronter leur peur. Louis a raison. L'Orient n'a que faire des couards.

Aliénor sourit à travers ses larmes et moucha une nouvelle fois son nez rouge. Elle demanda encore :

— Comment autant de beauté peut-elle cacher autant de haine ?

Je compris qu'elle parlait de Béatrice. Chacun ce tantôt avait pu voir sous un jour nouveau son âme que je savais sournoise et malveillante. Je mentis pourtant :

— Nous en avons tous. Et c'est en elle que nous puiserons la victoire.

Aliénor me regarda, l'œil vague.

— Bernard de Clairvaux parlait d'amour.

— Pour nos saintes reliques, sans doute. Pas pour ces païens que l'on ne peut évangéliser qu'en les passant par l'épée, murmurai-je à contrecœur en songeant, amère, aux druides et à mes ancêtres massacrés pour les mêmes raisons. Pardonne-moi de ne pas concevoir cette vindicte dans les mêmes termes que Bernard de Clairvaux.

— Tu ne l'aimes pas, n'est-ce pas ? demanda-t-elle, un sourire navré tirant ses joues mouillées.

— Bien sûr que si, la rassurai-je, mais, comme toi, je n'approuve pas certaines pratiques de l'Église. Voici Denys !

Profitant de ce qu'il revenait avec la liqueur que j'avais réclamée, je me levai et allai à sa rencontre. L'heure était mal choisie pour débattre de ces questions.

Denys m'assura à mi-voix qu'aucun de ses soldats ne nous dérangerait, et je l'invitai, à présent que l'orage était passé, à convaincre la reine de profiter de ses enseignements. Quelques minutes plus tard, nous devisions tous trois comme de vieux amis, en attendant que la frimousse apaisée d'Aliénor reprenne son teint sublime et fasse taire tout commentaire.

C'est ainsi que la relève, surprise, nous trouva occupés à graisser d'un même élan les armes de nos compagnes pour l'exercice du lendemain.

18

Nous abordions avril sous un ciel chargé de nuages bas qui crevaient par giboulées cinglantes et froides, achevant de dépouiller de leurs fleurs les mimosas tardifs.

Les grands du royaume ne restèrent que quelques jours dans l'île de la Cité. Les crédits passaient dans l'armement, et Louis ne tenait pas à dépenser en réceptions inutiles. Occupée à seconder Denys, j'avais eu peu l'occasion de les voir, si ce n'était aux quelques repas où le roi les conviait mais qui manquaient d'apparat. L'esprit était à la spiritualité, non à la débauche. Leurs avis pendant cette période avaient permis de donner à l'itinéraire de la croisade un tracé qui satisfaisait tout le monde ou presque, et de récents courriers en provenance de Constantinople assuraient aux armées française et allemande le soutien, le ravitaillement et les guides qu'ils demandaient. Le basileus

Manuel Comnène semblait des plus engageants. Les féaux du roi n'avaient désormais guère de raison de séjourner à Paris, d'autant que leurs propres affaires les appelaient chez eux. Il fut convenu qu'ils se rejoindraient pour le grand départ, maintenu pour la Pentecôte.

Avant qu'ils ne partent, Geoffroi d'Anjou demanda une audience privée au roi, qui lui fut accordée sans difficulté. Nul ne sut quel fut l'objet de l'entretien, mais il quitta le palais la figure rouge et l'œil noir, signe que cela ne s'était pas passé au mieux avec Louis.

Je n'avais fait que le croiser et échanger avec lui quelques banalités. J'aurais voulu en apprendre davantage sur Henri, sur dame Mathilde, mais, nous sachant l'un et l'autre épiés par nos ennemis, nous évitâmes de nous montrer trop complices. Il ne vint pas me saluer lors de son départ. J'en fus peinée sur le moment, puis, rendue à l'évidence que c'était en effet la chose la plus sensée à faire, je me consacrai tout entière à notre entraînement. Les autres invités du roi suivirent le comte d'Anjou de quelques encolures, laissant Louis d'excellente humeur. Suger, qui devait rester en France pour gérer les affaires du royaume en notre absence, s'activait à tout mettre en ordre avant le grand départ, tout en entretenant avec Bernard de Clairvaux une étroite correspondance. Par son intermédiaire, le roi apprit que le pape viendrait en personne bénir les armées à l'heure où elles s'ébranleraient vers l'Orient.

Avec le départ des vassaux, Aliénor, qui avait fait sa part de besogne, vint nous rejoindre tous les matins sitôt après tierce. Il ne lui fallut que deux jours pour apprendre à se servir d'une épée et d'une lance aussi bien que nombre de ses dames, tant elle avait mis un point d'honneur à rattraper son retard. Comme Denys l'avait promis, le sort ne me désigna plus Béatrice comme adversaire, laquelle fut bien obligée de laisser retomber sa fougue pour ne point blesser une autre donzelle.

L'après-midi se passait à se détendre dans les jardins, entre deux averses, ou dans la grande salle où nous tissions et brodions avec le même enthousiasme les gonfanons à la fleur de lys. Denys pour sa part retournait dans la Cité où il logeait, trouvant peu à son goût la chambrée commune que les gardes de Sa Majesté partageaient. Il avait hérité de la reine une petite échoppe, dans une rue tout près de Sainte-Geneviève, en remerciement de ses bons offices, dans un temps où il était souhaitable qu'on ne les vît point ensemble au palais. La reine lui avait laissé cet avantage, disant qu'ainsi il pouvait savoir ce qui se passait hors des murs de l'enceinte.

Cela devenait indiscutablement utile. L'agitation qui régnait n'était pas loin du désordre, et il fallait veiller à endiguer les débordements. Paris vibrait d'une âme chevaleresque. Tous, du plus petit au plus grand, se sentaient concernés par cette croisade.

Outre les maréchaux-ferrants, les tanneurs, les forgerons, les cordiers, les drapiers, les tisserands, les orfèvres, les tonneliers, les charretiers, les marchands de bestiaux qui redoublaient de travail, il y avait ces philosophes qui, devant Sainte-Geneviève, déclamaient des vers à grand renfort de théologie. Il n'était pas rare que les élèves achèvent leurs discours par quelques empoignades ou bien quelques légumes lancés sur leurs camarades. Et puis il y avait les autres : ces mendiants, bossus, boiteux ou difformes, qui avaient afflué en nombre pour alléger la conscience des bien-portants de quelques pièces. Et encore ceux, fourbes et noirauds, qui sortaient la nuit et détroussaient les notables cossus venus pour affaires.

Tout cela créait, dans un Paris déjà difficilement praticable en temps normal, un épouvantable remue-ménage de rues encombrées, où le ton montait très vite entre les gens bousculés, parfois foulés aux sabots des chevaux. La panique était journalière, remplacée, la nuit tombée, par des cris et des bruits de lutte. À cette heure-là, personne n'ouvrait plus ses volets ni n'éclairait sa chandelle, à moins d'être dérangé par quelque ivrogne pacifique chantant sous la fenêtre, que l'on décourageait en lui vidant sur le chef un bassin d'urine.

J'avais reçu un messager juste avant l'office de complies. Nous étions au surlendemain du départ de Geoffroi d'Anjou, et je le croyais déjà loin de Paris. Il n'en était rien. Se sachant surveillé par les espions d'Étienne de Blois, il avait feint son départ pour mieux me rencontrer en secret et me donnait rendez-vous, ce même soir, derrière le confessionnal de Sainte-Geneviève.

Je connaissais bien l'endroit pour y avoir, à plusieurs reprises, retrouvé un envoyé du comte. C'était un recoin blotti entre la paroi en bois du confessionnal et un gros pilier décoré de feuilles de lierre peintes en vert bronze rehaussées d'or. Deux personnes pouvaient s'y dissimuler à l'abri des allées et venues, dans la plus totale discrétion.

Geoffroi d'Anjou m'y attendait, recouvert d'une bure de lin beige qui le faisait ressembler à un des moines de Sainte-Geneviève. J'avais jeté une capeline sombre sur mes épaules pour me fondre dans l'obscurité et regretté de n'avoir pu aviser de cette entrevue Denys, qui s'était éclipsé sitôt l'office achevé. Il m'aurait certainement fait escorter dans ces rues dont il prétendait qu'elles étaient de moins en moins sûres. Pour l'heure, ne pouvant faire confiance à personne en dehors de lui, j'avais préféré venir seule, me dissimulant au mieux pour n'attirer aucune convoitise.

Je laissai Granoë à un bon moine qui veillait à l'écurie pendant les offices et gravis le parvis. L'église était déserte si l'on exceptait deux ou trois crânes tonsurés agenouillés de part et d'autre des rangs, recueillis sur un geste de prière muette. Aucun d'eux ne s'inquiéta de ma présence. Sans perdre un instant, je me glissai vers l'endroit indiqué.

Geoffroi m'embrassa avec tendresse. Il avait la barbe plus dure que jamais sur ma peau, mais je fus heureuse de cette marque d'affection.

— Ma douce enfant, me murmura-t-il en connivence, je ne puis m'attarder, vous vous en doutez, il me fallait pourtant vous voir avant notre folle équipée en Terre sainte et vous remettre ceci.

Il prit ma main, l'ouvrit et y plaça un gros anneau d'argent orné d'une améthyste en cabochon. Puis, refermant mes doigts sur le bijou, il continua, d'un ton à peine audible :

— Vous la remettrez au basileus Comnène dès que l'ost de France sera à Constantinople. Elle n'a qu'une valeur de symbole, mais cette pierre a pour ces gens la couleur de la trahison. Il vous prêtera l'oreille.

— Que devrai-je lui demander ?

— La mort du roi.

Je frémis. Ainsi le temps était venu ! Mais déjà Geoffroi poursuivait :

— Comnène est un fourbe qui a pris alliance avec les Turcs et fait du négoce avec eux. Cette croisade ne sert pas ses intérêts. Il est assez malin pour jouer sur les deux tableaux et vendre à bon prix à l'un ce qu'il a déjà vendu comme butin de guerre à l'autre. La mort du roi de France sera une bonne affaire pour cet homme, mais vous devrez insister sur ce fait : lui et lui seul. Usez de vos visions clairvoyantes pour déterminer l'endroit propice à une embuscade et menez-y l'armée en prenant soin qu'Aliénor et ses dames soient hors d'atteinte.

— Et si les Turcs ne respectent pas leurs engagements auprès du basileus ? Ils sont, dit-on, plus cruels et perfides que des bêtes sauvages, m'inquiétai-je.

Geoffroi poussa un gros soupir.

— Soyez prudente. Louis ne doit pas revenir vivant. Il n'est pas certain que je prenne finalement part à cette croisade, mais vous pourrez compter sur le soutien de Geoffroi de Rancon que vous savez dévoué à la reine. Ils sont quelques-uns comme lui à n'apprécier guère notre bon roi et ses Templiers en Aquitaine. Il va vous falloir du courage. Mais je ne crains pas pour vous.

— Pour Henri, murmurai-je crânement.

— Pour Henri, répéta-t-il.

Je le quittai sur ses mots qu'il ponctua d'un baiser sur mon front. J'étais troublée. Au cours de notre conversation m'était venue la sensation d'un danger proche, et je n'aimais pas cela. Il y avait longtemps que cela n'avait pas été aussi fort, malgré ce voile de deuil qui ne me quittait pas depuis quelques semaines. Je résolus de ne point céder à la peur. Elle était probablement absurde. J'aimais bien Louis au fond, et l'idée de le vendre froidement à la cruauté sanguinaire de ces sauvages me peinait. Ce devait être cela qui perturbait mes sens, oui, je m'étais habituée à sa face de carême, à sa voix de fille, à ses colères et à ses mains. « Tu te laisses attendrir, Loanna de Grimwald ! » me répétais-je en rabaissant davantage le capuchon de mon manteau sur les yeux.

Au sortir de l'église, il faisait nuit noire. Une de ces nuits sans lune que mère n'aimait pas. Malgré moi, un frisson me parcourut l'échine. Mieux valait ne pas traînasser dans la vieille Cité. Des bruits divers me parvenaient, de pas étouffés, de chuchotements, de rires de filles.

« Allons ! Tu n'es plus une fillette ! Si l'idée de perdre le roi te perturbe ainsi, mieux vaut renoncer sur-le-champ à ce pour quoi tu es venue au monde, Loanna de Grimwald ! » pensai-je avec force. La nuit n'avait jamais été une ennemie, que diable ! Bien au contraire !

Décidée, je m'engageai sous la voûte de pierre et m'avançai jusqu'à ce que son obscurité me recouvre, le regard droit vers la lumière des lampes extérieures qui m'attendaient avec Granoë. Je ne vis pas les ombres s'animer, pas davantage que je n'eus le temps de tirer ma lame. Je perçus seulement la douleur entre mes omoplates. Dans un cri sourd, je tombai à genoux sur le sol, un goût de sang dans la bouche, une brume devant les yeux.

— Finissons-en ! dit une voix qui me parut familière.

Malgré la certitude que j'allais mourir, je ne parvenais pas à bouger, à peine à respirer, pliée en deux sur mes genoux, le front bourdonnant qui s'abîmait sur le sol humide. Je devinai le mouvement de la lame au-dessus de moi prête à s'abattre. Mais, à sa place, il y eut un mouvement de panique parmi mes assaillants.

— Par tous les saints du paradis ! bégaya une voix effrayée.

Elle me força à redresser le buste et à ouvrir les yeux. Une lumière surnaturelle et aveuglante emplissait le porche. Deux prunelles immenses sans corps autour flottaient au milieu d'elle. C'était cette apparition qui avait déclenché leur peur. J'en compris l'origine :

— Merlin, murmurai-je désespérément en tendant vers elle une main tremblante.

— Filons ! cria une autre voix.

— Attends !

La lumière disparut d'un coup, avec le choc sur ma nuque. Je m'enfonçai dans une nuit glaciale dans laquelle je n'entendis plus rien.

Je ne sais combien de temps je restai inconsciente, perdant mon sang, mais c'est une chaleur douce sur mon front qui me rappela que j'étais là, couchée à même la terre, dissimulée aux regards par l'ombre du porche. J'ouvris les yeux et je la vis. Elle baignait dans une brume irisée, de celles qui pénètrent les sous-bois à l'aube.

— Mère, murmurai-je en reconnaissant son visage diaphane. Suis-je morte ? demandai-je difficilement, m'étouffant aussitôt dans une quinte de toux qui me laissa un goût de sang dans la bouche.

Elle secoua la tête, un léger sourire de tendresse sur son visage.

— Ne parle pas, Canillette. Ton heure n'est pas venue, c'est pourquoi je suis là. Tu as en toi la force. Trouve-la. Entends, me dit-elle encore.

Granoë hennit au même instant. Elle était toute proche. Je hochai la tête, mais aussitôt la douleur entre les omoplates me poignarda. Je n'eus pas le courage d'en dire davantage. Le visage de Denys me vint en mémoire. Il habitait tout près.

— Va, murmura mère en s'évanouissant dans la nuit.

Je voulus me redresser, mais mon corps n'était que souffrance. Je devais me battre contre elle. Je restai un moment à genoux et tentai de rassembler en moi quelques bribes de magie pour l'occulter un peu. Granoë piaffait sans relâche comme pour m'inviter à sa manière à l'atteindre. Je le pouvais. Il le fallait. Je devais me montrer digne. Il suffisait de le vouloir. De le vouloir vraiment. J'essayai de prendre appui sur mon épaule droite, mais c'était comme si quelque chose se déchirait en moi. Une nouvelle quinte de toux amena des larmes dans mes yeux.

« Allez, quoi, Loanna de Grimwald ! gronda dans ma tête ma propre voix. Oublies-tu qui tu es ? Tu ne vas pas rester ainsi à la merci d'autres marauds ! Tu vas te redresser et sortir de là ! Ton heure n'est pas venue ! Du nerf ! »

J'avançai mon bras gauche sur le côté en serrant les dents jusqu'à sentir le froid de la pierre sous mes doigts. Le mur était là, rassurant, sur lequel je pouvais m'appuyer. Je cherchai une aspérité du plat de la main pour m'accrocher et me hisser. Je finis par la trouver et y ancrai le bout de mes doigts gelés, de toutes les forces qui me restaient. Je me mis debout péniblement, les jambes tremblantes et des papillons devant les yeux. Le porche devait compter une cinquantaine de pas, j'en avais fait la moitié avant l'embuscade. M'aidant du mur, je progressai vers les torches.

Le moine à qui j'avais confié Granoë devait être là. Il m'aiderait, me conduirait jusqu'à Denys.

J'eus l'impression que chacun de mes pas pesait double, tant je sentais se dérober le sol à chaque enjambée. J'avais conscience du sang qui coulait le long de mes reins, de mon bras et de ma nuque ; mes doigts en étaient couverts.

Enfin, je fus sous la lumière. Je cherchai des yeux le moine, mais ne le vis point. Je me dirigeai en titubant vers le box de Granoë. Relever le loquet de la porte me fut un supplice, j'y parvins pourtant au bord de l'évanouissement. Ma jument hennit doucement en fouillant de ses naseaux ma chevelure poisseuse.

— Viens, ma belle, articulai-je en lui prenant la bride.

D'instinct elle avait compris et s'avança paisiblement dans la cour jusqu'au perron. Je grimpai sur la pierre. Granoë ne bougea pas d'un pouce tandis qu'usant d'un effort qui me parut surhumain je l'enfourchais enfin. Je me laissai tomber sur son encolure et dirigeai ses pas d'une bride que je voulais ferme. Les lampions vacillaient devant mes yeux, noyant les silhouettes des échoppes dans un flou qui m'étourdissait.

Un instant, l'idée me vint que quelque malandrin voyant ma mine affaiblie pourrait profiter de l'aubaine pour achever la besogne de ses confrères, mais la rue était étrangement déserte. Je reconnus à grand-peine la façade de Denys. Granoë s'y arrêta, comme si elle avait été menée par une main invisible. Il faisait noir au travers de ses volets. Je passai sous la voûte et fus rassurée de voir que son cheval était là, de même que son chien, dressé à aboyer devant quelque inconnu. Que n'aurais-je donné à cet instant pour qu'il s'inquiétât de ma présence, mais il connaissait mon odeur, même si elle transpirait le sang, et se contenta de lever un museau et de secouer la queue en signe d'amitié. Je guidais Granoë vers l'escalier de bois et me laissai glisser jusqu'à terre.

Je posai une main sur la première marche pour la gravir du mieux que je pouvais, avec le sentiment que j'usais là mes dernières forces. Je vis l'escalier chavirer, mais peut-être était-ce moi. Denys ! pensai-je encore avec un sursaut de conscience, puis l'idée me vint que j'étais en train de mourir.

C'était comme un murmure, une sorte de liturgie à peine audible mêlée de chants d'oiseaux. C'était agréable. Je me sentais légère telle une brise de mai. Devant moi s'ouvrait une vallée superbe pavée de sable fin et brûlant. Un soleil au zénith répandait des vagues de chaleur sur une ville blanche aux toits en forme de coupole. En fond d'image, des montagnes se découpaient, ocre sur un ciel d'un azur extrême, sans nuage. Tout autour de la ville, des palmiers ployaient leurs feuilles de dentelle sous la caresse du vent, et, en m'approchant, je reconnus une orangeraie gorgée de fruits dorés.

Je voyais tout cela d'en haut, et non comme un voyageur qui parvient aux portes d'une cité. Je survolais l'endroit et il me rassurait tant il était beau, coloré et chaleureux. En arrière-plan de la ville, j'aperçus un bras d'eau. C'était vers lui que je me dirigeais. Sur la rive, au pied d'un mur blanc, une forme blanche agenouillée se tenait auprès d'un corps blanc lui aussi.

Je glissai jusqu'à eux et me posai à quelques pas. La silhouette leva la tête. Elle pleurait et je m'aperçus que ce visage défait par la tristesse, c'était moi. Curieuse, je m'approchai plus près. C'était un homme qui reposait, couché sur le dos, la tête sur les genoux de celle qui me ressemblait, les mains jointes sur la poitrine. Son visage était livide, et, en regardant mieux, je vis la plaie qui déchirait son cœur au milieu de la cotte de maille. Je compris qu'il était mort.

Alors seulement je le reconnus. Il portait une croix de tissu sur son épaule gauche. Je poussai un cri de douleur dans le vent.

— Denys !

— Là, là, ma belle, je suis là. Tout va bien, murmura la voix grave.

J'ouvris les yeux. Le soleil baignait une chambre que je connaissais bien. Il tenait ma main dans la sienne et souriait dans un visage aux traits tirés par la fatigue.

— Denys ! soupirai-je, des larmes au fond des yeux.

Il passa une main dans mes cheveux collés par la fièvre.

— C'est fini. Tu es sauvée, ma belle.

— Par tous les saints du paradis, ne me refais jamais pareille peur ou j'en mourrai ! dit une autre voix familière.

Je tournai la tête et vis le regard rougi d'Aliénor à mon chevet. Tous deux étaient pâles et de larges cernes noirauds creusaient leurs yeux. Peu à peu mon rêve s'estompait, chassé par le souvenir de mon agression.

— Depuis combien de temps ? demandai-je d'une bouche empâtée.

— Nous sommes au matin du neuvième jour.

— Neuf jours, répétai-je sans vraiment y croire. Je suis morte neuf jours et vous m'avez veillée.

— « Soignée » serait plus juste, rectifia Aliénor en souriant, avec l'aide de ce charlatan de Croquenaud auquel pourtant je vais devoir une reconnaissance éternelle.

— Croquenaud, répétai-je pour remettre à leur place les éléments d'un écheveau qui me semblaient épars.

Sa figure rouille me revint en mémoire. C'était un apothicaire de la Cité qui avait, disait-on, des accointances avec la sorcière du marais, de sorte qu'on le craignait plus qu'on ne le sollicitait et qu'il vivait chichement en vendant ses médecines. Il avait, pour son mérite, un choix étonnant de plantes et d'épices venues d'Europe et d'Orient dont il usait sous forme d'élixir. Je lui avais déjà rendu visite.

— J'ai paré au plus pressé, s'excusa Denys. Lorsque je t'ai découverte, je n'aurais pas parié sur ton devenir, et courir au palais aurait été en

pure perte. Croquenaud tient boutique à une encolure à peine d'ici. Il est venu en hâte et a semblé,
ma foi, fort bien inspiré.

Un voile de tristesse passa dans son regard et je
crus y voir une larme, qu'il faucha en se levant
pour me servir à boire. Un silence tomba, troublé
par le bruit de l'eau qui coulait du pichet d'étain.
Aliénor poussa un soupir résigné, et j'eus soudain
la sensation que quelque chose d'important était
survenu pendant mon « absence », quelque chose
qui pesait sur leur bonheur de me voir sauvée.

Denys me tendit un gobelet en souriant, mais ce
n'était pas un de ces sourires francs dont il avait
l'habitude et qui faisaient briller ses pupilles.

— Il est arrivé un malheur…, laissai-je tomber
en le fixant droit dans les yeux.

Mon rêve ne pouvait signifier que cela. J'en
étais sûre. Aliénor ne broncha pas, mais le menton
de Denys frémit et des larmes roulèrent sur ses
joues. Il posa le gobelet sur la table de nuit et me
prit les mains.

— Je vous laisse, murmura Aliénor, la tête
basse, se dirigeant pesamment vers la porte.

Denys porta mes doigts gelés à ses lèvres et les
embrassa doucement.

— Parle, je t'en prie, lui demandai-je, le cœur
battant la chamade.

Mais avant qu'il ait pu dire mot, mon regard
accrocha les manches de son bliaud à l'endroit du
serrage. Un cordon de soie noire avait remplacé
celui d'azur que Denys affectionnait. Je me mis à
trembler.

— Marjolaine, murmurai-je comme une sentence.

Denys appuya son front dans mes mains, à genoux sur le plancher usé. Ses mots me martelèrent le crâne :

— C'est arrivé quatre jours après ton agression. Je devais la rejoindre lorsque le moment serait venu de l'enfantement. Mais, lorsqu'elle a su ce qui s'était passé et que tu te débattais chez moi entre la vie et la mort, elle m'a envoyé ce message : de vous deux, c'était toi, son amie, sa sœur, qui avais le plus besoin d'être soutenue et elle allait prier pour que tu vives. J'ai cru ce qu'elle disait, j'avais si peur de te perdre que je n'ai pas pensé…

Un hoquet interrompit son récit.

— Elle est morte en mettant notre enfant au monde, gémit-il.

— L'enfant ? demandai-je en retenant un souffle qui me manquait déjà.

— Je l'ai couché moi-même sur son sein dans le cercueil de chêne. C'était un garçon. Un tout petit garçon avec une tête plus fine que mon poing.

Il l'abattit sur le drap, ce poing, avec toute la rage de l'injustice, puis se mit à sangloter en serrant ma main à la broyer.

C'était la première fois que je voyais pleurer un homme. Je sentais couler la pluie sur mes joues en regardant ses épaules se soulever de désespoir et j'eus envie de mourir. J'étais coupable. Je pensai à mère, je l'entendais encore me dire, alors que j'assistais, enfant, aux funérailles de ma grand-mère :

— Ne pleure pas, Canillette, c'était son heure.

— Mais comment sait-on que c'est le moment, mère ?

— Parce que personne n'a offert sa vie contre la sienne.

— Je ne comprends pas.

— Si un accident survient avant que ton temps soit écoulé, et qu'il mette ton énergie vitale en péril, alors, seul l'amour de quelqu'un qui te sacrifie son âme peut te sauver. C'est une des lois druidiques, Canillette. La magie ne crée rien, elle transforme ce qui est.

— Pourquoi grand-mère n'a-t-elle pas pris une vie, alors ?

— On ne prend pas une vie, on la reçoit. C'est un présent unique et personne ne sait comment il en devient digne. C'est ainsi.

— Pourquoi n'as-tu pas offert la tienne pour grand-mère, ou moi si je l'avais su ?

— Le choix ne se fait pas ainsi, ce serait bien trop simple. Il faut qu'il y ait deux âmes en partance, si proches l'une de l'autre que l'une des deux se sacrifie parce qu'elle sait que c'est son rôle. Mais tu es bien petite encore, tu comprendras un jour, Canillette. Tu comprendras un jour.

Aujourd'hui, je comprenais, mais je n'admettais pas. Je n'étais pas meilleure que Marjolaine. Denys l'aimait tant ! Par deux fois, il m'avait sauvée et pour seule récompense je lui avais pris les deux vies auxquelles il tenait plus que tout au monde. Je me faisais horreur. Pour la première fois de ma vie, j'eus honte de mes origines, honte de ces pouvoirs qui ne me servaient à rien, honte de cette confiance qu'il m'avait accordée et que j'avais trahie par ma seule existence. Comme j'en voulais soudain à Merlin et à Mère de m'avoir conduite vers lui, quand il m'aurait été facile de mourir dans l'ombre. À cette heure, mon ami serrerait femme et fils dans ses bras. Je n'avais plus le droit de cacher la vérité. Et tant pis si, demain, il se mettait à crier à la face du monde que je n'étais qu'une sorcière, une intrigante, une parjure ! Tant pis s'il me haïssait, pourvu qu'il se pardonne de n'avoir pas été là, à ses côtés, à sa juste place. Tant pis si Henri n'épousait pas Aliénor. Tout cela, brusquement, n'avait plus d'importance. Jamais plus je n'aurais le courage d'affronter son regard, ni le mien, si à l'instant je me taisais. Il avait gagné le droit de savoir.

— Je te demande pardon, Denys. J'ai pris leurs vies en venant chez toi pour sauver la mienne.

Il leva ses grands yeux lavés et me sourit dans ses larmes.

— Ne te reproche rien, Loanna. Nous savions, elle et moi, que son gros ventre la mettait en danger. Elle était trop fragile. Ma présence n'aurait rien changé. Je n'aurais pu la retenir.

— Regarde-moi, mon ami, murmurai-je. Je vais te confier ce qui, depuis des générations, n'a été entendu par autre que ma famille. Deux fois ta main m'a épargnée. Aujourd'hui, par cet aveu, je te remets mon sort pour que tu puisses te sentir quitte et me chasser de ton cœur.

— Comment le pourrais-je ? De nouveau, je n'ai plus que toi.

— Te souviens-tu, Denys, de ce jour où, en riant des ragots, tu m'as demandé ce que pouvait intriguer la fille d'une sorcière à la cour de France ? Mon ami Thomas Becket ne savait qu'une partie de l'histoire, de mon histoire, celle qui faisait de moi une espionne au service du comte d'Anjou. La vérité est autre, et je m'en veux d'être ce que je suis.

Je parlai longtemps. Denys m'écouta sans mot dire, hochant parfois lourdement la tête pour mieux se convaincre. Lorsque je me tus, j'étais épuisée, au bord de l'évanouissement tant cet aveu m'avait coûté et libérée à la fois, tenaillant ma blessure et mon corps inerte depuis trop longtemps. J'attendais qu'il dise quelque chose, qu'il me frappe, peut-être. Mais il se leva et sortit sans se retourner. J'avais achevé ma confession par ma dernière rencontre à Sainte-Geneviève et ce qui en avait découlé à l'encontre du roi. Denys de Châtellerault tenait désormais mon destin entre ses mains. J'eusse sans doute dû avoir peur ; à l'inverse, cela m'apaisa, et je m'endormis le cœur léger.

19

— Parle, sinon je te donne ma parole qu'avant longtemps ton âme rôtira en enfer au lieu de profiter du paradis que te promet ton état.

— Sur la Très Sainte Bible, messire, je jure n'avoir jamais vu leurs visage, ni même ouï leur nom.

Denys sortit son épée et entailla le lobe de l'oreille du moine qui poussa un long gémissement de terreur.

— Tu mens, maraud ! Gare ! Ou je tranche ces outils qui ne te servent à rien.

— N'en faites rien, messire. Je cherche, je cherche…

Denys resserra son étreinte au collet.

— Je m'impatiente ! gronda-t-il.

Le moine se signa. Il transpirait d'abondance dans sa bure sobre. Denys l'avait crocheté au sortir des feuillets, alors qu'il resserrait sa ceinture sur son ventre obèse. L'endroit était aménagé entre deux piliers de soutènement de Sainte-Geneviève, juste derrière les écuries dont il avait la charge. Discret pour y déféquer, cet endroit providentiel l'était aussi pour s'y faire découdre. C'est ce qu'il avait cru tout d'abord, quand il avait vu ce gaillard à l'allure vindicative sortir l'épée du fourreau, tant, qu'il avait reculé en braillant et écrasé sous ses sandales l'objet de ses épanchements.

Denys l'avait attiré à lui d'une poigne ferme, profitant de l'endroit pour le molester et rafraîchir sa cervelle à propos de ce qui s'était passé en ce même lieu dix jours auparavant. Après avoir feint l'étonnement, il s'était vite rendu à l'avis que, son bourreau n'étant pas commode, il valait mieux ne pas le contrarier.

Denys avait ainsi appris qu'au soir de l'agression quatre hommes s'étaient montrés dans ce même lieu et, en échange d'une bourse généreusement gonflée, avaient conseillé à ce prêtre gardien de s'éloigner jusqu'à l'aube. Promesse qu'il avait respectée, les affaires des grands n'étant pas les siennes ; d'ailleurs, il ne songeait pas à mal, puisque cette somme rondelette irait rejoindre les troncs des miséreux de Sainte-Geneviève.

— Pitié, messire ! Je suis un couard d'homme d'Église. Croyez que, sur l'heure, je vous dirais bien plus que vous ne voulez en entendre si...

Denys poussa un soupir agacé. De toute la force d'une colère qu'il maîtrisait à peine, il repoussa sa victime. Déséquilibré par la surprise, ses jambes trop courtes et son ventre en avant, le moine tituba et se renversa, les jambes en l'air, à l'endroit des feuillets où il servait son office.

— Va au diable ! lui lança Denys en contemplant d'un air navré cette scène grotesque qui en d'autres temps l'eût fait rire.

Denys tourna les talons et le planta là. Il ne s'émut pas davantage du chapelet de jurons qui lui parvint aux oreilles dès qu'il ne fut plus dans la visée du lourdaud. D'un pas décidé, il se dirigea vers le porche et, servi par un jour de grand beau temps qui laissait passer suffisamment de lumière, commença son investigation. Il avait plu durant la semaine et la terre était lavée autant qu'imprégnée. Ce furent les traces de doigts sanguinolents sur le mur qui lui indiquèrent où il devait chercher. Il fureta du bout de l'épée, dénicha quelques piécettes, un bouton de nacre et autres babioles sans importance. Puis son regard accrocha contre la paroi le reflet brillant d'une dague que les sabots des chevaux avaient en partie enfoncée dans la boue. Au moment où il allait s'en saisir, un équipage s'avança à l'entrée du porche, dans l'intention probable de conduire ses palefrois à l'écurie. Denys se plaqua à la muraille et céda le passage aux deux voyageurs. Il identifia sans peine deux des proches de l'abbé Suger et rabattit la capuche de son mantel sur son front. Il ne lui semblait pas utile qu'on s'interroge sur ce qu'il faisait là.

Les deux hommes descendirent de cheval dans la cour et hélèrent leur confrère d'une voix forte. Denys jugea qu'il ne faudrait point trop de temps avant qu'ils le trouvent et qu'il valait mieux pour le connétable de la reine ne pas être associé à l'affaire. Il saisit prestement la dague, et, la glissant à sa ceinture sous sa tunique, allongea le pas jusqu'au parvis de Sainte-Geneviève.

Au pied des marches, un marché joyeux battait son allant, exhalant une odeur de poissonnaille et de basse-cour. Il se glissa au milieu des étals autour desquels se pressaient les ribaudes, panier d'osier au bras pour tâter tel légume, fruit ou jambonneau.

Denys jeta un œil au centre d'un attroupement et reconnut le joueur de flûte et son singe savant qui dansait en portant sa sébile sous le nez des badauds. Il récoltait quelques piécettes. C'était un habitué de la place. Non loin de lui, un jongleur lançait au ciel des bâtonnets enflammés qu'il maniait avec adresse, soulevant des « Oh ! » et des « Ah ! » d'admiration.

Denys sentit comme une pointe s'enfoncer dans sa poitrine. Brusquement lui était revenue en mémoire cette fois où il avait promené Marjolaine ébahie dans ce même lieu. Main dans la main, ils avaient acheté des oublies et croqué à pleines dents dans des pommes d'amour en regardant ces drôles. Le singe, attiré par les sucreries, avait grimpé prestement le long de la manche de sa belle, lui arrachant un cri de terreur, et s'était installé sur son épaule pour lui chiper sa pomme, alors qu'elle allait la porter à sa bouche. Cela n'avait duré qu'une fraction de seconde. Surprise, Marjolaine avait lâché le bâtonnet et son agresseur, agile, l'avait rattrapé avant même qu'il ne touche terre. Il s'était enfui pour le manger hors d'atteinte, niché sur une des gargouilles du portail de l'église.

L'instant de frayeur passé, ils avaient ri ensemble de cette farce et partagé tendrement la friandise de Denys. C'était avant. Un an à peine qui soudain lui sembla une éternité. L'œil triste, il tourna le coin de la rue et se fraya un passage au milieu des charrettes étroites, des passants et des chevaux.

Arrivé chez lui, il posa la dague sur la lourde table qui trônait au centre de la pièce et, avant de l'examiner, se servit un gobelet d'eau-de-vie. Puis il saisit un chiffon et revint vers l'objet maculé de salissures. Il s'aperçut que la lame était recouverte, outre la boue, de sang caillé. Il sourit de sa chance et entreprit de la nettoyer pour y chercher quelque indice.

Le bruit de ses bottes sur le plancher m'avait tirée du sommeil. Je ne l'avais pas revu depuis mon aveu, la veille, et m'étais résignée à mon sort. Aliénor était restée à mon chevet après son départ. Le jour suivant, Croquenaud s'était présenté et avait ordonné qu'on me donnât à manger et boire autant qu'il me plairait. Il ne se souvenait en rien de moi, mais paraissait content d'avoir ramené à la vie aussi proche parente de la reine. Il se disait sûrement que désormais les portes du palais lui seraient ouvertes, et je lui promis d'y veiller. Il m'expliqua que la lame était passée très près du cœur, avait perforé un poumon, et qu'il voulait croire au miracle autant qu'à son savoir pour expliquer que je sois encore de ce monde. J'avais en effet perdu beaucoup de sang, d'où mon état de faiblesse. Le moindre mouvement m'aurait été fatal jusqu'à ce que mes plaies cicatrisent. Il avait jugé bon de prolonger mon sommeil pour que je récupère.

Je l'en avais remercié chaleureusement. Lui parti, Aliénor m'avait interrogée sur ce qui s'était passé. Je demeurai évasive, arguant que mes souvenirs demeuraient confus, puis, comme elle insistait, je prétextai une migraine intense et subite. J'eus le sentiment qu'elle n'était pas dupe. Dans le doute toutefois, comme nous approchions de sexte, elle regagna le palais, comptant y avoir des nouvelles de Denys.

J'attendis un moment, en espérant qu'il viendrait de lui-même. Il y eut quelques mouvements dans la pièce voisine, puis ce fut de nouveau le silence. Je m'étais promis de ne pas intervenir. D'attendre son verdict. Mais, au fil des minutes, cela me devenait insupportable. Je devais savoir. Non pas ce qu'il comptait faire de moi mais comment il allait, lui. Je l'aimais tant. Je n'attendais pas de pardon, pas même qu'il me comprenne. Je voulais juste qu'il cesse de souffrir, retrouver son sourire et son regard pétillant de malice, même si jamais plus ils n'étaient pour moi. Alors, résolument, je me levai pour le rejoindre, découvrant avec plaisir que mes jambes, bien que faibles encore, me portaient sans faillir.

J'ouvris la porte avec précaution. Il me tournait le dos, assis face à la table. Je ne voyais pas ce qu'il faisait, mais il semblait si concentré qu'il ne m'entendit pas. Un frisson me courut l'échine. Oui, je l'aimais ! Non de cette passion qui me liait à Jaufré, mais d'une vraie tendresse, puissante et sereine à la fois.

— Denys ! l'appelai-je dans un murmure, le cœur gonflé soudain d'une confiance absolue.

Il se retourna, l'œil soucieux, mais il me sourit doucement et je compris que rien n'était changé. Comme je m'approchais, il gronda :

— Tu devrais être au lit !

— Je m'inquiétais de toi.

— Voilà bien raison stupide de femme !

Je m'assis à ses côtés. Le mouvement me fit grimacer.

— Là, tu vois ! répliqua-t-il en avisant ma mine.

— Ne discute pas avec une sorcière, plaisantai-je pour aborder le sujet, peut-être aussi pour me faire mal.

Son visage redevint grave un instant, puis il passa son bras autour de mes épaules et m'attira contre lui. De son autre main, il poussa la dague devant moi sur la table.

— Où l'as-tu trouvée ? demandai-je, complètement rassurée par son geste.

— Là-bas. Elle portait des traces de sang. Le tien sans doute. Je ne serais pas surpris qu'elle ait servi à cette boutonnière entre tes omoplates… Est-ce que tu connais ces armoiries ?

Je tournai et retournai l'objet entre mes doigts, et plus je le sentais, plus il me devenait familier.

— Tu ne crois pas à une attaque de brigands ?

— On t'aurait dépouillée. Or tu portais encore ta bourse et tes bijoux à ton arrivée.

— Ils n'ont pas eu le temps, murmurai-je.

— Merlin ou pas, un voleur aurait dérobé ce qui était à portée avant de s'enfuir plutôt que t'estourbir et te laisser pour morte.

Des images venaient, floues, fugitives, tandis que nous conversions. C'était la première fois que je laissais libre cours à la voyance en présence de quelqu'un.

Soudain, je poussai un cri. Je revoyais cette dague à la ceinture d'or d'un homme. Une main se posait sur la sienne, une main de femme baguée d'améthyste.

Je regardai Denys.

— Tu as raison. C'était un piège tendu par cet ignoble Étienne de Blois. Cette lame appartient à un de ses proches, je m'en souviens. Et Béatrice n'est point innocente à son jeu, je les ai vus ensemble au palais, plusieurs fois.

— Nous sommes sûrs d'une chose au moins, ces deux-là ne s'en tiendront pas à un coup d'essai. Bah ! Une sorcière avertie en vaut deux... s'amusa Denys en tapotant mon épaule.

Son ton narquois me fit rire, et je me pelotonnai contre lui.

— Pourquoi ne m'as-tu pas dénoncée ? demandai-je enfin.

— Dénoncer un complot contre le roi de France ! Avec des suppositions, aucune preuve et même pas d'attentat ? Bien au contraire, c'est toi que l'on manque d'assassiner. Malgré ma fonction de connétable de la reine, on m'aurait pris pour un fou, pire peut-être.

— C'est la seule raison, Denys ?

— Non, sotte !

Il ferma les yeux douloureusement.

— Je pensais te perdre à jamais, murmurai-je. Je m'en veux tellement pour ce qui est arrivé.

— À quoi bon ! J'ai écumé les tavernes toute la nuit pour trouver dans le vin des raisons de te haïr. Marjolaine savait. Elle a toujours su. Ce n'est pas toi, Loanna, qui as volé son âme. C'est elle qui s'est effacée par amour pour moi. Par amour pour nous. Je n'aurais pas survécu à ta perte, même avec elle et notre enfant à mes côtés.

— Je ne te mérite pas.

J'avais des larmes plein les yeux, qu'il ne pouvait que deviner.

— Tu ne nous mérites pas, rectifia-t-il.

— Nous ?

— Jaufré, laissa-t-il tomber d'une voix éteinte.

Je soupirai.

— Je croyais que ma mission te permettrait de comprendre.

— Comprendre n'est pas approuver, Loanna.

— Un jour peut-être…

— Lorsque la méchante sorcière sera devenue une gentille sorcière ? Je ne crois pas aux contes de fées, Loanna de Grimwald ! La vérité est que tu as peur. Regarde-moi.

Je tournai vers ses yeux un visage de pluie. Il me connaissait si bien.

— Je ne peux t'en vouloir de n'être pas à moi, ni même de ce que tu es, mais je ne te pardonnerai pas de continuer à le torturer.

— Le rappeler, c'est le détruire. Cette garce de Béatrice a tenté déjà. Ce n'est pas un homme d'armes comme toi.

— Mais tu le détruis plus sûrement qu'aucune autre ne le ferait. Parle-lui, Loanna. Si j'ai pu comprendre, alors il comprendra aussi. Tu as besoin de lui autant que lui de toi. Il n'est rien de pire que de penser n'être pas aimé. Jaufré est plus seul dans son comté que le plus miséreux des mendiants. Songes-y ! Je t'en conjure !

De ma vie, je n'avais rencontré homme plus digne, plus juste et plus généreux que Denys de Châtellerault et je savais qu'il n'en existait pas d'autre.

Aliénor revint après l'office de none pour m'apprendre les ragots. Peu de choses avaient bougé durant ma convalescence. Par mesure de précaution, Denys avait exigé de la reine qu'elle me prétende en visite chez des parents avant le grand départ. Cela surprit quelques personnes, mais on avait mieux à faire en ces temps que poser des questions. Quant au fait que la reine se rendît chaque jour depuis une dizaine dans Paris sans escorte, cela ne signifiait pour tous qu'une seule évidence : elle avait renoué liaison avec son connétable !

Aliénor s'amusait beaucoup de ce jeu. Toutefois, la tension montant au palais avec les préparatifs du départ, elle avait jugé prudent de tenir le roi informé de ma mésaventure pour qu'il ne prête pas l'oreille aux bruits de cour.

Je décidai pour ma part de ne rien dévoiler de ce que Denys avait découvert. Il valait bien mieux que la reine pensât à quelque malandrinerie en cette période troublée. Tout, d'ailleurs, portait à le croire.

Denys m'avait confié lui avoir dit que je me rendais chez lui le soir de l'embuscade. Je supposais qu'elle avait échafaudé des plans sur la nature de nos relations qu'elle savait déjà et depuis toujours bien particulières. Que j'aie omis de lui en parler devait blesser son orgueil, aussi ne demanda-t-elle rien de plus ce jour-là et je m'en tirai ainsi.

Croquenaud passa dans la soirée, jugea que j'étais définitivement tirée d'affaire, mais que la prudence s'imposait. En vertu de quoi, il me recommanda de garder le lit une huitaine encore.

— Un chaud et froid sur un poumon blessé, ma p'tit'damoiselle, et c'est la vermine qui s'installe, me sermonna-t-il.

Je savais qu'il avait raison. L'air vicié de Paris ne me vaudrait rien de bon, pas davantage que les murs froids et humides du palais de la Cité.

C'était encore ici que j'étais le mieux, choyée par ma reine, qui me portait des fruits mûrs, et par Denys entre deux services au palais. Le reste du temps, je le passais à lire et à penser. Ne rien avoir à faire laisse le temps pour ruminer. Je ne cessais de songer aux paroles de Denys concernant Jaufré. Toutes ces années ! Toutes ces années où il avait déserté la cour pour ne pas m'y croiser. Où il s'était effacé pour que je puisse exister. Où il s'était muré dans la solitude pour tenir son serment.

Quelle absurdité ! J'étais tellement persuadée qu'il m'affaiblissait, qu'il me rendait vulnérable… Je n'avais pas été davantage protégée par mes intuitions et mes prétendus pouvoirs au moment de l'embuscade ! Quelle leçon d'humilité ! Moi, Loanna de Grimwald, je m'étais trompée sur toute la ligne. Pis encore, je m'étais trompée sur moi-même. Je n'étais à la hauteur d'aucun des enseignements de Merlin. Il n'était pas trop tard pour demander pardon. Comme je l'avais fait avec Denys, il n'était pas trop tard pour me retrouver. Pour le retrouver. S'il voulait encore de moi comme désormais je voudrais de lui. Ce ne fut qu'après avoir pris cette décision que je me sentis véritablement guérie, libérée et légère.

Trois jours plus tard, Aliénor débeula dans ma chambre.

— C'est définitif, nous partirons au début du mois prochain. J'ai demandé une audience à Louis pour ce tantôt, et tu vas en entendre les ronflements de colère jusqu'ici. Nous y allons toutes ! Mais ce n'est pas tout, ces dames ne peuvent tenir sans leurs chambrières, leurs toilettes, leurs bijoux. Depuis qu'elles savent que le basileus, que l'on dit fort bel homme, nous reçoit dans sa ville blanche, elles refusent de s'y rendre en armure. Et je compte bien, pour ma part, lui montrer toute la splendeur de la France. Nos malles suivront donc et nos amuseurs aussi, jongleurs, acrobates, troubadours…

Elle marqua un temps d'arrêt, guettant ma réaction. Je me contentai d'un œil sévère tandis que mon cœur s'arrêtait un instant de battre pour s'accélérer ensuite. Aliénor vint se jeter à genoux pour presser ma main qui pendait mollement sur les draps de lin.

— Comment pouvais-je savoir ? s'excusa-t-elle, une pointe de colère feinte dans la voix.

Lorsqu'elle se sentait coupable, Aliénor jugeait plus opportun d'attaquer la première.

— Me voilà bien embarrassée à présent. Je pensais qu'il te serait doux de l'avoir à tes côtés, cela fait si longtemps. D'autant que sa voix est un plaisir que l'on me réclame souvent, tu le sais. Il aurait été le seul à ne point s'y rendre ?…

Elle me regarda sans finir sa phrase. Je souriais avec tendresse.

— Tu as bien fait.

— Vrai ?

Ses yeux pétillaient de malice.

— Vrai. Quand arrive-t-il ?

— Il s'est présenté hier aux portes du palais avec un jeune protégé qui possède une voix des plus prometteuses.

— Il a demandé après moi ?

J'eus peur soudain qu'Aliénor n'ait commis une bévue.

— Parbleu ! Il s'est étonné de ne point te voir au dîner et je lui ai fait même discours qu'aux autres. Appelée par ta famille à Angers, tu serais de retour à Paris bientôt. Mais que je t'en ai voulu, Loanna, de lui donner pareil mensonge ! Si tu l'avais pu voir, si maigre, si blanc, si triste soudain, alors qu'il paraissait léger comme un pinson en venant me rendre hommage. On eût dit que la vie s'en allait de son sang. Il a prétexté les fatigues du voyage et s'est retiré de fort bonne heure.

— Pourquoi lui avoir menti ? Il te suffisait de lui raconter ma blessure, murmurai-je doucement.

— Et que lui aurais-je dit ? Que sa bien-aimée se pâme depuis quinze lunes dans le lit de son amant ? Je croyais que nous n'avions nul secret l'une pour l'autre ! Et depuis quand vous cachez-vous à mes yeux ? J'aurais dû me douter de votre trahison quand je vous ai surpris dans la salle d'armes après l'escarmouche avec Béatrice.

Elle battait l'air de ses bras fins comme un moulin un soir de tempête, martelant de ses talons le bois du parquet ciré. Un sentiment de tendresse m'envahit.

Aliénor avait eu peur de me perdre, autant que Denys, mais elle s'était effacée pour ne pas montrer sa faiblesse, avait ruminé dans son coin des griefs imaginaires pour ne pas se laisser gagner par ce sentiment de fatalité qu'elle exécrait et qui la rendait vulnérable.

Derrière sa colère se cachaient toute son angoisse et son attente mêlée d'espoir. Et, plus fort que tout le reste, cet amour grand comme un royaume qu'elle me portait.

— Denys n'est pas mon amant, murmurai-je.

Elle s'arrêta net, essoufflée de mouliner du vent, les joues rouges, le regard hébété. Elle s'attendait à n'importe quoi, sauf à cela.

— Que dis-tu ? demanda-t-elle encore.

— Tu as parfaitement entendu. J'avais rendez-vous avec Denys ce soir-là, mais ce n'était pas pour lui causer badinage.

Elle s'approcha et s'assit à mon chevet au bord du lit.

— Et pourquoi donc, Seigneur ?

— Je voulais qu'il fasse surveiller quelqu'un dans l'entourage du roi, mentis-je.

Elle ouvrit la bouche, mais aucun son ne vint. Elle ressemblait à un poisson avec ses yeux ronds comme des assiettes. Un fort joli poisson que j'aimais. Je poursuivis, imaginant sans peine une suite à l'idée que j'avais lancée :

— J'ai saisi quelques bribes d'une conversation au détour d'un corridor. Il y était question du roi, et le ton employé semblait ouvert aux manigances. Je n'ai pu saisir le sens du propos, mais je me méfiais de l'homme et souhaitais que Denys s'en inquiétât.

— Et tu n'as rien pu lui dire. Fâcheux contretemps. Pour l'heure cependant, je n'ai eu vent d'un quelconque complot. Qui était cet homme ?

— Étienne de Blois.

— Voyons, Loanna ! Il est roi d'Angleterre ! Qu'aurait-il à faire de la mort d'un roi qui en plus le soutient dans son conflit avec l'Anjou ? Non, je doute qu'un danger vienne de lui. Tu auras sans doute mal compris. Peut-être tes sentiments à son égard ont-ils faussé ton jugement. Je sais combien dame Mathilde ta marraine est désenchantée de n'avoir pas été légitimée par son peuple. Dieu sait ce que tu auras entendu dans ton enfance sur cet homme considéré comme un ennemi, mais, pour l'avoir rencontré et écouté en diverses occasions, j'ai pu juger de sa valeur et de son intégrité. Tu te seras fait des idées !

— Sans aucun doute, soupirai-je. J'ai bien failli toutefois laisser mon sang dans ce coupe-gorge que sont les rues de Paris. Vois combien j'ai l'esprit fantasque, ma douce !

— Je t'interdis désormais d'oser pareil exploit ! Louis mérite ton attachement à sa royale tête, mais je tiens plus encore à la tienne.

Elle m'embrassa. Des boucles blondes frôlèrent mon front comme un vent d'été gorgé de soleil. J'eus envie brusquement de sa lumière, de son âme d'enfant qu'elle ne cesserait jamais d'être, et de ses cheveux épars sur mon ventre.

— J'ai envie de toi, murmurai-je en l'attirant contre moi.

— Crois-tu qu'il soit raisonnable, se plaignit-elle, pour la forme seulement, car, dans son regard piqueté de mauve, une étincelle s'était allumée que je ne connaissais que trop bien.

Je dégageai une place à côté de moi dans le lit. Avec un petit gloussement, elle fit glisser sa jupe de siglaton à terre et s'allongea. Je délaçai tendrement les fils qui retenaient son corsage serré jusqu'à la taille et dénudai ses seins tendus. Puis, la couvrant de baisers, j'aventurai une main fébrile entre ses cuisses.

— Cela fait si longtemps, hoqueta-t-elle en gémissant de plaisir.

Elle s'abandonna à mes caresses tandis que je me faisais la même remarque, aiguisée non seulement par ces jours d'immobilité mais aussi par la perspective grisante de retrouver Jaufré. Car je n'avais plus de doute désormais. Comme Denys, il pardonnerait.

Lorsque Aliénor rentra au palais ce même soir, elle eut plaisir à l'entendre chanter à la veillée. Après que chacun se fut retiré, elle s'entretint longuement avec lui. Elle lui raconta combien ces années m'avaient coûté, allant même jusqu'à prétendre que je me reprochais ma conduite à son égard mais que, par un orgueil stupide, je m'étais bornée à attendre qu'il fasse le premier pas. J'imaginai que c'était ce qu'elle croyait sincèrement. Quoi de plus normal que Jaufré le crût aussi. Aliénor n'avait pas sa pareille pour culpabiliser son prochain et faire d'un bourreau une victime. J'aurais dû lui en vouloir, étrangement cela me soulagea. Cette version me laissait la possibilité de ne pas tout dévoiler avant d'avoir accompli ma mission en Terre sainte. Ce qui importait était que, d'avoir ouï ces paroles, Jaufré s'était rasséréné et qu'il se languissait de l'instant où je reviendrais en ses bras.

Le dimanche suivant, avant la tombée du jour, je me présentai aux portes du palais de la Cité. Retrouver le contact de Granoë m'avait été plus qu'agréable et je savourai tout le long du trajet le plaisir de me sentir de nouveau vivante.

Denys me reconduisit jusqu'aux écuries du palais. Là, nous nous séparâmes, lui pour gagner la salle d'armes, moi mes appartements. Ce fut d'un pas léger que je gravis les escaliers du donjon. Il n'était pas question que je me présente devant Jaufré et la cour avec si pauvre mine. Je fouillai mes malles et extirpai une robe de samit d'un bleu profond que j'aimais beaucoup. Pour conforter son histoire qui me voulait en Anjou, Aliénor avait jugé prudent d'éloigner Camille, ma chambrière, sitôt après mon agression et l'avait placée dans un couvent, non sans lui avoir assuré que je me portais bien et qu'on l'enverrait chercher dès que possible. Je dus en conséquence me débrouiller seule et m'apprêtai avec plaisir, savourant cette attente merveilleuse qui précède les grands moments.

Lorsque je jugeai que ma mine était plus rayonnante et superbe que jamais, je me dirigeai vers la salle de musique. Aliénor et ses compagnes s'y tenaient, au dire des pages que j'avais croisés dans les couloirs. La voix de Jaufré me cueillit au seuil de la porte à deux battants. Ils étaient entrebâillés, et, en m'approchant, je pus le voir, assis sur un tabouret bas, sa cithare coincée entre les genoux, un parterre de soie et de dentelles à ses pieds. Alanguies sur des coussins à même les épais tapis de laine, ces dames levaient vers lui un regard bouleversé. Jaufré n'avait rien perdu de son charisme et, si son visage était plus marqué de rides, il était tel qu'en mon souvenir, humble et noble à la fois, illuminé par cette musique qui naissait de ses doigts et s'envolait par sa bouche. Mon cœur bondit dans ma poitrine à en déchirer les lacets de mon corsage. Comme il m'avait manqué toutes ces années ! Comme je l'aimais ! Alors, doucement, je poussai les portes et entrai. Aussitôt son regard accrocha le mien, figeant sur ses doigts les notes de musique. Et ce fut tel que je l'avais pressenti. Comme une vague immense qui submerge la plage et la fait sienne. Le même bonheur indicible de se savoir l'un à l'autre pour toujours éclaira nos traits d'un sourire qui se passait de commentaires. Tous les visages convergèrent vers moi, attirés sans doute par la transformation qui s'était opérée sur celui du troubadour.

Ma reine s'avança vers moi et me prit les mains.

— Loanna ! Que je suis heureuse de vous revoir parmi nous ! mentit-elle. Avez-vous fait bon voyage ?

— Excellent, ma reine, bien que je me sois hâtée vers Paris. Le temps me comptait sans vous.

Elle me conduisit telle une enfant devant Jaufré, qui s'était levé à son tour et me couvait d'un regard tendre. Tant que je ne pus m'en détacher. Il m'accueillit par une profonde et gracieuse révérence. Pourtant, ce fut à la reine qu'il s'adressa lorsqu'il releva le buste :

— Votre Majesté peut s'enorgueillir de posséder désormais le plus beau des parterres. Il est de ces fleurs rares et lointaines qui, lorsqu'elles daignent s'ouvrir, font d'un jardin le plus enchanteur des paradis. Que Dieu bénisse le jour où j'y fus convié !

— Que Dieu bénisse le jour où votre voix, tel le chant d'un rossignol, éveilla le printemps qui dormait en son cœur, messire de Blaye !

Nos regards se fondirent en un même accord, et je sus qu'il était inutile désormais que j'en explique davantage. C'était comme si le temps n'avait rien abîmé, rien sali. Et, tout au contraire, nous avait rapprochés encore.

Aliénor partit d'un rire joyeux et lança à la ronde, en battant des mains :

— Damoiselles, c'est un grand jour que ce jourd'hui ! Notre amie nous revient plus taquine que jamais, nous accueillons céans le plus grand troubadour de cette terre et dans quelques semaines, si Dieu le veut, nous apprendrons à ces maudits Turcs à se repentir de leur orgueil païen. Messire de Blaye, que votre chant d'amour lointain soit notre bannière pour la gloire de Dieu et du royaume de France !

— Pour la gloire de Dieu et du royaume de France ! reprirent en chœur les dames qui s'étaient dressées d'un même élan.

Oui, ce jourd'hui était un grand jour !

" Au nom de l'honneur perdu "

Cycle *Ogier d'Argouges* en 7 volumes :

1. *Les lions diffamés* (Pocket n° 11014)
2. *Le granit et le feu* (Pocket n° 11015)
3. *Les fleurs d'acier* (Pocket n° 11016)
4. *La fête écarlate* (Pocket n° 11032)
5. *Les noces de fer* (Pocket n° 11033)
6. *Le jour des reines* (Pocket n° 11219)
7. *L'épervier de feu* (Pocket n° 11100)

Le 24 juin 1340, la bataille de L'Écluse ouvre la guerre de Cent Ans et marque le début des aventures d'Ogier d'Argouges, fils de chevalier normand. Son père Godefroy, calomnié par le traître Richard de Blainville, l'envoie apprendre le maniement des armes et l'art de la guerre pour qu'il sauve l'honneur de la famille. De la Normandie au Périgord en passant par Paris, sur une période qui s'étend de 1340 à 1348, Ogier apprend au fil de ses aventures à devenir un preux chevalier.

Il y a toujours un Pocket à découvrir

Impression réalisée sur Presse Offset par

BRODARD & TAUPIN

GROUPE CPI

17453 – La Flèche (Sarthe), le 05-03-2003
Dépôt légal : mars 2003

POCKET – 12, avenue d'Italie - 75627 Paris cedex 13
Tél. : 01.44.16.05.00

Imprimé en France